北京古籍叢書

[清]周家楣 [清]繆荃孫 編纂

光緒順天府志

左笑鴻 點校

第十四册

北京出版集團

北京出版社

圖書在版編目（CIP）數據

光緒順天府志．第十四册 /（清）周家楣，（清）繆荃孫編纂；左笑鴻點校．— 北京：北京出版社，2018.2

（北京古籍叢書）

ISBN 978-7-200-13592-3

Ⅰ．①光… Ⅱ．①周… ②繆… ③左… Ⅲ．①北京—地方志—清代 Ⅳ．① K291

中國版本圖書館 CIP 數據核字（2017）第 283018 號

項目策劃：安　東　　項目統籌：許　可

責任編輯：喬天一　許　可　　責任印製：宋　超

裝幀設計：郭　宇

北京古籍叢書

光緒順天府志

第十四册

［清］周家楣　［清］繆荃孫　編纂

左笑鴻　點校

出　版　北京出版集團公司
　　　　北京出版社

地　址　北京北三環中路六號

郵　編　一〇〇一二〇

網　址　www.bph.com.cn

總發行　北京出版集團公司

經　銷　新華書店

印　刷　北京京華虎彩印刷公司

開　本　八八〇毫米×一二三〇毫米　三十二

印　張　十八

字　數　三二六千字

版　次　二〇一八年二月第一版

印　次　二〇一八年二月第一次印刷

書號　ISBN 978-7-200-13592-3

定價　128.00 圓

人物志二十一

列女三

歙鮑恩綬纂 江陰繆荃孫覆輯

梁 夫亡守節，艱難撫孤一人：守節而無孤可撫者，亦坿見。按：各書互見者歸州、縣志，兩志並見者，歸在前州縣。

張棨妻劉。以夫歿家貧，葬禮有闕，遂終身不居正室，不隨子入官府。梁書

右固安一人

北齊 夫亡守節，艱難撫孤一人：

荀某妻鮮于。嫁七日夫亡，矢志守節；母卒，哭泣失明。一統志

右通州一人

元 夫亡守節，孝事舅姑凡十人：凡逮事舅姑者皆歸此類，内有兼撫孤者。

潘居敬妻陳，王成妻高，劉德明妻王，至順二年二月旌。元文宗紀 文學黃永妻毛，張德宏妻朱。順天節孝祠主

右大都五人

郭仲安妻李。至順二年旌。元文宗紀

右大興縣一人

韋安妻張，至順三年三月旌。元文宗紀

右良鄉縣二人

魏成妾周。耕織養姑，守三十餘年。良鄉舊志

張秀妻韓。事舅姑以孝聞，安貧守節，訓其遺孤。涿州吴志

右涿州一人

周榮妻陳。紡績養姑，至順二年旌。霸州朱志

右霸州一人

夫亡守節，艱難撫孤凡二人：

李讓妻張。守節六十餘年。三河陳志

右三河縣一人

安文妻李。寶坻洪志

右寶坻一人

夫亡身殉一人：

費巖妻王。元史列女傳

右大都一人

守節不辱，遇變捐軀七人：

宋讓妻趙，讓子某妻温，次子某妻高，讓孫某妻高，次孫某妻徐。大都破，一門赴井死，並諸孫男女六人，衆妾三人。薊州沈志

右大都五人

進士安志道妻劉。避兵岩穴中，軍至欲污之，罵不絕，軍怒，鉤斷其舌。一統志

右順義縣一人

王清臣妻馮。東平州人，至正末，避兵於薊，爲邏卒所獲，欲污之，逼以刃，不屈，乃欲殺其子脇之，氏執愈堅，遂遇害。薊州沈志流寓

右薊州一人

孝貞賢淑婦女一人：

任尚女。順帝末，攜弟避亂，居仁義鄉，誓不適人，以女紅易食養弟。弟長，爲娶於康，遂成巨族。霸州朱志

右霸州一人

明 夫亡守節，孝事舅姑凡一百七人：

李文敬妻吉，廖琮妻龎，以上守五十餘年。姚紹勳妻李，王堅妻紀，守五十年。郝體元妻顧，守四十年。李本生妻閻，李繼宗妻馮，郭衛國妻董，衛國見昭忠表。王崇德妻石，劉相妻汪。畿輔唐志

右順天府十人

李某妻鞏，按：某爲襄城伯國楨子。夫亡，有欲娶之者，遂劈面斷髮，奉姑終身。徐璋妻左，吳伯良妻羅，葛士楫妻孫，以上守四十餘年。徐元凱妻田，王勳妻陳，以上守三十餘年。羅懋官妻侯，張升孫妻范，升孫子某妻王，魯廷瑛妻甄，胡秉怡妻章，王蘭妻方，畿輔唐志秦榮妻楊，羽林右衛指揮蔣棟妻楊。大興張志

右大興縣十四人

徐某妻莫，孚尹母，善事祖姑。生員尹敷謀妻何，紡績奉姑，守三十餘年。按：大興志亦見，而字多脱落，故歸宛平。舉人馮讚妻劉。宛平王志

右宛平縣三人

魏仁妻楊。守四十餘年。良鄉舊志

右良鄉縣一人

陳睿妻張，夫亡，茹苦守志，以親師取友、勵學修行訓其子。張紹宗妻王。夫亡，姑憐其少，欲令再嫁，乃剪髮毁容以明志。固安陳志

右固安縣二人

苑甫山妻倪，明順天沈志李旺妻張，壽九十，守六十年。楊文蔚妻朱，苑志學妻王，與孀姑同守志。生員劉成德妻張，索璣妻王，索鑑妻霍，保定訓導武維藩妻楊，張文爌妻席，生員楊華夏妻樂。紡績教子成名。永清周志

右永清縣十人

高明妻辛，守五十餘年。武生王大傅妻任，教子入庠。鄧世銀妻劉，以上守五十年。謝黑兒妻梅，守四十餘年。王守惠

妻王，〔舅姑繼歿，鬻女營葬。歲饑，嘗採野菜以爲食。〕生員于若瀛妻邵，〔舅姑性嚴厲，邵恭順無違，能得歡心，教二子入庠。〕高明子某妻閻，李大經妻冀，生員劉之翰妻李，張希臯妻劉，邵豫昭妻魏，施光祚妻李，生員王旭妻福，張郊庚妻王，王良臣妻孟，王漢卿妻劉。〔東安李志〕

右東安縣十六人

崔維邦妻潘，〔守三十餘年。〕王永仕妻李，〔紡績養舅。〕生員孫潤妻王，〔教子大成，膺歲薦。〕喻力任妻尹，〔教子入庠。〕生員馬文煥妻張。〔香河劉志〕

右香河縣五人

錦衣衛校尉龍鍾妻盛，〔守六十餘年。〕舉人羅應星妻王，〔備嘗艱苦，教子入庠。〕生員胡國政妻王，〔與姑同守志教子入庠，守四十餘年。〕山西忻州知州張元珍妻馬，〔與姑同守志，入國朝守道、州牧各旌其門。〕王世麟妻林，〔侍繼姑疾，八載不懈。〕馬萬全妻李。〔通州高志〕

右通州六人

芮昌申妻張，〔夫亡，將以身殉，舅姑止之。强起治事，孝事舅姑，舅姑歿，喪葬盡禮。守六十餘年。〕生員苑時藎妻韓，〔守五十餘年。〕生員郝應聘妻芮。〔夫葬時，將投壙以殉，舅姑力止之。事舅姑盡禮。守四十餘年。寶坻洪志〕

右寶坻縣三人

郝時雍妻劉，〔守三十餘年。〕康陵衛百户劉相妻汪，〔直指李爲旌表。〕白守敬妻徐。〔事舅姑，鄉里以孝稱。昌平宋志〕

右昌平州三人

某妻蕭，夫死，翦髮垢面，事翁姑三十年。按：明府志作張泰妻蕭，未知卽此人否？李相妻姜，陶宗儀妻閻。宗儀見昭忠表。密雲薛志。

右密雲縣三人

舉人陳一新妻徐，教前室二子，一秉鐸，一入庠。生員范承思妻殷，守四十餘年。教諭楊汝玉妻陳，舉人季郁妻杜，鬻女紅以養舅姑，舅姑歿，殯葬以禮。郭恂妻劉。涿州吳志

右涿州五人

樊生渭妻張，生員畢嘉謨妻任，蔣欽妻趙，子勳成進士。蔣時東妻趙，張來朝妻郭。霸州朱志

右霸州五人

趙禮妻耿，守五十餘年。生員井某妻王，按：節孝祠主作華。守三十餘年。譚得用妻周，教二子之翰、之林登仕籍。生員劉大岳妻柴，生員王明求妻陳。皆教子入庠。張科妻郭，夫亡，有遺厚資強娶者，堅拒之；後事姑至孝，教子入庠。劉光祖妻楊。文安楊志

右文安縣七人

馬雯妻張，守三十餘年。畿輔唐志 張朝甯妻黨，勤紡績以奉舅姑，守六十餘年。生員高選妻周，教子膺歲薦。生員傅甯妻張，縣令嘉其節，以粟賑之，不受。生員齊壽邦妻吳，教子成名。生員李伯芳妻王，撫三子及小郎二人成立。薛太妻李，生員高九仞妻梁，李縉芳妻劉，生員賈應元妻高，王崇德妻石，張象奎妻齊。大城張志

右大城縣十二人

柴之琦妻王，勤紡績以奉舅姑。甯良謨妻高，教子入庠。王進璽妻趙，勤紡績以奉舅姑，撫小郎成立，教子入庠。于增妻張，增子

智妻田。（保定成志）

右保定縣五人

李某妻楊，（與孀姑同守志。）生員崔格妻張，（勤女紅以養舅姑。）李舍兒妻楊，（與姑劉氏相依爲命，以貞節自持，詔曰雙節。）生員屈伸妻歐，（夫亡，舅姑年逾七十，遺子女五人，氏以針黹、澣濯爲業，養葬舅姑，教子允元登第。）知縣崔接妻荀。（奉姑以孝，撫前子及幼子三人俱游庠。薊州沈志）

右薊州五人

夫亡守節，艱難撫孤二百八十人：

劉執玉妻張，（守六十餘年。）姚起龍妻靖，（紹勳母，守五十餘年。）楊林妻張，莫疑妻朱，郭某妻周，（衛國母。以上守四十餘年。）郭某玄孫東鎮妻谷，（守三十餘年。）寶豐縣知縣張人龍妻某，（人龍見昭忠表。某年少，匿空舍，家人欲犯之，某紿之，醉以酒，婢密告丞尉，捕殺四人，某歸守節終身。）郭某孫承忠妻王，承忠子遠銓妻谷，王霖妻楊，李本立妻崔，孫希尹妻尹，張應魁妻甯，楊端妻任，劉某妻楊，（敞母。）劉希賢妻宋，張汝孝妻王。（畿輔唐志）

右順天府十七人

千户張勳妻周，（守六十餘年。）莫榮妻朱，（守四十餘年。）羽林右衛指揮蔣昇妻耿，（棟死，守四十年。）莫榮姪生員如齒妻李，潘從謙妻楊，指揮張佑妻馬，指揮車鎧妻劉，賈彦通妻孫，梁景妻馬，生員高天倫妻王，衛百户傅鼎妻郭。（張志）

右大興縣十一人

劉某妻胡，教子餘澤登進士，官山西右布政。守五十餘年。潘鳳妻門。守四十餘年。王志

右宛平縣二人

王堂妻宗，伶仃艱苦，有人所不能堪者。劉奉妻張，以上守六十年。楊泰妾張，守五十餘年。王珣妻楊，守五十年。王景妻劉，景見昭忠表。劉聞變欲自殺，人救之，不得死，矢志守節。朱清妻婁，畿輔唐志婁作姜，府志作張，今据良鄉舊志。中屯衛百户沐興妻張，守四十餘年。張桐妻周，教子入成均，守四十年。生員楊春妾何，教子入庠。中屯右所千户劉瓚妻王，沐貞妻張。萬曆沈志

右良鄉縣十一人

張洪妻劉，生員沈應詔妻郭，教子入庠，守三十年。生員劉德恭妻宋，教子入庠，壽百有四歲。李順妻馬，龐整妻張，彭昉妻李，叢貴妻甄，楊某妻任，應中祖母。劉某妻楊，啟光母。劉景臣妻趙，牛尚絅妻王，畿輔唐志絅作綱。劉傑妻牛，盧鏜妻段，張某妻李，延祖母。生員楊春秀妻張。節孝祠牌作楊春。陳志

右固安縣十五人

張鎮妻黄，壽九十餘，守七十餘年。劉三輔妻王，劉樸妻楊，廪生張晨妻于，以上守五十餘年。歲貢傅廷竺妻張，雷希顔妻章，錦衣指揮張麒妻班，麒遭搆陷，班撫孤苦守。劉甲妻洪，王降妻田，以上守四十餘年。江西道御史符允中妻石，甯國府經歷張享妻吴，以上守三十餘年。生員劉自重妻楊，郝廷表妻魏，傅自然妻焦，裴章來妻劉，賈應鶚妻許，錦衣千户張應魁妻甯，喜周卹同族。高登敏妻武，教子成名。羽林前衛指揮褚言妻張，劉萬言妻韓，張縉妻陳，索一貫妻趙，王畿毓妻楊，王仰昌妻張。周志

右永清縣二十四人

孟約妻竇，孟瑁妻房，魏宣妻岳，生員史簡妻王，以上守六十餘年。賈時雍妻郭，教子入庠。魏澤珠妻董，張瑞妻孫，張玘妻竇，以上守五十餘年。武生楊逢盛妻田，教子入庠。千户楊林妻張，以上守四十餘年。張鵬翔妻王，守三十餘年。劉孔曜妻于，生員張震陽妻王，胡楝妻于，皆教子入庠。張泰陽妻王，教子及孫入庠。紀鎖住妻王，康恭妻孟，李俊妻張，劉景學妻張，王文苑妻周，扈文妻張，生員葛潤妻劉，殷惟公妻葛，張堯妻王，劉可儒妻李，貢士王嘉賓妾馬，劉邦治妻曾，施金妻王，薛民樂妻王，劉承基妻婁。李志

右東安縣三十人

崔峩妻李，守六十餘年。計守禮妻閻，周克寬妻王，以上守五十餘年。崔斗之妻盧，教子入庠。汪自高妻吴，教二子入庠。生員王國忠妻孫，以上守四十餘年。生員王之英妻張，守四十年。周雲曇妾魏，守三十餘年。生員陳邦謨妻劉，教子入庠。劉暹妻王，教子入庠。生員崔鎰妻蕭，王之楫妻趙，李堂妻曹，生員尹鴻漸妻周，貢生吴養濬妻陳。劉志

右香河縣十五人

訓導張永達妻劉，生員張一龍妻陳，以上守六十餘年。衛千户孫如林妻湯，教子登武科。柳廷元妻張，江南睢甯縣知縣楊若桐妾王，以上守五十餘年。馬錦妻任，守五十年。龍時化妻彭，教子入庠。王起蛟妻楊，教子成名。

生員張翩妻王，夫亡自縊，救甦。伊志修妻沈，教子入庠。定邊衛指揮吴越萬曆沈志作鉞。妻張，生員王來試妻趙，貢生黄某妻章，徐文煌妻戴，以上守四十餘年。教諭龍起化妾張，撫嫡子二人俱入庠。錦衣衛舍人湯全妻韓，黄某妻章，指揮李應魁妻黄，以上守三十餘年。文思院副使張大經妻顧，教子入庠。王賁德妻劉，教子入庠。生員馬夢龍妻王，教子入仕籍。胡宗禮妻翟，教子入庠。都督顧凝命妻陶，豹祥母，撫前子如己出。生員董恕妻李，龍某妻張，鍾母。吴濟妻王。高志

右通州二十六人

生員胡某妻某，教長子繼芳以舉人官同知，次子應徵以進士官知縣，守六十餘年。金捷妻劉，守五十餘年。生員喬檀妻吴，族利其産，逼嫁，不從，教子陞以明經官州判。生員邢釿妻劉，于得信妻李，畿輔唐志作德信。以上守四十餘年。生員劉餘慶妻李，教子瑞遠以舉人官江蘇海州牧。興州後屯衛指揮僉事孫希伊妻劉，杜甯妻謝，孫希伊妻劉養女，母女矢志同守節。興州後屯衛百户鄭一元妻劉。陳志

右三河縣九人

周望妻王，教子入庠，守七十年。王鴻業妻張，守五十餘年。宋德妻孫，教子入庠。劉雷妻王，守四十餘年。許世英妻石，孫鋌成進士，又孫四人入庠，石俱及見之，人以爲貞節之報，年九十餘，無疾卒。吴八妻王，伶仃孤苦，紡績自供。生員祝昭妻江，教子增官刑部主事。汪泰妻倪，教子大德官中衛指揮。武生高若華妻侯。歲飢饉，鬻穅秕以勵志。

右武清縣九人

牛景浩妻潘，教嗣子貢成均，守五十餘年。光禄寺署正苑固妻劉，生員芮允元妻從，以上守四十餘年。苑弘祖妻陳，

夫亡，投繯，救甦，苦節終身。芮復堯妻劉，畿輔唐志作服堯。通書史，壽九十餘。劉興妻王，郝琮妻李，芮昺妻趙，通書史。牛勉妻劉，張九鼎妻劉。洪志　萬曆沈志作九昇。

右寶坻縣十人

陵衛指揮廖琮妻龐，守五十餘年，訓子沂官府判。任良妻方，撫子琦成立。康陵衛百户李倉妻汪，矢志守節，撫子成立，直指彭旌其門曰貞節。生員劉執御妻張。守六十餘年。宋志

右昌平州四人

王良臣妻薛，楊玉妻李，周鎮妻譚。夫卒，納髮於棺，示無貳志。順義黃志

右順義縣三人

賈陸妻鄧，後衛右所百户項潮妻趙，後衛右所千户谷昂妻汪，中衛指揮汪泰妻倪。密雲薛志

右密雲縣四人

趙海妻李，守四十餘年。海子琮妻閆，生員王俊妻韓，以上守三十餘年。田亮妻楊，王錦妻李。懷柔吴志

右懷柔縣五人

陳九錫妻朱，守六十餘年。湖廣指揮陳玉妻王，守三十餘年。田杲妻璩，郗守業妻石，皆教子入庠。千户張福妻王，兵科給事中馮順妻趙，生員鄧琬妻楊，周某妻康，吴志郭承儀妻喬，高秉中妻朱。萬曆沈志

右涿州十人

史瓚妻王。夫亡，將絶粒以殉，父母諭止之，教遺腹子登仕籍。佟志

右房山縣一人

樊克家妻申，教子入庠。驛丞王寰妻劉，教子入庠。以上守五十餘年。生員江化蛟妻張，節孝祠主作江蛟。教子入庠。李緝妻何，教子膺歲薦。崔奉先妻王，舉人李裕妻程，生員趙裕妻孟，劉守仁妻王，蔣臣妻張，時東母。張仲海妻錢，來朝母。生員江化龍妻張。朱志

右霸州十一人

王守科妻梁，守六十餘年。張運生妻胡，家無斗儲，艱辛備歷，守五十年。邢鳳禎妻李，守四十年。生員李萃妻程，教子入庠。靳承選妻董，撫二子斗光、斗華成立，後斗光、斗華死於難，兩婦聞變投河，董復撫兩孤孫成立。馬應龍妻夏，王訥妻張，訥子某妻某，楊瑱妻張，張嵐妻楊，王守直妻張，紀國仕妻張，畿輔通志作國任。紀汝澤妻裴，段朝賓妻李，節孝祠主作國賓。王儆妻朱，紀于竹妻王，晁鍾妻王，盧萬年妻王。楊志

右文安縣十八人

貢生蔡其俊妻王，教子入庠，守四十年。蔡潤妻魏，教子通仕籍。劉灝妻李，教子漢儒官都察院左都御史。生員傅守讓妻張，教子入庠。齊爲邦妻趙，撫前子如己出。李熡暘妻紀，劉棻妻蔡，劉養心妻李，生員謝翰南妻孟，馬光前妻紀，生員馬永圖妻葉、妾郭。同心誓志，撫猶子如己出，表曰雙節之門。大城張志

右大城縣十二人

王廷芝妻吴，教長子綱振登賢書，次子入庠。舉人蔡陞妻吴，教子瑱登賢書。生員吴章燦妻馮，教子入庠。閻宗孔妻吴，教子入庠。王某妻李。子敏學，有孝行。成志

右保定縣五人

李彦實妻劉，舍兒母。生員歐士襲妻馬，畿輔唐志作士龔。以上守六十餘年。生員劉應元妻張，官孟時妻劉，教子成名。蔡瓚妻王，以上守五十年。生員路之道妻賈，守四十餘年。舉人姚鎮方妻安，畿輔唐志作姚鎮。守三十餘年。生員李直妻潘，夫亡，以身殉，親屬力救方甦，甘貧守志，教子成名。李大熿妻甯，忍饑寒，撫二子俱成立。郎中毛維騶妻莫，撫前子如己出。武生劉繼祖妻李，夫亡，子幼，親戚虐遇之，李教子入庠，且戒子勿修宿怨。紀善徐用妻劉，生員邵思明妻毛，崔敏妻郭，李士銓妻苑，俱教子入庠。崔奉先妻王，千户李貞妻韓，張俊妻寇，錢起妻崔，指揮袁純妻張，蔡瓊妻王，生員侯通妻楊，生員甯登妻甯。沈志

右薊州二十三人

知縣路中妻李，馮鸞妻劉，明萬曆沈志 指揮詹璠妻羅。守六十餘年，有司旌其門。朱志

右平谷縣三人

夫亡身殉四十六人：

張鑚妻孔，某妻李，皆夫亡，不食死。馬璽妻周，李時徹妻曹，程玉妻王，胡海妻王，許洪妻陳，

石清妻周。皆夫亡，自縊死。畿輔唐志

右順天府八人

太僕寺少卿米萬鍾妻陸，萬鍾亡，一慟而絶。趙嘉彦妻孫，夫卒，不食死。錦衣衛校尉周臣妻俞，夫亡，絶食死。生員翟思榮妻張，思榮弟思棨妻齊。俱夫亡，絶食死。張志

右大興縣五人

武生高第妻王，第亡，斷髮，割鼻，竟病創死。畿輔唐志　楊進妻王。夫亡，絶食死。王志

右宛平縣二人

段逢曦妻張。夫亡，不食死。楊志

右良鄉縣一人

儒童楊國新妻張。年十六，夫亡，絶粒十日，死。陳志

右固安縣一人

郭鉉妻黄，夫亡，自縊死。畿輔唐志　張孝妻章，唐志作張孝先。夫亡，自縊死。朱大化妻褚。唐志作宋大化。夫亡，絶粒死。周志

右永清縣三人

孟養善妻張，夫亡，絶粒死。張希皋妻劉。夫亡，自經死。李志

右東安縣二人

生員郭登科妻賈，夫亡，縊於柩側死。生員陸大經妻華，李茂齡妻高，夫亡，絶粒七日，自縊於柩前。生員賈以禄妻某。以禄見昭忠表。某聞信自縊死。　高志

右通州四人

生員許科妻王，夫亡，自縊死。生員陳如忠妻劉。畿輔唐志作汝忠。夫亡，絶粒死。　陳志

右三河縣二人

劉思縉妻張，夫亡，誓身殉，念幼女無依，忍死鞠育，女適人後，張卽扃户自經。李大經妻王，徐潤妻王，趙良臣妻王。皆夫亡，自縊死。　吴志

右武清縣四人

郝經妻褚，夫亡，無子女，絶粒不獲死，遂自縊。楊世先妻張，夫亡，自縊死。祁守道妻芮。夫亡，絶粒死。　洪志

右寶坻縣三人

某妻李。夫死，氏涕泣跪柩前，勺水不進，誓以身殉，至四日，知州聞之，造廬勸食，不應，至七日歿。　宋志

右昌平州一人

劉富妻李，夫亡，家貧，姑將嫁之以治葬，不從，自縊死。生員喬起鶴妻范，宋繼志妻劉，畿輔唐志劉作李。夫亡，投井死。生員魏爾直妻張。夫亡，身殉。　吴志

右涿州四人

張鳳翼妻蕭。夫亡，自縊死。　佟志

右房山縣一人

李緝子珠妻張。夫亡，不食死。朱志

右霸州一人

靳斗光妻孫，斗光弟斗華妻王。光華見昭忠表。孫、王聞變，投水死。楊志

右文安縣二人

知縣劉汝爲妻馬，夫亡，不食，死。張大經妻于。夫亡，自縊死。張志

右大城縣二人

生員趙元亨妻方，元亨亡，自縊死。生員杜蕃妻朱。蕃亡，將赴井、引刃，皆爲人救止，遂自縊死。沈志

右薊州二人

守節不辱，遇變捐軀二百八十七人：

王季銓妻張，季銓子某妻胡，李星耀妻王，皆兵變被掠，不屈，死。一統志王某女，正德四年寇至，投河死。李淮女，正德七年流賊犯竟，女被掠，不屈，支解之。徐來儀妻盧，來儀見昭忠表。盧罵賊被殺。曹某妻朱，曹某子紹勳妻張，張繼盛妻梁，夏時行妻李，時行妹夏姐，皆流寇之變，自縊死。焦某妻李，焦某子乃康妻李，焦某女，焦某外孫女，王乾所妻張，乾所子某妻丁，以上皆流寇之變，投井死。鄒孔教妻李，孔教女，孔教弟某妻吴，崇禎甲申，流寇破外城，同時投井死，僕婢八人從死。指揮張元慶妻趙，元慶見昭忠表。趙同投井死。唐嗣美妻某，嗣美子婦、女、妾九人，嗣美見昭忠表。皆

投井以殉。王有禮妻朱，有禮子某妻韓，有禮女，有禮弟有智妻劉，有禮弟有信妻包，俱投井死。李尚清妻王，崇禎甲申，爲亂兵所掠，不屈，被殺。何有思妻某，夫亡，三子俱幼，茹苦撫孤；崇禎甲申之變，自刎死。有思子某妻李，同投井死。喬天衢妻田，天衢長子某妻胡，天衢次子某妻劉，天衢卒，田守節四十餘年，崇禎甲申之變，姑婦相率投井死。潘一夔妻徐，夔子某妻毛，崇禎甲申之變，同投井死。李若璉妻某，若璉見昭忠表。某先若璉焚死。畿輔唐志生員祝洪籙妻王，洪籙見昭忠表。李小槐妻杜，小槐見昭忠表。偕二子、一女自縊死。李夢禧妻杜，夢禧見昭忠表。夢禧女二、婢一，張應選妻某。節孝祠主作高應選。應選見昭忠表。皆崇禎甲申之變，隨夫自盡死。勝國殉難諸臣録

右順天府四十三人

光禄寺署丞干騰雲妻郭、妾劉，騰雲見昭忠表。太醫院吏目楊元妻某，元見昭忠表。滎陽縣知縣徐兆任妻張，兆任見昭忠表。皆隨夫自縊死。勝國殉難諸臣録李華妻胡，姑與人私，因逼污，胡不從，以土囊掩殺之。孫光裕妻邱、妾陳，崇禎甲申之變，自縊死。朱某妻李，朱某子山東副使之馮妻馮，之馮見先賢傳。濟南城破，馮匿姑於他所，己投井死，李旋亦絶粒死。孫承澤妻某，承澤見雜人傳。崇禎甲申變，某投井死。惠安伯張慶臻妻某、妾某，慶臻見昭忠表。妻妾同焚死。阮文相妻某，文相子生員謙妾某，文相、謙俱見昭忠表。妻、妾同時自縊死。署都督僉事張國彦妻許、妾某，國彦婢。國彦見昭忠表。妻、妾輩同焚死。張志

右大興縣十七人

都尉鞏永固女二，永固見先賢傳。女同焚死。濮州知州馬象乾妻某，象乾女，象乾見昭忠表。妻、女隨象乾自縊死，子女輩五人同死。劉廷詿妻葉，崇禎甲申之變，自縊死。顔大振妻王，守節二十餘年，崇禎甲申之變，自縊死。大振女，隨母自縊死。安爾芳妻梁，崇禎甲申之變，欲

投井，苦不識路，投家中水甕死。金某妻某，崇禎甲申之變殉難。生員蕭嘉熙妻李、妾安、妾陳，皆流寇破城自縊死。虎賁右衛世襲指揮劉一松妻王，幼女三，一松見昭忠表。妻女隨一松自縊死。錦衣千户高文利妻某、妾某，文利見昭忠表。妻、妾先文利自縊死。錦衣右所千户高甲妻許，甲子某妻王，甲弟某妻劉，甲女，甲姪女，甲見昭忠表。妻、女輩與甲同時死。洪某妻王、婢二，某見昭忠表。妻、女輩隨某自縊死。徐某妻某，某弟生員熼妻鄔、熼妾，婢六，熼見昭忠表。皆同熼焚死。張玉瓚妻魏，玉瓚見昭忠表。魏隨玉瓚投井死。生員蔣士忠妻黄，士忠見昭忠表。黄隨士忠投池死。田大年妻某，大年見昭忠表。某隨大年焚死。閻守義妻李，守義婢。守義見昭忠表。李先守義自縊死，婢從焉。勝朝殉國諸臣録

右宛平縣三十一人

柘城縣知縣于進善妻楊，進善女，進善孫女，進善甥女，進善孫妻某，進善見昭忠表。楊及女皆隨進善縊死。内黄縣教諭李時康妻陳，時康子妻楊，時康見昭忠表。妻及子婦同被殺。王家賢妻方，家賢見昭忠表。方隨家賢縊死。楊紹序妻某，紹序見昭忠表。妻同被殺。生員張宏度子某妻某，宏度子見昭忠表。妻同被殺。傅國楹妻牛，國楹見昭忠表。牛同被殺。張某妻某，自縊死。我經母。我經見昭忠表。其母同被殺。吕金聲妻某，金聲見昭忠表。妻同被殺。按舊志，吕金聲條下云，列女内云，金聲婦，又恐是子婦。俟攷。生員吕鳴燕妻楊，張居仁妻郭，居仁見昭忠表。郭同時縊死。方有秋女，有秋見昭忠表。女同被殺。王存養妻杜，存養見昭忠表。杜同時縊死。知縣李鳳鳴妻劉，夫亡守節，教子入庠；崇禎己巳，固安城陷，罵賊，碎首斷項死，刀痕箭瘢，徧於四體。舉人張國鑄妻馬，張光宿妻吕，武舉馮位女大姐，李若璋女大姐、二姐、三姐，俱於崇禎二年固城陷殉難。生員周自任女大姐，自任見昭忠表。女被執不從，亂斫死。生員傅商霖女二姐，崇禎二年城陷，被執不從，乘間投井死。單永信妻張，生員養性母。養性見昭忠表。張同時縊死。都督同知楊光旦妻陳。夫亡，撫孤守

節，寓京師，崇禎甲申三月，聞流寇至，自縊死。陳志

右固安縣二十八人

劉芝妻李，崇禎丙子之亂，爲兵所剽，挺身受矢死。一統志　緱西山妻周。鄰惡逼污，不從被殺。周志

右永清縣二人

劉慎妻張，明末遭寇亂，賊以刀臠之，至死罵不絕。生員施我經妻榮。遇暴兵，不屈，抱子投河死。李志

右東安縣二人

王之俊妻某，己巳城破，自縊死。生員周騰麟妻許。寄居都中，城破，兵欲犯之，不屈，死。劉志

右香河縣二人

魏豫妻葉，夫亡，苦志守節，正德六年，爲流寇所掠，不屈，死。徐九德妻翁，崇禎己巳，城陷，自縊死。生員丁大志妻趙，崇禎己巳，城陷，被殺死。袁希點妻張，希點女三，聞城將陷，俱自縊死。常希文妻金，崇禎己巳，城陷，爲賊挾上馬，見道旁有井，躍入，身被三矢而死，時年十九。翟光國妻周，崇禎己巳遇兵，逼使上馬，不從，被殺，時年二十一。山西布政使唐嗣美妻支，崇禎甲申，流寇陷都城，嗣美殉難，支率子婦九人同投井死。黄承恩妻柴，承恩弟某妻潘，承恩妹大姑、二姑。崇禎甲申，都城陷，俱墜井死。高志

右通州十四人

王守時妻丁，鄰人安文登强姦，不從，被殺。興州後屯衛千户趙國楨妻吳，畿輔唐志作禎國。夫亡守志，嘉靖間流寇入境，被擄不屈，死。薊鎮三屯營總兵朱國彦妻某。國彦見昭忠表。某隨國彦縊死。陳志

右三河縣三人

兩淮運判陳以魁妻安，以魁子某妻張，以魁孫女素貞，崇禎九年城破，以魁妻暨媳、孫女皆自裁。生員郝有光妻芮，有光女玉姐、二姐、三姐，城陷，芮率三女赴水死。芮作楫妻郝，馬貢璽妻郝，皆郝譔女。城陷，同時自裁。芮某妻某，遇兵，子圖南負之出，中途遇害，死。圖南妻王，聞姑與夫死，偕子一、女一赴水死。馬躍如妻郝，城陷自裁。生員郝翀妻劉，翀見昭忠表。劉同時自刎死。牛景曜妻李，景曜子鏑妻王，鏸妻李，兵變，李攜二媳、一孫、二孫女赴水死。生員楊來復妻王，翻母，夫亡守志，教子入庠。賊至，城陷，泣曰：國破家亡，何以生爲！乃視媳袁投井畢，勒其女孫二、孫四死，自從容死。兵退後，袁尚存。楊二妻王，崇禎間，浙兵入衛，有悍卒見王，欲污之，勢急，自刎死。郝霞妻苑，王懋言妻楊，芮某妻査，舉人劉泰吉妻楊，劉餘香妻方，張某妻王，張某妻郝，張某妻芮，張某女，張登姐，張四姐，王某妻李，王某妻崔，王某妻楊，郝某妻牛，郝某妻芮，郝某妻王，郝某妻馬，郝某妻杜，陳某妻孫，陳某妻孫，陳大姐，馬某妻呂，馬存姐，芮某妻趙，芮某妻劉，芮某妻劉，芮某妻王，芮某妻薛，芮某妻從，芮某妻孫，芮某妻楊，芮雙姐，芮某妻楊，芮桂姐，芮某妻李，芮某妾劉，呂某妻郝，呂三姐，呂某妻馬，呂某妻芮，杜某妻韓，杜某妻趙，杜某妻陳，杜某妻芮，吳某妻陳，吳某妻孟，單某妻馬，楊某妻田，朱某妻張，劉某妻張，劉某妻馬，劉某妻王，尹某妻杜，趙某妻芮，李某妻芮，曹某妻李。皆殉難死。自張某妻王以下，名與事率無攷。洪志

右寶坻縣七十五人

泰陵衛指揮邢嘉遇妻韓，嘉遇見昭忠表。韓同時投井死。一統志景陵衛百户何有思妻王，有思子妻李，崇禎末，城陷，以刀自剄。婦李氏投井死。喬天衛妻田，天衛子婦某，次子婦劉，天衛卒，矢志撫孤四十餘年，崇禎末，城陷，氏暨子婦投井死。太學生潘一夔妻徐，一夔子妻劉，崇禎末，城陷，率媳投井死。喬必掄妻張，夫故，守節五十年，崇禎末，城陷，自盡。劉國忠妻艾，國忠子儀寵妻韓，國忠見昭忠表。城陷，艾率子婦紝衣握手投井死。庠生張宏化妻何，宏化女，崇禎末，率女投繯死，女僅五歲。白守恭妻李，守恭子婦陳、羅，守恭孫婦張、王，守恭孫女。俱雉經死。宋志

右昌平州十九人

興州右屯衛百户沈鳳妻仇。嘉靖五十五年，鳳守邊寨，寨破，仇不屈，死。密雲薛志

右順義縣一人

陳盡忠妻周。明末，流寇至，周知不能全，乃與夫訣曰：君善事老親，撫幼子，吾無憾矣。遂於夜投繯死。吴志

右涿州一人

新城伯王國興妻某，國興女，國興見昭忠表。妻、女同時焚死。王某女，正統年間，寇至，被執，乘間投河死。高山妻朱，正德間，爲流賊所執，不屈，賊殺其四子以脅之，罵賊，死。趙計良妻王，傭李莪屋以居，莪欲污之，自縊死。甯武兵備道王印懋妻楊，印懋孫女。印懋見昭忠表。楊率孫女投井死。朱志

右霸州六人

董成章女，正德辛未，爲寇獲，恐見辱，投井死。建貞烈祠。張文舉妻姚，罵賊，死。裴鉞妻劉，遭賊寇，不辱，賊碎其屍。疏聞，給葬，建祠，免二丁，奉祀。生

員王民軾妻紀，丙子被兵，死。劉夢松妻高，夢松見昭忠表。高投井死。平度州知州陳所問妻王，陳所有妻田，永州府推官陳國維妻王，陳怯妻紀，蒲城縣知縣陳國籌妻苗，國籌女，生員陳愭妻井，生員陳國範妻王，國範女，生員陳悌妻紀，生員陳國屏妻井，生員陳陞妻張，生員陳國史妻劉，國史女，貢生陳忕妻王，崇明縣知縣陳慎妻姜，慎女，户部侍郎陳協妻王，廕生陳帖妻王，生員陳惺妻程，皆丙子兵變同時投水死。李振秀妻李，戊寅兵變，自死。劉尚忠妻吴，戊寅被兵死。趙麟妻張，戊寅兵亂，投井死。胡應登妻侯，崇禎甲申之變，自刎死。應登二女。隨母自殺。楊志

右文安縣三十一人

馬德英女四，畿輔唐志作馬英女四，德四，蓋其名也。正德年間，爲流寇所獲，罵賊，死。牛氏女荻英，正德年間，爲流寇所執，以計脱，投井死。人名其井曰清風井。生員王章吉妻劉，章吉僕李桂妻杜，生員竇宗儼妻高，畿輔唐志作竇儼。皆遭變不辱，罵賊，死。張志王良眉妻張。隨夫居京師，流寇之亂，自縊死。采訪册

右大城縣九人

生員宋允成妻王。崇禎辛巳，兵擣之急，投水死。成志

右保定縣一人

進士李孔昭妻王。孝孀姑。崇禎末，城陷，自殺。畿輔唐志

右薊州一人

未嫁殉烈及守貞二人：

柳氏女。字主事趙野。未婚，野卒，誓不他適。後病，不服藥，曰：得死，幸矣。遂歿。沈志 按：萬曆志作劉。

右薊州一人

王氏女。字李應旗。應旗亡，女過門，守節數十年，託迹皇姑寺，終其身。周志

右永清縣一人

貞孝賢淑婦女十三人：

指揮徐亮女。守節不字。張志

右大興縣一人

朱棫之女。適曹文甲。母亡，吞金以殉。周志

右永清縣一人

守備李永達妻潘。事姑至孝，三十年如一日。姑病胃，不能飲食，潘乳之一載，侍奉湯藥尤謹；姑病愈，潘積勞成疾，卒。高志

右通州一人

工部員外郎李瑄妻張。割股療姑。陳志

右三河縣一人

袁壐妻王，姑患痺痿，與夫事之，十八年無倦容。陳英妻某。英性孝，妻死，英曰：若善事姑，不忍忘也。葬諸母墓之側。洪志

右寶坻縣二人

薊遼總兵孫祖壽妻張。夫病勞瘵，氏夜半焚香籲天，割股合藥以進，壽病獲安，氏竟以勞瘁致疾。壽感之，終身不娶。崇禎四年，贈一品夫人，旌其門曰夫妻雙義，并予祭。宋志

右昌平州一人

後衛前所千户孟玉妻王。誠敬事舅姑，數十年如一日。薛志

右密雲縣一人

盧承孔妻王。承，萬年子。王割肉療姑。楊志

右文安縣一人

祝綸妻張。綸代父死罪，繫獄，時張尚未歸綸，即躬訴，願代夫死。當事義之。張志

右大城縣一人

生員崔格妻張。格家貧，張勤女紅以養舅姑。沈志

右薊州一人

劉某妻。樂善不倦，邑令表其墓。朱志

右平谷縣一人

華陽吴祖椿校

人物志二十二

欽鮑恩綬纂 江陰繆荃孫覆輯

列女四

國朝 夫亡守節，孝事舅姑一千六百九十人：

張士宏妻劉，守五十餘年。丁堯彩妻胡，教嗣子入庠，守四十餘年。范九疇妻邊，紡績養姑。林正美妻鄧，以上守三十餘年。陶守義妻王，李完秀妻張，李堯輔妻王。畿輔唐志

右順天府七人

江西吉水縣縣丞李逢陽妻姜，守三十餘年。一統志 李洪亮妻陳，守六十餘年。趙懷亮妻錢，霍金亮妻楊，以上守五十餘年。齊文傑妻陳，二十八歲守節，現年五十歲。王淪卿妻賈。采訪冊

右大興縣六人

李鄺妻韓，宋文林妻劉，守五十餘年。畿輔唐志 生員江元杰妻朱，守五十餘年。施民望妻高，勤女紅以養舅姑，教子登武科，守三十餘年。宛平王志 庠生史可模妻李，有謀娶者，氏割耳截鼻以免。姑病二次，皆割股以療。王志 按：此與史外載史八夫人割耳鼻事疑其一人，惟可模與可則異耳。俟攷。文學金琮妻王，孝姑，敬夫。明崇禎甲申之變，姑與夫俱死；王躧入井，爲僕所救，扶歸母家，守節終身。崔文煜妻于，劉平仲妻劉，割肉啖夫。張紹業妻劉。

右宛平縣九人

魏天良妻吴，王維新妻吴，以上守四十餘年。張守身妻高，教長子孔皓登仕籍、次子入庠，直指、縣令皆旌其門。生員王九臯妻袁，蘇某妻孫，俱教子入庠。張承楊妻鄧。良鄉楊志

右良鄉縣六人

舉人曹淮妻楊，孝事舅姑，教子秉鐸登賢書，守六十餘年。賈有恒妻王，與孀姑同守志。張似熊妻劉，紝織奉姑，教子入庠。馬大壯妻劉，似熊妻妹。齊承武妻胡，王學博妻林，駐防鑲藍旗佐清妻孫，夫亡，舅姑恒欲逐之，孫矢志愈堅，孝事亦愈謹，守六十餘年。大學士董誥旌其門。楊登妻齊，守五十餘年。劉某妻郎，機母。與孀姑同矢志，守四十餘年。楊有良妻馬，孝事舅姑，喪葬盡禮。王之印妻郭，以紡績奉舅姑，撫小郎成立。張某妻王，典母。教子入庠。生員傅瑾妻劉，與孀姑同苦守。刁繼庠妻傅，學政董誥旌其門。李俊傑妻岳，教子貢成均。縣令鄒旌其門。鄭銓妻龐，乞食以奉盲姑。縣令陳旌其門。姜建妻田，教子入庠。縣令陳旌其門。王化一妻楊，縣令陳旌其門。唐某妻趙，際盛祖母。陳廷璋妻祖，李鵬齡妻孫，史雲年妻穆，韓明新妻趙，闞文成妻張，固安陳志龐進明妻侯，趙保清妻郝，武庠生齊得邁妻顧，以上守四十餘年。駐防護軍校劉通和妻徐，守三十餘年。監生吕廷珊妻畢，守二十餘年。邵樸林妻袁，二十六歲守節，現年六十七歲。孫自貴妻陳，十八歲守節，現年六十九歲。武生賀存智妻吕，二十歲守節，現年五十八歲。把總李殿元妻王，二十二歲守節，現年五十八歲。龐汝海妻劉，二十歲守節，現年五十八歲。駐防佟九如妻苑，二十三歲守節，現年七十二歲。王德明妻劉，二十四歲守節，現年五十九歲。張鳳來妻趙，二十六歲守節，現年六十六歲。駐防趙文明妻劉，二十三歲

采訪册

守節，現年六十六歲。楊鳳春妻李，十九歲守節，現年五十六歲。王海妻王，二十一歲守節，現年五十三歲。郭九成妻鐵，二十三歲守節，現年八十一歲。文生鴻臚寺序班韓遇文繼妻張，二十五歲守節，現年五十一歲。韓權妻翟。二十四歲守節，現年五十五歲。采訪冊

右固安縣四十三人

劉名灝妻沈，戴連陞妻黃，以上守五十餘年。李昌緒妻梁，孝事孀姑，教子入庠。葉有德妻魯，教子入庠。李清福妻卜，司得祥妻李，劉希顏妻宋，馬凌雲妻劉，以上守四十餘年。李仲孝妻劉，事舅姑，撫幼子，兼撫小郎、小姑，艱苦備嘗，而不乞貸於人。陳玉亭妻梁，生員劉毓英妻楊，黃爾玢妻王，陳浴妻劉，以上守三十餘年。馬凌雲兄青雲妻武，姑歿，以毀卒。凌雲弟耕雲妻宋，與姒同守志。蕭雲妻宋，賈澐妻董，夫亡，將絕粒以殉，舅姑諭止之。姑歿，停柩在堂，北鄰火，幾延燒，氏仰天號痛，俄而南風作，得無恙。劉鳳鳴妻劉，夫亡後，連遭舅姑喪，殯葬皆盡禮。楊興宗妻金，夫亡，子數月，家貧無以自存，遂奉舅姑就養於其父。舅姑歿，喪葬盡禮。千總袁璘妻安，孝事孀姑。姑喪，哀感行路。李鳳鳴妻劉，李從龍妻陳，夫亡，欲以身殉，舅姑慰止之。孝事舅姑，撫小郎成立，愛猶子如己出。陳浴弟浩妻潘，教嗣子入庠。鄭德遠妻張，傅天敘妻孫，皆教子入庠。永清周志周鳳翺妻金，張城妻陳，以上守六十餘年。李象賢妻劉，守六十年。張文玉妻于，以紡績奉舅旨甘。舅歿，竭力營葬。劉潤妻靳，夫亡，依叔舅守志，孝事之。王奉亮妻郝，家貧，歲歉，恒食稗實；姑歿，傭力於人，先取其直以葬姑。黃鑄妻劉，傭於人以養其舅及小姑三人。劉天佐妻宋，家業農，夫亡，伯叔恐耗其粟，使改適，氏不可，卒析居，饔飧恒不給。舅姑歿，能盡哀。天佐子枚生妻金，縣丞任普繼妻魏，事老，蓄幼，兼蓄從叔二人，後從叔與前子皆入庠。學政徐以烜旌其門。普子士奇妻徐，張明哲妻徐，知縣楊旌其門。李得志妻張，勤女紅以奉甘旨，教子入庠。胡儒林妻劉，教嗣子入庠。生員劉德沛妻王，教子入庠。學政劉旌其門。生員徐晾妻張，教嗣子入庠。周文祥妻王，教子入仕籍。賈照仁妻徐，郝璉妻陳，周福壽妻王，王

國平妻劉，張塏妻馬，劉玉琮妻楊，戴明祿妻王，尹玉球妻朱，以上守五十餘年。生員蘇廷燧妻李，侍姑病，衣不解帶者數月，教嗣子入庠。南丕謨妻談，姑性嚴，談益加孝謹，撫小郎，愛而兼敬，教子入庠，鄉黨欲爲請旌，談曰：吾行吾所安耳，豈爲名顯哉！生員劉樹楷妻唐，教二子入庠。曾永齡妻田，教諭某旌其門。朱國英妻安，歲歉，嘗採苦菜作餐，教子入庠。魏鵬妻李，教子入庠。學政劉吕熾旌其門。煌妻牛，以十指奉舅姑旨甘。舅姑歿，喪葬如禮。張國傑妻周，孝姑及伯姑。孫國璧妻司，教子入文、武庠。王善序妻劉，事孀姑，撫幼子，竭力經營。知縣蘭第錫旌其門。顧殿邦妻李，孫思忠妻劉，張好智妻張，秦守祿妻何，楊瑜妻范，龐進貴妻賀，黄文魁妻李，谷有光妻郝，王殿謨妻李，徐奇妻傅，張殿元妻高，韓雲岫妻鄭，孫毓柏妻高，劉之顯妻張，楊枝蕙妻李，李隆妻劉。以上守四十餘年。趙元解妻萬，母勸之改適，斷髮刺面以見志。勤女績以養舅姑，守四十年。張甯妻陳，寄居從叔家，編葦爲席以養姑；歲飢，采苦菜爲餐，勗二子以勤儉，卒起家。甯子肯堂妻劉，韓月妻邵，事姑病，衣不解帶者七十餘日。孫貴妻張，傭於人以養姑、育子。張守金妻王，王富妻杜，皆封臂療舅。昝勳妻劉，教子入庠。孟兆熊妻劉，教嗣子入庠。曾義清妻石，教子入庠。劉清選妻楊，教長子入武庠，次子登武科。知縣李旌其門。許綗妻馬，劈麻縷爲業以奉姑，姑病，侍奉不懈，曲體隱微。劉清藻妻王，王澤均妻劉，撫前子如己出。高廷傑妻王，張進孝妻史，李茂生妻吴，柴長興妻高，張志春妻邵，趙璟妻尹，馬文光妻王，常吉祥妻劉，朱棫之妻王，孫堪妻李，劉士彦妻董，王士義妻潘，生員葉蔭棠妻徐，靳雲漢妻賈，于蕙妻劉，趙廷柏妻張，張自美妻梁，朱孔昭妻范，王朝用妻李，王懷慶妻焦，牛聚妻石，周法虞妻張，教子入庠。趙得榮妻王，夫亡，舅撫疎屬子爲嗣，耗家貲，不可馴，賴王力措其間。舅病，王善事之。舅感之曰：雖古孝子何加焉！張文德妻馬，自啗糠粃，而姑之旨甘無缺。王春妻周，駐防漢軍武生金格妻沈，生員戴醇妻李，王廷儒妻藺，張芳妻趙，以上守三十餘年。徐丑妻李，封臂療母，事舅姑尤孝謹。柴廷槐妻張，事孀姑，撫幼子，家貧，以縫紉爲業，積勞目瞽。張彸妻楊，編筐筥爲業，以養姑及子、女。石中玉妻谷，家貧力作，俾舅姑無饑寒憂，舅有老姊寄食於家，谷事之尤謹。于朝濱妻許，有小郎不慧，舅姑不以爲子，許撫卹之，爲娶室。張桂妻于，學政吳旌其門。劉錫川妻張，孝事伯舅姑。石有川妻王，教子入庠。縣令李旌其門。寇本明妻馬，姑性嚴，馬曲意承歡，以饘粥佐旨甘。趙溥妻榮，舅姑歿，廬墓三年。韓景坤妻孫，以澣紉奉舅姑。賈文林妻解，孝事舅姑及王姑。張城妻陳，學政沈旌其門。張倬妻王，舅病，常封股、燃指，禱於神。韓濟妻武，教嗣子入庠。生員何允賢妻孫，事繼姑至孝，撫從子、女，恩誼尤摯。張良臣妻彰，孝事孀姑。姑病數年，扶掖無頃刻離。尚進妻孫，竭力操作以奉姑，姑歿，殯葬以禮。趙明妻孟，孝事舅姑及王舅姑。孫國册妻司，教嗣子入庠。陳沚妻王，舅姑喜賙卹，苦不給，王嘗出奩中物佐之。教子入庠。齊琮妻王，教長子入庠。孫自泰妻趙，家貧，竭力供舅姑。舅歿，營葬盡禮。姑失明，事之不懈。劉鉍妻某，孝事伯姑。朱士楨妻陳，教長子入庠，次子登武科。士楨從子墉妻劉，教子入庠。墉弟坊妻馬，事病姑十六年如一日。教子入庠。王子和妻孫，以口吮姑創愈。曹美妻廉，教子入庠。李象賢孫某妻張，孝事王姑。王巍妻徐，孝事舅姑及王舅。韓秉善妻孫，學政金旌其門。生員趙衍嗣妻劉，王振聲妻靳，王宗武妻馬，南丕謨子景玉妻朱，張楝妻劉，劉士彦弟士哲妻朱，士彦弟士魁妻賈，戴壽妻西，邢添柱妻李，武生王得聰妻田，趙連第妻宋，趙綸妻尹，郝璋妻張，王德睿妻趙，西庭兆妻王，李鋕妻劉，王會雲妻胡，劉如璽妻郝，鉍從母。趙模妻丁，劉永泰妻孫，李得志子生員成孝妻陳，楊體智妻解，孫國璧子瑛妻孫，瑛弟生員璞妻石，瑛弟武生珠妻田，李成傑妻張，張某妻陳，自美母。州同銜劉楠妻胡，訓導武維藩妻楊，馬苾妻趙，于藻妻葉，藻弟蕙妻劉，朱啟文妻金，鄭世權妻孟，生員趙長春妻蕭，邢文治妻楊，生員賈侯爵妻邢文林祖母。生員王殿元妻詹，高維祺妻周，閻興旺妻周，生員孫珮妻劉，珮子立金妻趙，某妻杜，武生司文政妻宋，朱汝謙妻韓，孫廷璽妻田，李春培妻董，鄭紳妻楊，趙琨妻張，王澤妻孫，賈某妻邢，張榮妻王，葉文棠妻謝，蘇廷銳妻丁，尚光先妻程，靳廷梧妻金，王寬妻劉，周楨妻劉，徐田子成妻某，楊均妻于，周渭源妻賈，王殿卿子某妻于，縣志鞏永魁妻楊，勤紡績以奉舅姑。王明哲妻劉，孝事姑及王姑，以織紉佐甘旨，守五十年。張思安妻劉，守四十餘年。生員劉文英妻武，教三子入文武庠。王詰妻劉，朱慶雲妻陳，以上守三十餘年。鞏朝楷妻曹，常順妻黃，張念虞妻張，張綸妻李，張維妻張，駐防鑲藍旗周煇妻劉。以上守節十年。張念虞弟生員念曾妻劉，二十九歲守節，現年五十六歲。念曾弟念孟妻劉。二十七歲守節，現年五十四歲。采訪冊

右永清縣二百二十七人

郝汧妻婁，教子入庠。解本秀妻張，本秀子紱妻楊，守五十餘年。東安李志曹國治妻宋，年十五歸國治。國治病顛，宋依孀姑，操作甚力。國治旋卒，矢志守節。趙璽妻張，裴慶豐妻劉，以上守五十餘年。解兆楷妻王，守五十年。雷榮魁妻高，守四十餘年。馮緒昌妻曹，小姑家貧，恒賣田以周之，無吝色，守四十年。武生周殿魁妻高，教子入庠。張均衡妻趙，紡績奉姑。楊殿魁妻翟，解兆芳妻劉，生員黃雲瑞妻陳，黃雲魁妻王，劉玉樹妻于，武生孫孝妻孫，王震妻孟，孫魁妻劉，解兆崙妻李，刲股療夫，夫亡，茹苦守志。何勤勷妻錢，韓廷玉妻汪，郭天仁妻盧。以上守三十餘年。采訪冊

右東安縣二十三人

張治妻張，學政潘旌其門。守七十餘年。董廷煒妻王，守七十年。王殿卿妻周，教子入庠，五世同堂，守六十餘年。王浩妻趙，守六十年。王禄妻鄭，孝事姑及伯姑，以紡績爲養葬之資。胡允德妻邱，紡績養姑。張光緒妻崔，學政馮旌其門。邵炤妻韓，姑病廢，事之不倦，教嗣子入庠，生平多苦境。吏部尚書盧蔭溥旌其門。生員任必安妻程，鄉人旌其門。以上守五十餘年。高興選妻周，夫病危，割臂和藥以進，卒不起。王文魁妻徐，武殿魁妻王，均姑患癱症，事之十餘年不倦。張文煥妻王，學政朱嶟旌其門。龐作霖妻陳，與孀姑同守志。張泰開妻周，武生周景祥妻褚，劉富妻朱，袁成玉妻唐，秦玉德妻尚，駐防正藍旗漢軍佟松壽妻靳，葛兆麟妻曹，以上守四十餘年。魏天禄妻趙，縣令旌其門。守四十年。王振環妻李，紡績養姑。生員袁文瑞妻周，教子入庠。生員錢克敏妻靳，縣令旌其門。張泰恒妻吴，張永發妻張，杜有富妻王，以上守三十餘年。秦玉堂妻劉，單士魁妻董。二十六歲守節，現年五十四歲。采訪册

右香河縣三十人

宋永泰妻陳，孝事王舅姑，舅姑，年九十九，五世同堂，守八十餘年。生員龔熿妻姜，畿輔唐志熿作黄。任大華妻劉，教嗣子入庠。王濤妻康，彭國齡妻李，生員康洛妻李，潘坦妻張，以上守六十餘年。張玉妻李，勤十指以養舅，兼撫小郎成立，守六十年。生員朱純妻王，孝事舅姑及王姑。崔時茂妻李，勤紡績以奉姑，日恒不再食，冬衣單裌，茹苦終身。馬斐妻洪，俞國潮妻袁，均教子入庠。金撰玉妻李，姑病，侍奉不懈，教嗣子入庠。董大用妻郭，王淑妻李，皆教子入庠。孫蔭槐妻羅，生員陳玉誥妻常，皆勤紝織以養姑。陳維錦妻周，劉景和妻郭，劉文瀛妻沈，姜文魁妻李，藺福明妻高，張文亮妻

王，謝明儒妻孫，張克承妻尚，張鎮妻趙，王九偉妻米，穆朝源妻何，劉順妻王，王淦妻何，張奇年妻景，賀承惠妻謝，耿進銀妻李，馮徵妻李，劉五妻朱，于光祖妻徐，以上守五十餘年。黄雲瑞妻吴，貢生田易妻胡，皆教子入庠。李懋林妻崔，家貧，以女紅自給，撫諸孤。生員陳珵妻方，教子入庠。王九章妻吕，勤鍼黹以養舅姑。舅姑殁，竭力營葬。外委王成傑妻盧，蕭俊妻馮，以上守五十年。生員杜芳華妻伯，教三子入庠。生員沈銓妻田，劉清源妻郭，皆教子入庠。李永福妻尚，以女紅奉舅甘旨，並贍諸孤。生員袁府妻張，張元鑑妻王，事姑至孝，喪葬盡禮。晚年家稍裕，遇鄉里匱乏者，即分贍之。生員戚世位妻潘，勤十指以養姑，姑殁，無闕禮。陳漢超妻王，勤女紅以奉姑，身雖嬰疾，而事姑不稍怠。湯文輝妻石，張良梅妻王，侍姑疾，寒暑不怠。生員李明誠妻朱，姑久病，侍奉不懈，教子入庠。生員張廷璋妻薛，教嗣子入庠。生員劉堯妻康，從九品胡詩鎔妻韓，教子入庠。劉治勇妻張，姑卧病三年，侍奉不懈。張盛元妻梁，郭朝雲妻夏，王長齡妻袁，楊兆璧妻劉，金德立妻潘，劉永興妻張，孟崑妻岳，王樹桂妻雷，莊大本妻陶，劉秉鋆妻胡，張瑞符妻謝，王九敘妻徐，張錕妻霍，謝國安妻劉，李國柱妻王，吏目趙民悦妻宗，生員翁鶴齡妻張，王秉瑞妻李，武生賈允慶妻奚，畢文慶妻張，劉永祥妻陳，常守文妻張，郭通章妻韓，生員馬雲錦妻李，王璘妻張，生員倪基聖妻劉，韓份妻崔，劉發妻李，李德升妻郭，張臨妻楊，林澍妻葉，馬宏理妻居，劉泰妻裴，生員張瑞麟妻韓，蔣述浚妻柳，張家濱妻杜，張龍文妻張，徐立園妾薛，以上守四十餘年。武生白烺妻李，勤女紅以奉姑，己恒不免凍餒。生員王聖成妻王，魏喬妻陳，教子入庠。生員李文銓妻雷，滕致玉妻趙，李均妻劉，王兆斌妻梁，以上守四十年。武進士馬柄妻朱，教二子通仕籍。高敏政妻周，教子入庠，事姑至孝，姑殁，哀毁致疾死。訓導楊文蔚妻柯，親爲子講經義，補諸生。訓導何湛妻李，姑歎爲孝婦，教子入庠。楊國隆妻鮑，以紙糊器易食奉姑。生員王巽妻劉，家貧，拮据養姑。姑語人曰：老年無子而有子，孝婦力也。教子入庠。王允祚妻蘇，張光祺妻蘇，皆紡績養姑。武生周璜妻王，事舅姑曲體其意，人以至孝稱之。張永盛妻張，與孀姑同矢志，家貧，衣食恒不給。王殿芝妻余，教子入庠。馬義彝妻王，馬三妻馮，孝事叔姑。孟希聖妻王，割股療夫，嗣夫又病，復割股求療，竟不起。楊岱妻黄，侍姑疾惟謹，敬夫姊妹無失禮，教子入庠。曹鋼妻姜，生員馬瓏妻黄，教子廷俊舉於鄉，官山西令。貢生王嶽申妻李，教三子入庠。生員章世基妻顧，夫病危，割骨和藥以進，竟不起。事姑尤孝謹。沈奇成妻孫，姑殁，貸於親族，營葬盡禮，復勤女紅，積累以償之，與姒同守志。姒旋殁，遺一女，撫之尤厚。生員張永清妻楊，教子入庠。吴宏如妻王，孝事王姑與姑。張國位妻王，撫前子如己出。李仲春妻劉，教子入庠。車國貴妻張，教子入庠。王化成妻李，生員張國模妻雷，侍姑疾，七晝夜目不交睫。馮植樸妻雷，孝事王姑、舅姑。張希孟妻成，教子入庠。韓士賢妻劉，樂善好施。馮殿傑妻楊，孝事王舅姑、舅姑。龐玉書妻韓，王禄妻古，孝事伯舅姑，并葬叔舅姑及夫兄，撫猶子成立。張大勇妻張，陳懷義妻張，教子入庠。趙文焕妻姚，生員羅錫醇妻楊，張韞輝妻趙，夫亡，投繯，家人救之，不獲死。潘定魁妻韓，生員董大儒妻任，柳壇妻修，楊永泰妻宋，任廷熙妻陳，劉錫昌妻王，張連妻皮，生員馮釗妻王，夏澄妻李，張長齡妻馬，宛在春妻馬，二品封職李如琨妻岳，如琨妾王，馬明元妻劉，張鯨妻紀，鯨弟生員鼇妻陳，白純妻姚，賈克謙妻張，鄭邦基妻徐，王于垤妻張，畿輔唐志作楊于垤。生員黄雲圖妻康，馮守銀妻顧，趙雲鶴妻張，生員王萬春妻宋，徐廷璋妻錢，王繹曾妻耿，張士亮妻李，劉塏妻雷，丁天乙妻李，姜鳳翽妻薛，鳳翽弟鳳翰妻張，武生李陛妻劉，生員梁淳妻白，王宗洛妻張，生員梁學海妻朱，喬能恭妻雷，曹某妻臧，白源海妻李，馬崑妻白，李玉良妻張，胡玉坤妻趙，焦起鳳妻尚，董尚志妻李，馬維謙妻李，郭通章妻韓，李廉妻張，郎國璽妻郭，周永立妻李，王朝勳妻張，生員李琰妻王，黄顯宗妻李，張文聰妻齊，以上守三十餘年。郭景祿妻鄭，事姑至孝，茹苦終身。從九品劉廷相妻趙，教子入庠。馮學治妻劉，王兆魁妻楊，王國富妻劉，陳炳禮妻王，姜鳳翰子敔妻王，黄顯宗弟啟宗妻陳，金自重妻李，以上守三十年。顧豹祥妻王，勤女紅以奉孀姑，并儲脩儀，令子就外傅。王瓚妻路，夫亡，將以身殉，戚黨勸止，事舅至孝，苦節終身。宗麟育妻田，割股療姑。馮滕公妻王，織履易食以奉姑，己則麤糲不給。喬任妻李，撫遺腹子，事姑以誠孝著。陳麟妻通，孝事王姑、舅姑，以女紅供菽水。生員劉炎妻李，撫前子如己出。典史顧俊妻嚴，孝事王姑。李某妻張，教子入庠。生員高兆鼇妻羅，割股療姑，教子入庠。曹鑛妻張，姑歿，哀毁致疾，死。武生宗麟紱妾袁，侍麟紱母疾至孝，奉嫡無忤，麟紱卒，哀丐所親，殯殮無失禮。從九品于立垣妻莊，割股療舅，教子入庠。畢良棟妻戴，割臂療姑。林鍾秀妻韓，教子入庠。張瑞儀妻彭，孝事叔舅姑。鄭文熹妻安，撫小郎四人成立。宛墉妻劉，姑患痰疾，侍奉不懈。任焴林妻雷，張瑎妻張，劉懷聖妻王，生員徐貞勣妻劉，穆奎龍妻李、生員潘淑妻孔，楊純祖妻戴，生員耿震暎妻周，畿輔唐志暎作英。杜如蘭妻董，王振妻袁，訓導呂捷妻陳，馬呈奇妻耿，馬文緯妻劉，畿輔唐志緯作煒。貢生劉瑍妻潘，畿輔唐志瑍作煥。生員洪世鎮妻何，陳琦妻王，高鈞妻馬，張應捷妻吴，潘燮妻林，李天培妻王，生員張霦妻陳，孟希聖子顯仁妻李，黃啟宗弟國宗妻陳，生員張秉錞妻宗，劉泰妻沙，陳炳禮弟炳暉妻黃，生員潘國杰妻趙，武生鄭文瑍妻阮，王三瑞妻陳，生員張希天妻韓，韓城妻石，張大中妻潘，生員程塾妻滕，王樹桂子紹庭妻某，五品封職宋儀妻李，常本妻于，曹章妻王，張瑜妻吴，馬樑妻徐，馬槐妻李，尹進奎妻胡，進奎子廷鳳妻耿，生員杜澐妻金，焦桐妻李，畢良棟子某妻某，王圻妻程，汪某妻某，張殿魁妻王，殿魁子墉妻戴，焦學珠妻張，焦某妻崔，馬步雲妻楊，王朝勳妻張，楊兆璧子某妻某，張濂妻鄭，王文亮妻毛，鄭文彬妻徐，吴秉忠妻王，馮照妻張，施泉妻賀，楊瑞妻孫，夏珍妻張，居亮妻胡，喬穩妻王，汪士箴妻李，鄧廷發妻雷，張文翰妻傅，文翰子桐妻劉，桐子瑞林妻高，葉文華妻馮，高雲程妻陶，奉孀姑，攜孤女依夫堂兄雲翮，雲翮旋歿，陶藉十指爲活，並撫雲翮遺孤成立。賈和祥妻王，姑性嚴，王曲承意旨，無愠色，夫亡；紡績撫孤。張廷鈞妻蔡，奉姑，育子，孝慈兼盡。廷鈞子某妻王，與姑同守志。淮兆錕妻高，陶萬祥妻胡，盧秉銓妻唐，張某妻彭，王益成子某妻某，張雲生子某妻某，劉永祥弟某妻某，永祥子某妻某，王大椿子某妻馮，通州高志郭某妻劉，禮部文札劉士安妻崔，割股療夫，越數年，夫又病，卒不起。何澐妻王，以上守四十餘年。從九品郝學純妻何，生員何邦達妻楊，駐防旗人董至善妻郭，至善子郁文妻王，李昶妻何，以上守三十餘年。候選衛千總張洤妻張，二十五歲守節，現年五十一歲，事舅姑極孝謹，與孀姒和睦無間，小姑家貧，恒周之。魏永康妻陸，二十三歲守節，現年五十五歲，夫家遇之薄，陸誓死不渝，孝事孀姑，家人感悟，敬禮之。張士傑妻李，庠生王謇藻妻李，在家事繼母孝；二十四歲守節，以翁姑年高，強爲言笑，姑病，侍牀簣數年無怠，現年五十六歲。梁起祥妻張，龐芝齡妻胡，三十歲守節，現年五十七歲。刑部主事李慶彥妻吳，二十五歲守節，現年五十九歲。何瑞妻曹，二十六歲守節，現年五十四歲。謝士榮妻王，二十七歲守節，現年五十九歲。劉愷妻任，二十歲守節，現年五十九歲。張士麟妻葛，二十四歲守節，現年五十八歲。張瑞權妻王，二十六歲守節，現年五十四歲。楊葵妻李，二十七歲守節，現年五十七歲。知州銜白曾燿妻繆，夫病，刲股和藥以進，卒不起。時年二十歲。教子入庠，現年四十九歲。太醫院八品銜劉廣楨妻金，夫亡，年二十四，姑八十餘，賴之以養。趙塤妻韓，孝養舅姑，飢寒無怨色，現年五十八歲。李春蔭妻鄧，現年五十五歲。周兆基妻劉，夫亡年二十歲。喬玉鳳妻劉。現年四十八歲。以上或有夫亡年歲，或有現存年歲，未能悉詳。采訪册

右通州三百三十一人

雷時順妻張，守四十餘年。生員王琦妻侯，教子入庠，守三十餘年。生員張正芳妻邱，教子成名。生員趙文煜妻馮，文煜弟文煒妻王，生員俞從政妻朱，俱紡織奉姑。郝爾位妻左，生員劉永祚妻傅，劉守安妻王，生員李永祺妻楊，生員胡德基妻馬，俱教子入庠。生員胡丕基妻王，教孫入庠。曹持裕妻張，張瑞毓妻劉，左爾端妻王，李永鶴妻楊，生員喬仲觀妻王，李應善妻于，李永吉妻康，周鼒新妻赫，楊永甯妻丁，丁有名妻宛，三河陳志李興妻高，守六十年。趙謨妻徐，割臂肉療姑，守五十餘年。廩生郝憲章妻傅，教子瀛、浩登賢書，五世同堂。從九品郝宗彝妻曹，宗彝弟宗敏妻侯，以上守四十餘年。采訪册生員盧雯偉妻侯，與孀姑同守志，艱苦備嘗，守五十餘年。王宏召妻張，守四十餘年。李本培妻李，王毓瑚妻張，生員周鎧妻陳，以上守三十餘年。張希載妻符，何三妻高，郭大妻張，孟萬盛妻白，馬大妻張，張大妻李，三河陳志馬鳴鳳

妻趙，撫小郎及姪輩九人，恩誼備至。學政吳旌其門。郝龍章妻李，教長子入庠、次子澍登賢書。以上守六十餘年。郝良臣妻于，以十指奉舅姑。生員胡其煒妻李，教子入庠。九品封職左寬容妻馮，學政萬青藜旌其門。張孝先妻段，郝良鐸妻鄭，蘇峻岐妻張，陳翰妻趙，于起峯妻張，左德金妻周，生員趙汝蘭妻王，以上守五十餘年。關必璽妻楊，與孀姑同矢志，守五十年。張士傑妻李，紡織奉姑。里人旌其門。王鍾麟妻高，楊茂廷妻劉，支得周妻康，朱連魁妻趙，馬昌伶妻劉，王大立妻李，許有厥妻徐，以上守四十餘年。朱大文妻丁，教子入庠。侯廷傑妻李，饔飧不繼，初無怨尤。劉振泰妻李，田涒妻張，田國相妻榮，蕭起妻丁，高嘉明妻靳，高嘉理妻張，左德溶妻康，鄒慶春妻韓，以上守三十餘年。梁沛文妻李，割臂療姑。武生何義然妻李，教子入庠。學政杜旌其門。生員劉瀛妻邱，李繼慶妻王，張明盛妻沈，李縉妻吳，撫小姑及猶子，恩勤備至。田永增妻王，以上守三十餘年。李仿伯妻劉，年二十二歲守節，孝事舅姑及王舅，現年五十歲。生員王庥妻張，二十八歲守節，教子入庠，現年五十五歲。李繼中妻王，十九歲守節，與孀姑同矢志，現年四十六歲。馮浩伶妻楊，二十歲守節，現年四十四歲。浩伶弟長伶妻胡，二十六歲守節，現年五十二歲。黃恒昌妻張，二十五歲守節，現年五十三歲。黃椿妻劉，二十九歲守節，現年五十歲。王久妻謝，二十三歲守節，現年五十歲。生員徐建勳妻孫。二十九歲守節，現年五十四歲。采訪册

右三河縣八十五人

李光緒妻許，勤鍼黹以養舅姑。高士瑞妻曹，崔祥妻郭，張琤妻蕭，年十八歸琤，琤病已甚，旋歿。孝事孀姑。小郎有子，愛如己出。以上守五十餘年。趙連璧妻王，教嗣子之符成進士，官僉都御史。連璧弟完璧妻石，與姒王同守志，孝養孀姑，教三子之篆、之籙入庠，之符爲夫兄後，亦成立。劉天祐妻翟，田自祥妻趙，舅老且病，侍奉尤謹。曹俶妻劉，爇臂於鐙，以禱姑病。生員趙懿瀚妻高，趙書愚妻郝，撫小郎成立。

石文鏡妻崔，劉永妻楊，郎中王祚泰妻王，駐防漢軍生員王連成妻信，劉永安妻李，馬嚴妻王，以上守四十餘年。李邦彥妻王，李柏妻李，田海亮妻吳，高士渤妻王，于堃妻李，以上守四十年。張景福妻穆，趙克誠妻張，事畜交盡，己則凍餒不免。黄有利妻陳，鄭連舉妻趙，舅疾，趙以婦兼子職，侍奉弗懈。張懋林妻蕭，撫小郎成立。田鳳亭妻劉，陳模妻楊，諸葛惠妻盧，李古亭妻賈，姜秉芝妻賀，張耀武妻劉，陳大鈴妻郎，石承安妻王，以上守三十年。諸葛雙瑞妻王，倪禄妻梁，以紡績奉甘旨，而自餍粃糠。崔邦慶妻王，陳慶揚妻馮，謝天朝妻湯，馬驤妻高，孝事王舅姑，養葬盡禮。陳文選妻張，教二子，一貢成均，一登武科。曹開芳妻嚴，楊守德妻劉，張國治妻李，高士沂妻臧，趙瀛妻張，武清蔡志倪某妻某，夫亡，舅姑欲嫁之，矢死不從。舅姑怒，逐諸門外，使自謀生。撫二子一女，艱難備歷。閱微草堂筆記李魁芳妻王，教子入庠。學政旌其門。守六十餘年。張克會妻張，孫國榮妻王，傭於人以養姑。孫太和妻白，曹延名妻石，賈麟功妻李，宋致順妻王，高興宗妻劉，王允元妻馬，劉允中妻李，一作元中。以上守五十餘年。賈國俊妻劉，孝舅姑及伯姑。曹丹陵妻吳，孝事王舅姑及舅姑以禮。周雲孫妻鄒，教子入庠。張芝茂妻薛，事姑，教子，備歷辛勤；戚族有不能婚嫁者，竭力助之。曹豐泰妻顧，一作阜泰。夫與舅姑相繼殁，毁家營葬；攜三子依母氏，代理家政，而自甘粗糲。劉昇妻孟，教嗣子成名。王希鉉妻劉，李紋妻高，邱朝孝妻王，蕭文德妻張，姜進綱妻賈，任有榮妻王，陳廣瑞妻王，曹承緒妻張，以上守四十餘年。趙烺妻程，教子入庠。李邦彥妻王，趙濟妻柴，張渭妻沈，以上守四十年。沙振先妻賈，一作謝振光。沈汝弼妻陳，孔繼恒妻張，勤女紅以養姑。姑殁，命子傭工取值，以營喪葬。撫夫堂弟子成立，先為授室，而後為子娶婦。王國棟妻呂，教嗣子入仕籍，待戚里以樂施著。張宏妻李，教子入庠。沈金梁妻陳，金一作舍。夫亡，自縊者再，家人救甦。楊季春妻盧，蕭天喜妻王，蕭一作董，外出無耗。翦髮矢志。羅鉞妻蔡，孝事王姑及舅姑。王紫庭妻楊，侍姑病，衣不解帶者三年。事王姑亦以孝聞。張宗連妻曹，撫小郎與其子等。孟訥妻展，陳析榮妻劉，張仰清妻馬，邵連科妻王，崔玉恒妻李，恒一作衡。耿大經妻王，趙之筠妻曹，張又旭妻葛，程朝弼妻王，高大德妻劉，張浩妻馬，李耕妻黄，以上守三十餘年。曹承緒弟光緒妻陳，與姒同守志，姑殁，不食，死。陳雲傑妻卞，傑一作杰。劉廷妻曹，廷一作庭。舅被罪遣戍，曹鬻女紅製衣食達戍所。舅殁，竭力歸其骨。姑卧病，事之數載不倦。夫殁，矢志守節，常并日而食，不乞假於人。韓寬妻李，事繼姑，撫幼子，兼撫猶子女五人。李春萱妻李，春萱弟春蕡妻王，俱割臂療姑。王一作方。某妻某，子幼，姑癱，事益謹，家貧，遣嫁小姑，奩具悉備。張玉鈴妻某，玉鈴外出無耗，某養葬舅姑皆盡禮。郭呈謨妻段，教子入庠。韓存義妻劉，初不見悦於姑，善事之，姑亦安焉。教子嚴，不使厚於前。女自奉以儉，而施予不吝，則稟母家教也。李登舉妻張，教子貢成均。高維新妻崔，教二子入庠。張士麟妻奚，教三子，一登武科，二入邑庠。縣令旌其門。周祺妻董，劉世淳妻韓，皆教子入庠。趙琛妻王，教子貢成均。梁大禮妻周，養葬舅姑，爲小姑擇配，兼撫小郎成立，無不如禮。張輝文妻孫，縣令吴旌其門。李栩妻董，教嗣子入庠。趙端己妻富，撫小郎成立。邱朝孝子廣順妻傅，與孀姑同守志，艱苦備歷。趙楨妻鄭，方光四妻李，四一作泗。生員陳金臺妻吴，馬俊瀛妻韓，馬俊傑妻趙，董大發妻王，李光輝妻馬，姑殁，仰藥以殁。張雲龍妻唐，沈光鼐妻馮，張耀然妻梁，梁大中妻袁，梁濬妻劉，王輔國妻張，王殿甲妻鄭，舅姑殁，縊死。曹書愚妻郝，果自亮妻崔，高屾妻朱，梁承乾妻高，李逢春妻李，楊浩妻張，張某妻唐，石大祥妻孫，縣志廩生沙躍雲妻李，耿士魁妻張。以上守三十餘年。禮部文札

右武清縣一百四十四人

臨淮典史常懷遠妻張，孝事病姑，寒暑不輟，守五十餘年。李顯林妻白，夫殁，姑九旬，事之至孝。生員張玉麟妻李，事盲姑至孝，教子亦有法。陳藻妻李，以上守四十餘年。崔深妻齊，夫亡，遺腹生子。時姑老病，侍奉不懈，恒以乳乳之。守四十年。陸河妻蔣，事姑盡孝。方成芝妻徐，教子入庠。以上守三十餘年。常懷遠子某妻某，孝事王姑與姑，教子入庠。典簿杜恭瑃妻王，事姑如母，親課嗣子，性好善，恒周貧乏，而服縞茹素以終身。馬于謙妻周，舅先殁，姑依之尤若左右手。田佩荃妻馬，生員芮鋐妻孫，皆教子入庠。生員王之玠妻李，教子登仕籍。李鳳翔妻張，善事舅姑，以澣濯佐子讀。劉朝珍妻崔，寶坻洪志趙萬良妻王，李錫章妻陳，幸國明妻王，陳立强妻馬，以上守六十餘年。馬起妻王，吴大經妻王，以上守五十餘年。徐天寅妻石，飢寒備歷，終無怨色，守五十年。劉士奇妻周，張連元妻潘，李紹曾妻王，蘇榕妻李，張永來妻尹，任文龍妻劉，張錕妻蔣，武步雲妻張，劉巘妻楊，以上守四十餘年。馬廷彰妻芮，李國泰妻楊，王有明妻薛，李瑞珍妻張，劉復全妻趙，韓夢松妻王，郭琪妻牛，李耀曾妻武，吴玉琢妻季，以上守三十餘年。李雲翔妻張，馮福錫妻鄭，以上守三十年。趙成裕妻兆，教嗣子家蘭取科第。傅秉濯妻王，李珪妻馮，張學詩妻章，方科妻王，郝在鎔妻周，楊紹思妻李，淩大有妻孫，采訪册張懋妻張，事病姑至孝，教嗣子入庠，守六十餘年。劉之華妻楊，劉源深妻韓，教子入庠。以上守五十餘年。劉君佇妻孫，李進富妻袁，茹苦事病姑，撫遺腹子，無少怠。吕永言妻王，生員陳思泰妻劉，歲饑，自噉糠粃，而奉舅姑旨甘。陳士顯妻張，夫亡，舅姑老，遺二子幼，張以十指供薪水；舅姑相繼殁，負土成塋。黄文寶妻芮，以上守四十餘年。生員楊紹曾妻牛，夫亡，將絶粒以殉，姑力止之，其艱苦有非人所能堪者。牛景治妻白，教子入庠。趙衍宗妻王，通書史，親授嗣子讀。劉敬宗妻趙，夫亡，欲引絶，姑力止之。事王姑以孝聞。朱景通妻楊，姑殁，無以斂，將賣子葬之，戚族周之乃止。齊岩妻趙，居廣孝里，鄉人曰：不愧爲吾里中人。杜文學妻吳，生員張天申妻楊，教子貢成均。紀邦安妻曹，夫亡，將絶粒以殉，姑止之；有勸他適者，曰：首可斷，志不可易也。李蘊高妻張，以上守三十餘年。崔珏妻楊，楊文然妻何，孝舅姑，和鄉里，藜羹敗絮，處之晏如。生員張其維妻劉，趙之璧妻張，李墅妻張，墅姪塢妻某，生員楊鈁妻劉，撫前子女如己出。楊翻妻袁，奉孀姑以孝。會遭兵燹，投井中，以水淺獲生。未幾夫亡，茹苦守志，撫孤子成立，孫雍入祠垣。生員苑鈞堂妻郝，事姑惟謹。姑嘗曰：假令吾子而在，豈有過哉！雖然，吾媳苦矣。劉賢妻張，劉鳳彩妻王，生員劉善教妻張，夫亡，子幼，獨力奉舅姑，不以委伯叔，喪葬皆盡禮。拔貢牛之澧妻芮，孝事王姑，喪葬盡禮。趙準妻何，孝事孀姑，撫嗣子，恩禮交至。方應春妻倪，教子貢成均。張有充妻傅，陳琮妻顧，教子入武庠。陳璋妻張，張德峻妻方，李燦新妻張，以上皆縣令伍澤榮旌其門。許曰政妻張，楊成妻張，許見龍妻牛，生員鄭國直妻尹，張錞妻張，孫天祐妻白，王國受妻盧，孝事孀姑，壽九十餘。國受子禧妻苑，盧某妻某，孝事孀姑。姑爲盧文信妻，見後。凡婦先姑後，其姑氏下俱註明某某母，盧某無名，故變文著録。劉緝漢妻杜，教嗣子登武科。馬作聖妻郝，楊喬森妻郝，單鈞妻杜，牛某妻潘，之澧祖母。楊棠妻李，徐紹榮妻趙，郭有棟妻周，尹國直子珮妻劉，李棟妻張，單碩膚妻高，洪志唐玉璞妻齊，二十六歲守節，現年六十一歲。貢生陳銓妻張，二十五歲守節，現年五十一歲。監生王茂椿妻馬，二十歲守節，現年五十一歲。郭起雲妻楊，十二六歲守節，現年七十三歲。魏方芸妻張。二十四歲守節，現年六十三歲。采訪册

右寶坻縣一百十四人

鄭國樑妻李，壽九十五，守七十餘年。生員岳從政妻王，劉廷恩妻朱，張亮祖妻吳，姑病，卧牀三年，侍奉不懈。劉振曾妻董，教子入庠。劉通健妻閻，孝事王舅姑及舅姑。生員岳屹然妻某，張魁矩妻李，馮其文妻談，胡棠

妻張，以上守六十餘年。生員陳鴻翔妻邵，通書史，教嗣子入庠。劉成柏妻閻，梁柱妻孟，夫亡，自抉其眸以矢志，撫小郎成立。張文岱妻馬，勤紡績以養舅。生員張祖厚妻孫，教子廷良登賢書，官江蘇令。李寶善妻張，滿春蘭妻陳，于興納妻胡，教子福澤登賢書，官威縣訓導。張福順妻周，許成文妻鄭，馮福昌妻董，常景澍妻蔣，生員馮印堂妻王，邵康齡妻陳，李維垣妻靳，王家齊妻張，杜樹芳妻陳，生員劉國望妻陳，生員翟際虞妻孫，常家駒妻蔣，生員廉肅妻劉，于永來妻孫，翟可立妻張，以上守五十餘年。杜育泓妻張，事王姑及姑，曲盡孝道。高天秩妻陶，教子靜登賢書。李正春妻劉，教嗣子誠蔚登賢書。趙淞齡妻高，李定國妻陳，廉德民妻安，李達有妻韓，高煐妻董，靳光閭妻張，楊成蒲妻鄂，劉大順妻杜，廉鈐妻黄，張文學妻李，李楷妻張，李成林妻姜，以上守四十餘年。武舉孫敬廷妻李，教嗣子入庠。張有德妻翟，以上守四十年。李芹妻季，一作李，教子入庠。苗邦輔妻崔，滕有禄妻王，生員杜恭訓妻宋，崔翔鳳妻廉，王著崧妻孔，劉振寰妻田，張肇鼎妻楊，廉承祐妻張，生員馬萬選妻董，趙鴻禧妻崔，劉士傑妻錢，吳鴻逵妻陳，趙芳妻李，吳鴻妻陳，劉大文妻史，于景文妻李，以上守三十餘年。靳朝楫妻于，守三十年。廉義黨妻張，自咽粗糲，而奉姑滫瀡不缺。明末，流氛逼境，偕二子守死弗去，卒無恙。張纘妻谷，教子近光登賢書。纘子近光妻某，與孀姑同守志。廉永敬妻張，事王姑、舅、姑以孝稱，教子沂中副車。王淑妻呂，邵宗雍妻崔，教嗣子入庠。宗雍子之驥妻張，劉汝蘭妻馬，邵宗有妻崔，與孀姑同守志。楊開勳妻常，邵蘭谷妻王，廉德孚妻王，于榮妻劉，邵某妻張，生員劉通治妻廉，甯河丁志。崔珏妻楊，壽九十六。李仁和妻齊，壽九十四。以上守七十年。劉士鏻妻王，教子入庠。劉國忠妻陳，陳大齡妻邵，邵文祥妻周，劉福壽妻韓，劉國福妻陳，田芬妻滕，以上守六十餘年。張士威妻王，蘇萬惠妻楊，宋永和妻王，以上守六十年。劉毓琇妻安，學政德保旌其門。王彥禹妻張，郭思見妻劉，張秉餘妻楊，學政帥承瀚旌其門。馮敏齋妻張，李玉琢妻董，崔栗園妻劉，崔有德妻李，董文芝妻平，齊人傑妻宋，呂永裕妻吳，縣令李成集旌其門。王岐祥妻李，王元起妻安，馮崑妻尚，生員陳實大妻趙，魏士慶妻紀，齊有成妻劉，董兆恩妻錢，李贊侯妻張，鄭潤妻李，崔大文妻邵，趙泰妻李，王元德妻董，董安瀾妻陳，武生胡泮鵬妻李，張文炳妻錢，孟維倫妻郝，劉和妻苗，楊立賓妻吳，楊彬妻張，李萬發妻魏，李士文妻陳，以上守五十餘年。劉成妻甄，張裕成妻杜，郝福林妻滕，楊立恒妻陳，張耀妻陳，以上守五十年。李瀛妻宋，縣令黃紹魁旌其門。生員劉毓玠妻李，教子貢成均。生員吳象乾妻石，夫亡，水漿不入口者累日，矢志守節。養葬舅姑盡禮，撫小郎二人成立。李祥妻某，張福祥妻邵，織席養姑；姑亡，竭力營葬。田永榮妻崔，胡德滿妻宋，劉太安妻趙，孝事王姑及舅姑。王泰妻韓，生員張燕喜妻楊，張毓勳妻王，王樹屏妻杜，劉國興妻楊，楊國太妻張，于德秀妻李，生員杜立愛妻葉，生員杜履謙妻徐，王作梅妻汪，生員陳其璜妻劉，王大澤妻劉，吳鴻漸妻鄭，李登甲妻于，于玉妻郭，陳大有妻王，張福安妻單，馬大勇妻張，劉錫曾妻高，張福林妻章，劉玉興妻王，劉殿柱妻崔，邵樹立妻張，生員高國印妻馬，史學倉妻劉，韓三義妻劉，孟士科妻郭，趙明妻谷，史樹芳妻尹，楊文閣妻侯，劉成發妻張，以上守四十餘年。楊安國妻馬，于歸有日，安國赴戚任所未回。夫家恐誤吉期，遂娶之。越三日，而安國訃至矣，馬矢志守節，事舅姑以孝聞。杜事績妻閈，鄭振先妻劉，馮之珪妻董，岳良俊妻趙，崔敬修妻劉，劉方宗妻李，孟惟允妻于，以上守四十年。生員杜立大妻鄧，教子通仕籍。吴士珠妻靳，夫亡，將絶粒以殉，姑慰止之。張維經妻靳，教子入庠。候選縣丞徐楷妻袁，教子入庠。廉遹妻梁，教子入庠。胡允齡妻高，夫客死關東，與孀姑同守志，哀其族，運夫柩歸，與姑並葬之，經營備至。張紀書妻邵，齊百舉妻張，陳大齡子濳妻張，常春臺妻張，教嗣子入庠。侯永常妻王，韓成德妻王，常蒓妻曹，撫小郎成立。王德成妻孟，于應典妻滕，滕有法妻馬，李綰妻柳，教子入庠。王金富妻李，以鍼黹養王姑及姑。楊其樸妻馮，童國裕妻談，生員杜廷訓妻宋，張維勳妻章，廉德焕妻張，廉德信妻李，李成沛妻高，李成城妻馮，張珣妻廉，李昇妻廉，王維翰妻馮，李僑齡妻高，段德昌妻賈，岳良貴妻李，武略騎尉高殿甲妻董，外委周文輔妻崔，李森林妻蘇，高富妻佟，李滙堂妻苗，王致和妻汪，韓其彦妻李，崔鶴齡妻劉，梁成會妻陳，馬馭亨妻翟，周會廷妻張，周太廷妻張，趙人富妻劉，董朝蘭妻孫，韓有培妻楊，有培弟有亭妻蘇，于國珍妻李，楊以政妻閻，馮嵩慶妻丁，李虎妻張，邵立信妻靳，張永慶妻胡，張瀚妻崔，張曰豫妻邵，陳鴻恩妻喬，陳瀛妻吴，張克仁妻劉，翟立昇妻張，沙毓楨妻董，滕龍甲妻于，李德山妻郭，王立志妻汪，張連發妻邵，以上守三十餘年。陳柏林妻于，勤鍼黹以養姑。廉珵妻董，以上守三十年。杜松年妻張，艱苦備歷，教子成立。李龍章妻張，鹽課司韓旌其門。李某妻趙，介福母。李某子文臺妻王，與孀姑及王姑同守志。張玉麟妻邵，與孀姑同守志。崔檀妻杜，教子通仕籍。學政沈旌其門。龐思聖妻于，學政李旌其門。生員曹錫三妻姜，學政汪元方旌其門。馮文光妻馬，里人旌其門。典史廉大森妻徐，割臂療姑。張廣嗣妻董，教子入庠。馮兆良妻閻，生員杜承鼐妻芮，拔貢生廉選妻張，廉佩妻李，廉銘妻張，李華夫妻童，崔世興妻某，杜履恒妻張，廉超妻邵，吴定遠妻張，李良臣妻鄭，李有年子某妻王，甄福貴妻滿，舉人邵之良妻李，張榮恩妻章，劉殿桂子某妻高，李某妻馮，張魯瞻妻孫，魯瞻子某妻于，張某妻劉，杜萁川妻李，劉汝蘭子存妻常，陳大奎妻張，大奎弟大本妻張，趙永德妻谷，翟立勤妻張，楊印田妻李，王金富子某妻沙，丁志。王元禮妻張，年二十七歲守節，現年六十餘歲。傅振魁妻馮，年二十七歲守節，教子入庠，現年六十二歲。巡檢崔紹祖妻李，年二十九歲守節，教子入庠，現年六十三歲。史繼遷妻陳，年二十九歲守節，現年五十六歲。馮長瑞妻邵，年二十二歲守節，舅目盲，侍奉惟謹，現年五十四歲。舉人張汝棣妻吕，年二十七歲守節，現年五十七歲。張敬城妻陳，年二十八歲守節，現年六十六歲。岳成張爾鏞妻李，年二十八歲守節，現年六十五歲。崔德惠妻王，年二十九歲守節，現年六十二歲。李介福妻楊，年三十歲守節，現年六十五歲。岳成章妻姜，年二十九歲守節，現年五十九歲。王得運妻韓，年二十六歲守節，現年六十一歲。劉占廣妻王，年二十七歲守節，現年六十二歲。馬武德妻常，年二十三歲守節，現年六十二歲。崔敏政妻李，年二十七歲守節，現年五十九歲。李樹達妻劉，年二十歲守節，現年六十歲。沈驥元妻王，年十九歲守節，現年五十三歲。鄭鴻書妻陳。年十九歲守節，現年五十九歲。采訪册

右甯河縣三百三人與寶坻志重出者歸寶坻。至杜氏一族，節孝爲多，甯志悉載之，寶志止數人，謹依原本分録，難於歸併，他皆類此。

張邦棟妻韋，教子入庠。魏錫齡妻高，李某妻劉，劉文魁繼妻趙，曹某妻劉。曹不辨菽麥，劉事之怡然。曹尋死，矢志

守節，孝翁姑，人頗稱其順德。昌平宋志

右昌平州五人

生員王以寅妻杜。事王姑以孝聞，守四十餘年。采訪册

右順義縣一人

宋猷妻胡守六十餘年。畿輔唐志 生員田邦需妻何，密雲薛志 生員彭士名妻侯，教子入庠。王廷輔妻石，以上守五十餘年。生員褚文錦妻楊，夫亡，將絶粒以殉，舅姑止之。後教子入庠。生員趙允妻劉，教子希洎通仕籍。孫鴻妻祝，拔貢生王鈞妻朱，贈宜人。以上守三十餘年。劉永遠妻王，守四十年。任方增妻徐，孝事王舅姑與舅姑，兼撫夫兄之子、女。王林可妻范，林可出亡不歸，范傭於人以養葬舅姑，兼奉其父。毛文蔚妻王，文蔚見昭忠表。外委毛文選妻胡，生員胡其鋭妻蘇，監生胡永吉妻施，駐防內務府鑲黃旗李延育妻劉，以上守三十餘年。生員陳啟亨妻馮，教前室子入庠。啟亨子生員琦妻王，與孀姑同守志。馬繼遷妻蘇，失舅姑歡，爲妯娌所不容，蘇含淚承顔，舅姑亦感悟。王守增妻朱，守增亡命不返，朱矢志苦守，姑遇之虐，順受無怨言。生員楊其善妻張，生員尚毓秀妻吴，聶普官妻馬，李國輔妻馮，王成功妻趙，生員楊拱妻梁，趙大妻王，年二十一歲守節，現年六十歲。張慶方妻任，年二十歲守節，教子入庠，現年五十餘歲。生員王都妻呂。年十七守節，事舅姑曲盡其道；後家益困，夫從父王者翼，招使同居，衣食之，且以孫謨爲嗣，呂事者翼如事舅姑，現年四十八歲。密雲丁志

右密雲縣二十九人

閻斌妻某，撫小郎成立。懷柔吴志 曹景賢妻張，教子膺歲薦，守四十餘年。李顯妻李，守三十餘年。張坤妻許，曹敬堂妻蕭。

采訪冊

右懷柔縣五人

王璧妻宋，生員陳鳳翱妻周，教子入庠。以上守六十餘年。張連魁妻沈，教子登仕籍。生員馮鉉妻張，以上守五十餘年。屈尚志妻錢，布政司經歷謝慶雲妻唐，慶雲子庠生三輔妻谷，以上守四十餘年。生員李永茂妻顧，夫亡，投繯以殉，家人救止之。事孀姑盡禮，撫前子如己出。武生劉德慶妻葉，姑病，兩次刲股，撫前子二成立。劉承錫妻曹，教子入庠。單焕曾妻許，史桂榮妻王，生員王鴻儒妻王，生員甄殿魁妻劉，彭英妻張，王光祖妻金，王紹舜妻李，張秉美妻劉，涿州吳志馬騰遠妻李，守六十餘年。李龍妻楊，教繼子入庠。子夭亡，教孫亦成名。王化隆妻王，孟英妻史，以上守六十年。武生高成文妻王，教子入庠。生員竇桂芳妻邢，教二子入庠。以上守五十餘年。舉人陳崙妻康，以二子文焕、文焕爲夫弟廕、巖後。文焕登賢書，文焕亦貢成均。張立忠妻姜，割臂療姑。胡裕曾妻史，以上守五十年。邁種德妻徐，教二子入庠。貢生劉秉鐸妻王，教子入庠。郭璠妻張，小郎二人，自髫齡撫之，成立後俱入庠。蕭連魁妻謝，家貧，勤苦自給，事舅姑以孝聞。生員王德純妻王，姑病癱瘓，出入必負以行。教子入庠。解某妻董，傭於人以養舅姑。陳傑妻某，教子入庠。蔣世昌妻張，梁憲妻張，句燦妻吴，王祥槐妻楊，生員李文澤妻杜，生員劉國楨妻吳，尚倫之妻劉，張敬夫妻王，吳文藻妻陸，以上守四十餘年。張爲棟妻李，張明妻侯，教嗣子入庠。趙隆妻王，以上守四十年。陸毓彩妻趙，家貧，衣食不繼，而奉姑無缺。賈玉之妻陳，孝事舅姑，兼撫小郎四人成立。彭樹棠妻宋，夫外出不返，矢志靡他。甘肅候補州判高如漢妻趙，姑得痰疾，起卧需人，趙曲盡孝道。田飛龍妻單，王紹堯妻夏，周啟文妻丁，閻齡妻孟，趙棠妻王，劉廷良妻張，李廷樞妻張，穆有成妻張，李圻妻許，生員楊鉞妻趙，周萬齡妻張，郭衍慶妻周，張樹榮妻陳，李咸昌妻朱，以上守三十餘年。生員趙安泰妻常，教子入庠。生員榮旌妻吴，以上守三十年。于從倫妻王，事姑及繼姑克盡孝道；教長子良輔登武進士，官游擊，次子良弼登武科，改縣令；有族姪從孫，撫之尤厚。劉某妻張，與孀姑同守志。姑爲劉璽妻，見後。王榮妻趙，奉孀姑以孝聞，叔姑年老且病，小姑二均未及笄，子女皆在襁褓，趙事老撫幼，咸無缺陷。顧言妻李，舅目瞽，朝夕扶持無倦怠。生員劉景淳妻吴，史廷霖妻胡，姑病篤，旦夕侍奉，積勞成疾，卒。胡述曾妻王，高儒妻惠，與孀姑同守志。王景澤妻申，割股療母與姑。生員趙清任妻劉，陳崙弟隆妻萬，金承祥妻王，湖北隨州知州楊嘉運妻林，嘉運見昭忠表。林撫遺腹子，殤，以堂弟之子爲嗣，教之入庠。蕭懋芹妻吴，范金越妻孫，胡凱妻宋，夫出外不歸，事翁姑終身。沈思信妻楊，劉承基妻楊。涿州續志

右涿州八十四人

高天明妻焦，張發玉妻陳，武生常濤妻陳，楊廷櫟妻化，生員馮世龍妻邢，李連魁妻王，王殿彦妻翟，武生常綸妻劉，生員徐錫齡妻李，房山佟志劉振生妻馬，孝事王舅姑及舅姑。隗密妻段，以上守四十餘年。生員張淮妻金，夫卒，矢志守節。舅官運河守備，歿於任。家事多艱，金勤儉自勵，事姑以孝聞。米永清妻段，張進舉妻呂，撫前子如己出。丁振鐸妻呂，邑令旌其門。張瀛甫妻張，高叢桂妻劉，井方妻段，王步彤妻雷，呂振聲妻閻，以上守三十餘年。生員楊守樸妻王，李芬妻王，譚某妻蕭，固安陳志常九川妻李。年二十八歲守節，現年六十歲。房山王志

右房山縣二十四人

張含秀妻尚，教子入庠。畿輔唐志 生員崔士瞻妻任，教二子應鳳、鳴陽俱通仕籍。應鳳官陝西鎮原令，盜賊時至，任勗應鳳以死，城賴以安。後以孫之瑛貴，贈夫人。守六十餘年。王立崗妻江，守五十餘年。楊文會妻孫，守五十年。駐防滿洲內閣中書馬龍圖妻唐，割臂療姑。樊天錫妻邵，以上守四十餘年。郝俊妻李，王姑目瞽，侍起居二十年如一日，教嗣子惟謙登賢書。守三十餘年。王伯廣妻任，教子入庠。生員吴邦達妻王，教子入庠。駐防漢軍生員陳慶修妻陳，駐防漢軍邊寶鼎妻李，霸州朱志 姜魁妻蔡，守五十餘年。于崇默妻王，教子入庠。生員王朝登妻趙，李廷元妻蘇，以上守四十餘年。張耀宗妻張，知州曾世槐旌其門。崔禮妻馬，李慶雲妻金，皆與孀姑同守志。牛登雲妻王，孝事曾祖姑以下三世。王耀文妻靳，生員崔淦妻胡，高瑞成妻佟，以上守三十餘年。趙慧文妻王，值兵變，舅姑暨夫皆歿，亂定後，王覓得三屍，募人舁歸營葬，家業盡空，乃紡績自給。學政蕭錫旌其門。王經妻何，歲飢，以榆皮蔔殼爲食，而矢志不移。後撫子若孫成望族。生員王世皞妻劉，屢遭凶荒，飢寒備歷。賈邦宗妻張，與孀姑同守志。知州姬鈞旌其門。吴繼科妻王，學政旌其門。張九如妻白，與孀姑同守志。生員李星灼妻金，王繼桐妻柏，生員王相妻李，李汾妻齊。霸州周志

右霸州三十二人

劉貞妻李，撫前子如己出，守五十年。盧尚志妻梁，織席養姑，拾遺不受。陳良琬妻鞏，畿輔唐志 孫永貴妻劉，守七十年。王熙妻紀，守五十年。生員王胤瑱妻郭，教猶子入庠。蔡汝清妻楊，縣令王旌其門。守三十餘年。王媿美妻馬，守三十年。井鈗妻紀，夫亡，守十九年。姑抱疾，力辦醫藥而死。霍維英妻劉，生員姜鋥妻于，紀克荷妻張，張應選妻孫，劉惟聰妻趙，文安楊志 賀樹成妻董，教子入庠。王愛衆妻田，以上守六十年。徐詔妻董，守五十年。蔣仁一妻朱，以紡績事衰姑。姑亡，匍匐乞鄰里具棺木葬之。張大祥妻王，夫亡，翁姑衰邁，氏獨力搘拄，備歷艱辛，子、孫成立。劉師純妻邱，程天禄妻程，王士英妻

盧，以上守五十餘年。馬履中妻郝，事舅姑數十年，曲意承歡，舅姑曰：天奪吾子，而賜吾賢婦，是天猶未絕我也。守五十餘年。延安子純如妻張，趙福山妻楊，教子入庠，守四十餘年。劉兆德妻葛，孝事孀姑，撫幼子成名，舉人。陳震傳有對姑無戚容，獨居無愉色之語。兆德弟兆福妻邊，教子入庠。陳震作劉氏雙節傳。張潤山妻王，教二子入庠。郭立妻王，事衰姑，撫小郎，備歷艱辛，姑欲爲之請旌，王曰：家貧守節，皆分內事也。力辭之。何秉智妻王，楊盛林妻劉，張海平妻李，舉人紀瑜妻信，守三十餘年。沈巖妻劉，以上守三十餘年。井某妻紀，聞起女，守十九年。生員紀如陵妻孟，守十餘年。生員井時灯妻高，生員魏永慶妻黃，割臂療舅。縣尹陳旌其門。何𣶏妻靳，府尹旌其門。吳慶安妻劉，學政吳旌其門。張海平子某妻王，薛照臨妻馬，王恩溥妻劉，徐錕妻金，張奎升妻楊。夫亡，姑老，氏以針黹養姑，守節二十八年。采訪册

右文安縣四十五人

生員劉粲妻胡，大城張志 生員狄哲妻王，夫亡，兩次投繯，家人救解之。教前子及嗣子均入庠。光禄寺署丞吴伯裔妻劉，大城縣志 蕭廷芳妻孟，守六十餘年。張洛書妻石，孝事舅姑。舅歿後，朝夕不離姑側。守六十年。生員趙學海妻張，撫前子如己出，事孀姑尤謹。趙邦甯妻姚，事孀姑，撫嗣子，邑人榜其門曰：德符貞義。曹大容妻李，邱士選妻孫，張德玉妻繳，陳兆經妻王，楊希顔妻馬，李維賢妻張，王樹軒妻元，宋萬凝妻傅，田希閔妻梁，以上守七十餘年。曹應鏞妻劉，宋峻峯妻石，峻一作仲。曹天魁妻鄭，以上守六十餘年。王平成妻岳，孝事孀姑，母亦無嗣，兩地奉養，無少缺。楊金亢妻陳，亢一作剛。以上守五十餘年。李思正妻石，守五十年。王流謙妻尹，奉舅姑，撫幼子，飢寒備歷。張宗周妻邢，乞食養姑，姑終身無凍餒。劉鴻邁妻石，王彭齡妻羅，王勞謙妻張，趙錦堂妻王，以上守四十餘年。王增慶妻汪，孝事王姑。楊世忠妻解，高永

同妻劉，以上守三十餘年。蕭保東妻白，邊錫廷妻梁，姑有疾，善慰解之。郝鳳鳴妻聞，劉椿妻李，王寶仁妻袁，姑病，十年不起，晝夜侍湯藥弗稍離。謝萬倉妻高，家極貧，節嗇衣食，奉親、育孤子。王泊妻楊，夫亡，家貧，舅欲嫁之，矢志不從，事舅養葬以礼。孫相周妻楊，竇法敬妻甯，王鎧平妻劉，劉梓亭妻楊，鄧天壽妻薛，湯肇元妻孫，李寶廷妻李，孫慶益妻姚，翟淇妻王，張世久妻段，傅雲路妻任，路一作露。楊信妻梁，家貧析居，氏獨紡織以奉堂上，守六十餘年。呂健亨妻宋，守五十餘年。劉復萬妻張，王得元妻仝，一作得園。謝青雲妻苑。采訪冊

右大城縣五十四人

生員王發妻蘇。十七歲適發。發素貧，舉家流寓文安，舌耕餬口。連遭四喪，發旋物故，氏時年二十九歲，百計經營，扶翁、姑、兄、嫂及發五柩回里，歸之先塋，奉侍繼姑，備極孝謹。没後，仍與翁合葬。撫育四女，及時擇配，四十餘年。邑令馬長淑表其門曰：純孝完貞。采訪冊

右保定縣一人

仇潢妻王，孝事衰翁，教子入庠。李異森妻馬，夫亡，翁、姑衰老，子甫數月，孝慈兼至。白克遜妻崔，夫亡，翁亦逝，力舉二喪，兼撫幼子。姑性嚴，善事之，曲盡婦道。以上守四十餘年。生員王鍾珮妻孟，夫亡，子亦夭，以舅姑年邁，忍死撫嗣子成立，事舅姑以孝聞。守三十餘年。張時隆妻康，孝事舅姑，教子入庠，兼撫小郎成立。宋明鼐妻倪，撫遺腹子成立。李之柔妻張，紡績養盲姑，撫幼子。李世新妻崔，夫亡，無子，孝事孀姑，撫小郎成立。世新弟某妻高，與崔氏同苦節，事崔如姑。陳嘉謨妻張，事孀姑，撫遺腹子，勤劬備至。生員王悜妻于，教子入庠。丁圻妻崔，州志 王振逵妻湯，蒙天貴妻宗，夫亡，欲以身殉，舅姑救止之，矢志守節，有人所不能堪者。守五十年。生員盧琮妻于，家貧無子，奉姑以孝。劉繼宗妻王，生員田經妻王，夫亡，將以身殉，舅姑力止之，强起，事舅姑以孝聞。州牧旌其門。趙焯妻孫，歸四月，夫亡，將以身殉，舅姑慰止之，强起治家事，舅復目盲，氏侍左右，曲盡孝道。州牧旌

其門。白眉妻榮，孝事舅姑，教子成立。學政曹旌其門。王惠妻張，惠子友生妻趙，以上守四十餘年。武生吳克寬妻黃，生員王端己妻傅，以上守三十餘年。生員王修己妻吳，教子入庠。學政旌其門。生員李發祥妻張，夫亡，舅姑俱年邁，子甫數月，氏上侍下撫，竭力操作。生員張紳妻趙，周希孔妻韓，教嗣子入庠。學政金旌其門。生員陳大謨妻李，生員陳維新妻李，楊思寬妻馬，學政彭旌其門。黃記妻郭，陳璋妻趙，夫病，割臂和藥以進，卒不起。矢志守節，教子入庠。鄧某妻劉，教子入庠。李之棟妻徐，壽九十。邵宗洙妻王，相林母，教嗣子登武科。田淑霖妻蕭，教子入庠。張其志妻鄭，生員張廷瓛妻李，劉國勳妻王，劉恭妻李，學政龔旌其門。星秉和妻馬，駐防旗人劉通和妻徐，侯國璧妻李，陳九大妻常，生員劉徵惠妻楊，孔繼祖妻李，生員張自省妻劉，白文理妻何，童爾平妻黃，賈明三妻申，駐防旗人尹福妻鄭，姚玉良妻庫，姚玉麟妻李，郭鼎梅妻傅，王維義妻金，張廷棟妻巴，薊州沈志。趙占英妻楊，夫亡，年二十一，以紡績撫兄子清泰爲嗣。占英子清泰妻方，夫亡，與孀姑同守志，撫二子成立，能業其家。柳德明妻田，李議妻劉，守四十餘年。李議姪廣泰妻丁，梁大有妻張，守三十年。吳鳳來妻徐，鳳來歿，夫兄二逼徐改適，不從，婦志不墮，撫女長成，依壻家爲活。後夫仲兄死，徐鬻衣什殯之。夫伯兄死後遺一孫，徐教養成立，俾承吳氏嗣焉。譚某妻劉，嫁兩月而寡，年甫十七。營兵某以受某金，啗其舅姑，令改適某。劉聞之，奔母家。營兵率其徒將奪之去，適州守華濬散賑至，劉攀輿號泣，守鋤其奸，贈以錢帛，免一家徭役。郝克用妻趙，趙廣福妻李，楊太山妻方，生員張篪妻曹，賈文通妻吳，二十五歲守節，現年五十餘歲。李某妻李，二十歲守節，現年六十餘歲。仇福壽妻陳，二十三歲守節，現年五十九歲。尹順妻馬，二十五歲守節，現年五十餘歲。生員紀光檢妻趙，二十九歲守節，現年五十歲。曹雲淩妻朱，二十六歲守節，現年六十餘歲。楊德純妻朱，二十六歲守節，現年五十七歲。李鋒妻蕭，二十九歲守節，現年五十餘歲。李蓬妻劉，三十歲守節，現年五十餘歲。李魁恆妻劉，二十六歲守節，事

舅姑兼事王姑，現年五十餘歲。采訪册

右薊州七十八人

李某妻韓，夫亡，舅姑迫之嫁，不從，舅姑逐之，乃寄宿敗寺中，以紡績自給，仍時時往侍舅姑，守六十餘年。生員王楫妻李，教子入庠，守五十餘年。馬馭雯妻顧，教子一驥登賢書，守四十餘年。耿修梧妻王，王紀妻吴，以上守六十餘年。朱志胡傑妻趙，守六十年。王扶妻朱，守五十餘年。陳俊妻白，韓德妻紀，以上守五十年。張瑞妻張，與孀姑同守志。陳朝英妻張，教子入庠。陳文元妻于，文元見昭忠表。以上守三十餘年。王慶廷妻陳。守三十年。王志

右平谷縣十三人

夫亡守節，艱難撫孤三千一百九十人：

陶鸞妻覺，鸞子妻李，守五十餘年。胡作孚妻李，教子成名，守四十餘年。張崇妻高，桑鳳鳴妻李，教子成名，守六十餘年。周經邦妻陸，守六十年。張克會妻張，王行著妻宋，以上守五十餘年。王晉芳妻繳，歲荒，子亡去，飢寒憂鬱而死。王棟妻樊，家貧，恒不舉火。耿震英妻周，李永福妻尚，張煒妻陳，胡會侯妻劉，馬夢龍妻王，吴邦彦妻馬，孫時林妻湯，田永盛妻李，戴明資妻裴，馬崇化妻李，林森妻李，蘇起龍妻任，沈銓妻田，王某妻陳，唐志云：王家畹母。馬雯妻洪，顧凝命妻陳，李蘭馨妻張，劉從玉妻王，查淑慎妻張，張有吉妻謝，王所御妻楊，張應捷妻吴，馮嘉祥妻王，劉莪惠妻李，宗育麟妻田，楊純祖妻戴，梁應棟妻金，張思宏妻賈，張文昇妻王，萬國宮妻陸，徐崇印妻張，

韓瑾妻李，馮盛治妻張，方某妻陳，劉懷聖妻王，劉養志妻趙，賈文魁妻陶，趙應昌妻李，董守義妻陸，馬文煒妻劉，姚起鳳妻敖，李國梁妻周，劉載妻石，屈振英妻周，鄭安民妻趙，王近仁妻宗，劉承錫妻曹，楊正熙妻董，王立妻陳，李履祥妻孔。畿輔唐志

右順天府六十人

陳正國妻狄，正國見昭忠表。守四十餘年。畿輔唐志章金妻李，守三十餘年。劉蘂芳妻劉，助貸戚鄰無倦。耿某妻張，劉應鳳妻李，皆年逾百齡。黃鳳妻王，尹遇湯妻張，高熺妻范，張存仁妻夏，白文質妻徐，劉吉祕妻樊，周象吉妻顧，朱元傑妻韓，張志王大壯妻左，張禄妻鄧，俞長城妻陳，汪嗣遠妻吴，舉人陳箴妻李，以上守五十餘年。王保安妻周，從九品蔣紹義妻許，宋皚妻劉，職員董立功妻張，以上守四十餘年。監生莫文源妻張，生員史善昌妻龐，劉治忠妻胡，夏文銛妻樊，施志仁妻樊，貢生張瑜妻孟，方功煦妻蘇，功煦妾許，侯彭瑞妻甄，謝友銓妻馮，莊善元妻陸，傅士鈞妻余，彭榮光妻劉，鍾崙妻薛，陳德感妻蔡，陳啟溶妻岳，陸昌培妻姚，王嵩齡妻唐，殷德貴妻楊，余一桂妻李，陳栻妻唐，陳式玉妻朱，劉湛錫妻高，楊尚怡妻陸，查普妻陳，妾杜，胡福昌妻朱，李洵妻高，李銑妻顧，高繼曾妻徐，李春穠妻高，于德海妻劉，劉文奎妻張，邵某妻許，禮部文札劉清平妻詹，馮清鐸妻陳，傅以凝妻張，顧文傑妻畢，王鐘俊妻劉，胡保昌妻趙，沈得禄妻洪，孫慶妻孫，采訪冊陸芳生妻劉，陳孔教妻高，生員周敬

勝妻孫，以上守四十年。張文新妻侯，守三十餘年。鄭良玉妻劉，郝鳳岐妻牛，張德宇妻吴，祁宗肅妻楊，張志吴永興妻陳，王毓麒妻吴，以上守四十餘年。舉人高育林妻王，馮廷先妻王，通判銜田憲培妻劉，以上守三十餘年。施寶仁妻王，三十歲守節，現年五十七歲。李永華妻徐，二十七歲守節，現年五十七歲。王德海妻錢，二十二歲守節，現年四十三歲。劉永才妻張。十九歲守節，現年三十九歲。敬節會册

右大興縣八十一人

孟宗聖妻王，守四十餘年。畿輔唐志崔淑妻李，守五十餘年。生員郭天祥妻徐，朱在森妻曹，生員趙晾妻鍾，以上守四十餘年。星長平妻巴，星長安妻梁，張景元妻王，周立圻妻唐，冷德琳妻岳，杜叙武妻宋，以上守三十餘年。徐樹珠妻潘，韓友蘭妻王，戴文煦妻劉，翟錡妻李，任廷桂妻牛，陶冶妻周，顧珊妻宣，顧白妻孫，馬汝淮妻趙，鍾佩和妻李，侯德亮妻李，馬尚醇妻孫，劉廷桂妻周，楊承鈞妻范，王裕基妻宋，祝晉蕃妻夏，張敦寶妻諸，邢康安妻王，禮部文札韓某妻陳，徐曾稼妻陳，彭崑山妻莊，俞振鴻妻金，劉祥妻劉，劉繼先妻王，張應奎妻楊，方殿元妻劉，采訪册湖北天門縣知縣楊明善妻彭，生員翟慶元妻孫，二十七歲守節，現年五十二歲。從九品王庶常妻張，二十六歲守節，現年四十九歲。李廷璧妻張，敬節會册查爲義妻朱，楊廷棟妻趙。采訪册

右宛平縣四十三人

生員甯國璧妻白，守四十餘年。舉人張元榜妻傅，教三子入庠，守四十年。董文明妻胡，教子入庠，守三十餘年。唐澎妻張，

教嗣子入庠。生員陳思牧妻李，教子入庠。按院傅旌其門。張某妻于，授卿母。成朝品妻劉，魏光胤妻宋，縣志王俊妻徐。守三十餘年。禮部文札

右良鄉縣九人

李之棟妻徐，虞濬妻金，以上守七十餘年。張我經妻陶，我經見昭忠表。駐防鑲紅旗王吉然妻李，劉文妻高，以上守五十餘年。劉爚妻蕭，守四十餘年。四川滎經縣縣丞俞燕妻張，夫卒於官，無餘資。張鸞釵珥以斂，扶柩數千里而歸，苦守三十年。楊光啟妻張，教子入庠。生員周郁妻祖，生員卜雍妻劉，生員傅雲龍妻田，傅玥妻劉，陳朝麟妻賀，楊大有妻李，劉毓俊妻楊，生員孫光前妻趙，陳銓妻康，賈鳳舞妻王，李思注妻季，河營外委宋鈞妻張，河營外委宋鐸妻劉，武舉韓景昌妻祖，嚴文植妻朱，張經妻單，沈桂林妻張，賈岐妻劉，有恒母。武舉邵桐林妻邊，生員趙邦誌妻徐，劉某妻陶，繼祖母。以上守六十餘年。史國漢妻隋，守六十年。袁永祥妻戴，吴永廷妻侯，孫文彩妻楊，侯春妻苑，皆縣令陳旌其門。姜振修妻牛，以上守五十餘年。周秉禮妻辛，守五十年。劉宗成妻蕭，縣令陳旌其門。武生劉鑑妻丁，以上守四十餘年。生員郭振雝妻王，劉從聖子進書妻馮，陳志杜臣妻趙，生員李聯高妻劉，王多仁妻張，劉澤遠妻王，張我綸妻盧，周某妻趙，周世奇母。閻某妻畢，閻邦和、邦順母。劉某妻陳，劉麒麟母。趙某妻張，陶甫榮妻張，唐克文妻畢，王某妻郭，王京乾母。周某妻王，周貴母。生員劉漢超妻彭，姜通妻王，張連會妻陳，張永明妻趙，高某妻吕，廪貢生高崙母。李廷榕妻馮，祁某妻劉，生員祁殿魁母。李朝佐妻申，何

廷相妻許，何廷臣妻周，李本妻張，谷體明妻趙，劉明妻鄭，宋印奇妻李，生員曹宏翥妻郭，監生趙鐘妻孫，鄭汝爲妻王，李大成妻崔，柏永新妻趙，董興嗣妻夏，唐鋭妻劉，關鐸妻穆，張廣生妻黄，劉景相妻李，譚某妻蕭，楊邦和妻魏，袁廣太妻楊，王朝賓妻汪，侯顯章妻朱，蘇建忠妻張，邱宗耀妻曹，何順妻翟，陳大順妻盧，楊文成妻亢，監生賀存仁妻李，劉德恆妻王，優廪生劉贊妻李，潘福貴妻李，趙鳳鳴妻劉，朱廷桂妻陳，齊德和妻劉，高文祥妻滑，齊永興妻張，齊德芳妻馮，劉儉妻杜，庠生王汝濤妻張，高蘭妻于，李茂林妻蕭，陸興妻吕，趙雲龍妻劉，以上守四十餘年。張慶元妻郭，守三十八年。王奉齡妻趙，守二十五年。劉卓勳妻張，守二十九年。侯封妻包，二十五歲守節，現年八十五歲。永定河都司李煥文孫培妻宋，十八歲守節，現年六十五歲。韓某妾劉，二十七歲守節，現年六十四歲。石成瑞妻張，十九歲守節，現年六十一歲。潘柱妻吕，十九歲守節，現年六十八歲。趙恭妻李，十八歲守節，現年五十七歲。監生韓彬妻姚，二十一歲守節，現年五十五歲。潘福成妻李。二十一歲守節，現年六十九歲。

右固安縣一百十四人

潘瑞龍妻田，守六十餘年。千總劉邦畿妻徐，守五十年。高起鵬妻張，教子入庠，守四十餘年。趙君平妻張，守三十餘年。鍾純妻余，教子、孫守遺訓，守古禮，遂以儒業起家。張沛妻儲，撫前子如己出，兼撫夫姪孫二，姪孫振基成進士，布政湖北，皆儲教也。潘某妻羅，駐防漢軍馮璧元妻王，生員劉自謙妻梅，吳宗禮妻馮，武生陳玉執妻王，生員石春標妻劉，余積泰妻張，劉得元妻王，趙傑三妻王，周志李振公妻李，禮部文札劉進妻褚，褚永恭妻賈，以上守七十餘年。甄希舜妻畢，陳震妻孫，劉邦隆妻高，以上守六十餘年。余清梓妻張，守六十年。李守義妻趙，長春母，教子入庠。王俊德妻崔，劉萬常妻趙，教前室子入庠。韓廷梁妻陳，秉善母。學政金旌其門。楊琨妻犖，楊楝妻薛，枝蕙母。漢軍劉貴妻杜，張文美妻楊，高清妻王，廷傑母。生員劉巘妻李，高廷良妻彭，以上守五十餘年。李煥妻康，陳潛修妻劉，以上守五十年。張丕謨妻劉，教子入庠。學政潘旌其門。劉瑄妻曹，姚俊玉妻王，曾文周妻張，劉明耀妻許，王秉誠妻黃，善序母。柴文鐸妻劉，劉有禮妻李，趙希禮妻李，趙福成妻姚，王殿甲妻楊，殿甲弟殿卿妻田，以上守四十餘年。于自義妻李，生員孫國起妻賈，以上守四十餘年。舉人王象元妻趙，學政潘旌其門。趙振綱妻魏，茹翰臣妻佘，尚光璧妻董，王希永妻崔，馬成虎妻張，李成龍妻崔，劉嵋妻劉，金櫟妻趙，蔣士亮妻陳，陳天職妻張，徐伯興妻劉，朱栻之妻曹，劉鳳閣妻張，生員高得洋妻張，以上守三十餘年。傅盛德妻郝，守三十年。周玉山妻郝，撫前子如己出。張茂妻劉，學政潘旌其門。楊柏之妻胡，教子入庠。劉廷侯妻閻，學政潘旌其門。王振海妻靳，賈浩從兄武生深妻張，教子登武科。仇華妻楊，致廣母。柴澤泓妻韓，張某妻賀，自美祖母。劉民敬妻張，王濟妻劉，劉崙妻留，梅廷弼妻李，馬某妻聶，文光母。孫鳳彩妻劉，維屏女孫。李得位妻屠，于景源妻蕭，馬瑞昇妻高，董殿鼇妻李，王顯宗妻孫，張某妻竇，張某妻元，國傑母。王言書妻潘，武生張洵妻趙，張汝和妻劉，常玉林妻竇，王朝佐妻張，王存禮妻常，生員蘇際唐妻徐，廷銳母。李尚鳳妻黃，陳祖達妻馮，馬象恆妻陳，張仕榮妻孫，孫錦妻王，縣志張志春妻邵，生員劉祖楙

妻傅，生員楊柏妻胡，禮部文札張濤妻劉。守四十餘年。采訪册

右永清縣一百三人

生員解萬有妻劉，生員解萬端妻宋，孟文舉妻季，王宗台妻張，李懷瑛妻姚，貢生紀溶妻張，以上守四十餘年。胡希仲妻張，守四十年。王天泰妻武，解萬通妻曹，許自永妻景，生員郭九鼎妻孟，胡國永妻于，王瑞妻楊，安福妻李，于騰瀚妻劉，生員王業煥妻袁，孟端莊妻劉，張玘妻竇，江南廣德營游擊孫天章妾祁，以上守三十餘年。李潔妻解，生員郭九會妻李，李果植妻郭，李益妻曹，生員王宏猷妻趙，生員李坦妻胡，李志孫永清妻信，守七十餘年。邊永淳妻孟，守六十餘年。于迪命妻王，守五十餘年。生員孟蔚文妻劉，孟紹文妻張，以上守三十餘年。劉連妻張，周來芳妻梁，房金妻劉，張景明妻朱，張銑妻劉，邢有德妻趙，佘大先妻王，孫復興妻董，田奎之妻王，王治國妻吕，張肇鏞妻張，張懷倬妻邵，孫賦藻妻李，張兆麟妻劉，黄雲錦妻婁，吴廷章妻劉，王建功妻郭，孫光廉妻倪，倪作孚妻孫，周彦妻梁，李永祥妻郝，李景賢妻姜，婁培先妻趙，解錫縉妻吴，張景行妻婁，采訪册武生于開第妻邵，守四十餘年。王際亨妻高，黄得儒妻龍，曹光訓妻韓，禮部文札楊士榮妻趙，壽百齡，守七十年。楊自利妻趙，縣令周道裕旌其門。鄭大海妻孫，李景文妻鄧，守六十餘年。胡統虞妻孫，縣令周道裕旌其門。李日培妻韓，壽九十七。竇葵芳妻紀，于廷佐妻李，以上守五十餘年。劉謀妻韓，守五十年。生員李希賢妻曾，生員李時龍妻施，張子成妻胡，生員李之發妻

阮，李起龍妻孫，劉爾瑁妻施，高子立妻閻，劉主實妻趙，李彰德妻李，解冠甲妻郭，
孟傑己妻王，（以上守四十餘年。）劉某妻宗，邢天爵妻趙，（守四十年。）侯建玉妻馬，（夫亡，遺一子甫九齡，後撫之成立而夭，馬絕粒，呼號而歿。）
王思善妻趙，（夫亡，父母憐其少，欲奪其志，趙峻拒，不歸甯者數載。）王祚厚妻劉，張世仟妻趙，生員劉之琦妻劉，（李林志）
強妻徐，（守六十餘年。）王治安妻高，孟某妻高，（守五十餘年。）段某妻王，（守五十年。）趙坤妻于，邊裕昆妻扈，
趙連春妻梁，倪進銀妻劉，高鴻儒妻董，黨大倫妻劉，郭尚仁妻賈，孫琴妻諸葛，崔國
華妻孟，（以上守四十餘年。）張受田妻章，劉興廣妻信，（守四十年。）解錫蒲妻胡，馬連城妻楊，張熙妻沈，
張堯妻高，魏琦妻何，李玉符妻李，（以上守三十餘年。）曹楨妻曹，（教子光訓官山西令。）邵鎔妻楊，信源芳妻王，
（以上守三十年。）馬志銘妻李，（夫亡，即欲身殉，因有數月女，勉留撫之，女又夭，後因自服毒死。）黃金榜妻袁，侯榮妻呂。（二十九歲守節，現年五十三歲。采訪册）

右東安縣一百十三人

生員龐瑞妻李，（作霖母。守五十年。）王宗臯妻陳，（守四十餘年。）張天才妻張，武恆一妻王，（以上守四十年。）生員牛繼
周妻宋，（學政程廷桂旌其門。）安朝林妻單，（守三十餘年。）生員董霖妻趙，林俊妻唐，駐防漢軍張春臺妻張，
張嵩壽妻王，米如寬妻李，陳敏德妻劉，林永瑞妻宋。（采訪册）

右香河縣十三人

鄒衍泰妻劉，倪光輝妻周，（皆壽九十餘。）蔡有德妻王，（壽九十餘，五世同堂。）耿進金妻李，居元龍妻鍾，生員
孔傅宣妻李，虞錫銑妻辛，汪國祺妻武，李萬義妻魏，曹師伋妻周，曹宗富妻屈，賈永

甯妻賈，傅萬全妻王，馬璽妻李，藺懷章妻王，以上守六十餘年。馬從善妻王，教四子俱敦孝友。高錦妻吴，
教子入庠。施某妾張，趙崑玉妻李，王如經妻胡，吴秉彝妻張，以上守六十年。湖廣常德府知府閻拱
宸妻杜，拱宸妾張，同心矢志，教子入庠。田繼武妻郭，教子入仕籍。田永盛妻李，教子入庠。季國樑妻周，教子入仕籍。
陳訓妻張，生員王克恭妻陳，奇窮備歷。劉秉鑾妻張，夫亡，族人利其産，欺之，張讓而不取，僦居一椽，饔飱弗給，不怨也。後子以賈致富，張勤儉終身。
潘祥妻張，康鳳鳴妻宋，張三才妻李，某妻李，董守義妻陸，夏景科妻楊，生員許景
達妻常，馮廷敬妻李，徵母。馬志妻榮，宋永德妻李，張文錦妻馮，李永泰妻王，侯選
布經歷王觀成妻羅，武舉黎吉善妻高，劉文佩妻李，劉興妻狄，趙璉妻劉，李坤妻劉，
張裕妻章，文翰母。董成德妻蕭，張玉書妻李，王友恭妻李，陳鳴岐妻宋，藺懷璋弟懷學妻
趙，陳某妻尹，何寬妻張，崔廷珍妻楊，宋暐妻胡，王炯妻雷，賈永豐妻張，尹大來妻
曹，以上守五十餘年。生員阮敬妾張，教子入庠。張繼宗妻范，韓振妻丁，任國順妻王，以上守五十年。李騰祥
妻張，夫弟逼令改適，誓死不從。孫光繼妻李，撫前子如己出。生員張耀祖妻李，教子入庠。生員馮盛治妻趙，撫小郎成立。
生員張煒妻陳，飢寒備歷，不受餽遺。蘇起龍妻任，教子入庠。陶濱妻沈，夫病，割股以療，後病瘵，卒不起。陳良復妻毛，教子入庠。
高士正妻杜，撫前子如己出。廣西梧州府知府金櫺妾萬，櫺殁，家人勸之改適，懷刃自誓，竊吞水銀，不死，遂茹苦終身。趙泰妻張，家貧，
不求助於族人，嗣子殤，不更立嗣，曰：此命也。衛千總杜廷鈺妻李，習詩書，工吟詠，教子入庠。從九品胡詩鎔妻韓，教子入庠。任焿昇
妻李，撫前子如己出，即焴林也。倪儉妻高，教子入庠。于國相妻周，陳漢章妻雷，李應春妻王，武生羅宏

莖妻谷，李天華妻蔡，蕭芷妻劉，康永禄妻李，馮嘉祥妻王，生員唐裔典妻楊，韓士瑋妻郭，趙之紀妻張，金承祖妻李，崔二妻姚，張寬妻陸，郭應元妻孫，楊永貴妻蘇，鄭尚德妻楊，楊善妻謝，沙大妻韓，袁廷芝妻韓，姚廷顯妻陳，生員史炳瑞妻張，朱敍妻陳，妾葉，陳壯圖妻李，耿元亮妻張，林海妻張，武生何開妻張，韓文愷妻焦，韓昌源妻王，李坤妻汪，生員馮錦妻金，從九品茅紹經妻陳，谷應龍妻高，于漸逵妻李，鄧縉妻楊，從九品焦成瑞妻靳，張崇治妻高，金世杰妻茅，（德立母。）王可珍妻管，郭萬金妻李，郭思鎔妻白，九品封職毛鳳儀妻李，生員梁肇妻李，張芳林妻于，宋廷梅妻崔，宛東妻馬，王儁妻潘，臧潞妻王，胡憲銘妻吴，徐益妻張，馬振堂妻陸，張遇春妻李，李域妾鍾，秦兆齡妻楊，聞永春妻鄭，王某妻高，章某妻施，張沅妻杜，王永安妻毛，王益成妻西，方士正妻賈，張毓恭妻劉，黎欽妻周，趙連魁妻鄧，杜温妻徐，李廉妻張，王淳妻陸，馬維楷妻李，魯鉞妻尚，劉景妻張，福成和妻劉，李夢齡妻吕，（以上守四十餘年。）彭永祚妻鍾，（艱苦備嘗，衣食不給。）董居正妻劉，王朝相妻鄭，馬秉義妻李，陳嘉言妻高，（王克恭妻母。）生員王家畹妻韓，景廷召妻郭，宋侃妻于，于仲德妻魏，康誥妻張，方興棟妻張，武生仵振祥妻郝，魏大妻劉，鄧懷山妻黄，典史陳大禮妻徐，施舜儀妻杜，（以上守四十年。）生員郭金甌妻田，（教子入庠。）李某妻杜，（事母以孝著。）湖廣安陸縣知縣王暐妾陳，（教二子入庠。）錢澍妻柳，（教子入庠。）孫士俊妻胡，（幼事母至孝，歸士俊後，以不及事舅姑爲憾，常設遺像，事之如生。士俊卒，茹苦守志，撫三子成立，以勞成疾。其子欲爲延醫，曰：吾爲未亡人，幸汝曹成立，大可見汝父於地下，毋庸醫也。鄭起貞妻林，勤女紅，以撫子女，茹素終身。王偉妻楊，偉外出不返，苦節以終。藍廷鑑妻趙，夫病，割骨和藥以進，卒不起。茹苦矢志，備歷艱難。生員吳霖妻王，夫患瘋疾，晝夜防護，支持門户者十餘年。郭一妻李，家貧無依，飢寒備歷。武生楊崑妻田，撫前室子女如己出。從九品沈營妻羅，睦族濟貧。金樹堂妻黃，家貧，恒不舉火。周廷瑩妻劉，教子入庠。郭光廷妻劉，楊文煐妻董，田大發妻袁，馬有德妻馬，洪應元妻馬，吳邦彦妻馬，朱建中妻蘇，馬上瀛妻張，李本固妻馬，張文翰妻傅，康鳳山妻馬，張國柱妻于，劉義惠妻李，貢生姚之益妻王，劉普妻李，居文印妻于，居文英妻劉，周鐸妻祝，夏某妻常，孫某妻尹，生員趙璞妻楊，崔二從子獻倫妻袁，方策妻顧，王慧仁妻馬，潘熙妻曹，徐陵妻薛，高奇功妻張，張素妻尤，職員楊連妻王，生員劉樞妻周，王國祥妻王，王某妻裴，楊琪妻孫，武生許景福妻黃，張文興妻宛，馮本妻黃，田煦妻倪，沈伯禮妻吳，駐防鑲紅旗黃鈺妻常，張映昇妻宛，浙江嘉興驛丞薛淳妻王，李宏達妻韓，張福旺妻黃，鮑瑞妻閔，宋大妻王，生員毛正履妻陳，正履弟正益妻李，漕汛把總張明文妻錢，楊二妻張，王承業妻李，孫繕文妻許，舉人谷瀚妻方，林秉純妻雷，王孝妻鄭，生員袁炳玉妻王，生員李基妻海，文銓母。黃學孟妻楊，黃維璘妻陳，生員周履惠妻倪，張文禮妻耿，王選妻楊，董應生妻張，賈成齡妻王，王大遴妻潘，馮植桂妻宋，張光第妻馬，胡煜元妻李，庚永順妻王，董克昌妻劉，李漢賢妻白，黎吉昌妻周，兩淮鹽大使王如炯妻周，杜廷鈞妻趙，潘超妻姚，趙廷傑妻曹，袁致和妻尹，雷學津妻張，楊德培妻康，龐士林妻宋，高起妻潘，馬體乾妻杜，解連登妻苗，張舜年妻呂，生員陳長青妻康，潘坻妻吴，劉玉太妻朱，賈鳳墀妻柳，金裕昆妻高，喬國和妻馬，衛千總秦兆三妻趙，李洪鈞妻吴，白元濤妻董，張淮妻李，張舒霖妻劉，張濤繼妻周，汪廷槐妻鄧，盧國宥妻劉，孫璐妻雷，許漢源妻李，葛富源妻徐，王瑞妻白，黎欽弟鐸妻魯，陳永妻宋，王大椿妻杜，劉澍妻李，宗全志妻張，陳鳳鳴妻劉，邢永祥妻周，李慶霖妻何，戴文彬妻張，劉永春妻李，駐防旗人沈大有妻王，范執幣妻蘇，屈水聚妻孫，張雲生妻田，吕文興妻朱，何秀桐妻袁，果成名妻張，賈鳳輝妻張，徐蘭齡妻姚，李某妻韓，以上守三十餘年。田某妻郭，張可稿妻梁，張瀚妻劉，胡炳妻姚，于德深妻劉，常德萱妻張，從九品淮鏞妻趙，王希閔妻何，朱廷鑑妻于，守三十年。按察使吴允昇妻汪，撫前子如己出，教季子光豫官湖南攸縣令。河南濬縣知縣王業昌妻彭，讀書，通大義，嘗訓其子曰：行險求裕，不如任誠無爲。姚起鳳妻敖，教子入仕籍。王良弼妻焦，教子登武科。高嶙妻蘇，畿輔唐志嶙作璘。撫前子如己出。子即鈞也。劉成德妻康，以十指供衣食，恆有缺乏。徐孝妻張，備歷艱辛，不免凍餒。林霖妻李，教子雲漢由武鼎甲官至副將。武强教諭雷淳妻王，教子入庠。藺杲秀妻崔，幼時嘗割股療父。生員柳如錞妾李，夫疾，割股和藥以進，卒不起。事嫡尤謹。朱紹榮妻謝，夫患瘋疾，奉侍惟謹，終無怨言。夫亡，堅貞自矢，至戚罕見其面。劉某妻馬，割股療夫，夫亡苦志守節。沈墀妻車，于繼倫妻莫，辰州守備雷森妻王，劉某妻楊，郝桂茂妻賈，傅應科妻金，趙應昌妻李，王某妻某，王紀有妻田，齊應輔妻王，周崇禮妻陳，崔一鴻妻王，柳應科妻王，馬德坤妻張，侯天培妻史，夏之節妻崔，賈文選妻陶，（畿輔唐志選作魁。）王德粹妻陳，德粹弟德溥妻徐，張仲祥妻馬，倪煜妻裴，高起麟妻黄，劉邦卿妻陳，生員魏廷璜妻李，韓瑾妻李，方某妻陳，王有德妻鍾，劉養志妻趙，生員劉澤源妻李，廣東鹽大使李寅妻趙，居文傑妻楊，生員居文登妻金，（畿輔唐志無文字。）陳治本妻王，陳士英妻張，趙之琳妻魏，朱國祥妻陳，生員吴姬嗣妻張，李之玥妻夏，艾成龍妻劉，田某妻劉，鄭文輝妻張，于恂妻王，潘德占妻錢，宛文光妻古，劉天富妻楊，生員蘇世德妻楊，袁炳玉妾孫，于治妻樊，李進賢妻郭，張大中妻潘，林景禄妻李，于澤妻李，澤弟浩妻畢，劉起通妻王，馬蔭堂妻施，蔭堂妾于，喬景耀妻何，程照妻羅，照妾張，侯選理問高起岩妻某，起岩妾趙，生員馬之琇妻陸，（櫟母。）河南南陽通判張若淇妻李，汪廷琨妻宋，廷琨弟廷琮妻王，廷琮子某妻某侯大成妻夏，曹鳳藻妻潘，馮鳳苞妻趙，張順妻聶，魏永豐妻陳，生員高潤妻毛，王協崑妻沈，屈學書妻韓，王德印妻高，章雨田妻潘，張廷魁妻王，張榕妻黄，王焕妻沈，外委韓松齡妻張，浙江處州府知府劉錫金妻李，陳爕堂妻寇，李德洤妻張，張永春妻張，白九圍妻鄭，陳嘉謨妻任，郭敏妻王，章鈺妾周，劉文祥妻李，柳勳妻金，李文玉妻劉，王德祥妻張，山東知縣白曾烈妻楊，從九品楊汝源妻朱，（高志）馮植楨妻張，張耀宗妻馬，陳啟浩妻鄭，禮部文札楊天柱妻田，二十五歲守節，教子入庠，現年五十四歲。李淳雲妻陳，二十六歲守節，現年五十歲。潘建德妻王，二十歲守節，現年五十四歲。張蓉妻高，二十歲守節，現年五十五歲。尹文魁妻高，二十一歲守節，現年五十六歲。張景漢妻趙，二十六歲守節，現年五十七歲。生員王汝昌妻康，二十一歲守節，現年五十四歲。王起鳳妻張，二十四歲守節，現年五十七歲。尹起鳳妻耿，二十九歲守節，現年五十三歲。張某妻王，十七歲守節，現年四十二歲。王萬熙妻張，二十四歲守節，現年五十四歲。康樹南妾黃，二十七歲守節，現年四十六歲。孔昭銓妻王，二十一歲守節，現年四十歲。劉庭桂妻王，二十八歲守節，現年三十九歲。徐銓妻雷，二十五歲守節，現年六十歲。張某妻李，二十九歲守節，現年五十五歲。萬某妻梅，二十三歲守節，現年六十歲。張文禮妻鄧，二十四歲守節，現年四十六歲。郭鶴齡妻李，三十歲守節，現年五十四歲。韓承明妻任，二十九歲守節，現年六十五歲。鄧景辰妻姜，二十一歲守節，現年四十三歲。梁國治妻王，二十歲守節，現年五十四歲。王秉謨妻劉，十八歲守節，現年四十九歲。姚汝銘妻魏，現年五十五歲，夫亡年歲無攷。王壽彭妻葉，夫亡，年二十，家貧，敝衣粗糲，而前室子女獲溫飽。張浩妻楊，夫亡，遺一子，家貧，或勸之嫁，峻拒之。子後病亡，楊節操愈勵。胡晴田妻王，劉淮妻張，守三十餘年。廣東蒙裏司巡檢李慶華妾劉，十八歲守節，現年三十八歲。劉信妻楊，二十六歲守節，現年四十六歲。何文富妻劉。夫亡，年三十八，母家令改適，劉訟於官，得全其節。同知郝聯薇旌之。采訪册

右通州四百五十三人

生員趙廷璧妻王，文煜母。教子入庠，守六十餘年。楊鳳儀妻喬，高維岳妻劉，畿輔唐志作維岱。頻頻通媒妁，氏斷髮毀容，誓死不移。頻歷凶荒，從無他志。遺孤高耀甫一歲，撫育成立，鄉里稱之。生員李克捷妻王，以上守四十餘年。生員趙映斗妻劉，張朝貴妻葛，以上守三十餘年。馬迥妻王，教子入庠。侯令德妻馬，芮大昌妻岳，生員趙璧妻侯，武良寶妻王，陳志生員朱暉妻王，李玉良妻蕭，李大妻丁，王受福妻周，劉大妻皮，以上守四十餘年。周大妻石，飢寒備歷。李邦科

妻姜，以上守四十年。朱曦妻盧，史明揚妻李，劉自良妻李，王自成妻張，陳大妻劉，生員盧倬祺妻潘，雯偉母。李鳳翔妻程，符良柱妻馬，李永清妻張，楊輔臣妻安，以上守三十餘年。符思慶妻劉，王彝英妻李，鄭忠孝妻白，趙五妻薛，程大妻李，于之秀妻王，李天祐妻徐，秦大妻李，張大妻孫，李二妻康，聶來良妻柴，生員李如蔚妻汪，陳志蕭永溥妻張，禮部文札陳綱妻王，守七十餘年。闞永明妻郝，必璽母。守六十餘年。劉德祥妻劉，張大妻董，以上守六十年。王錫齡妻汪，守五十餘年。劉廷立妻石，王錫磐妻海，王鍾琇妻馬，劉培妻薄，以上守四十餘年。王錫田妻汪，教子入庠，守四十年。武生何青選妻孟，教嗣子入庠。曹奉先妻李，李繼祥妻李，生員黄恆貞妻謝，生員李爲章妻劉，教子入武庠生。生員王自通妻張，馬鉅妻張，朱二妻亢，郝學恆妻趙，學恆弟學孚妻張，馬永譽妻張，薄采藻妻趙，生員李廷權妻張，繼中母。王鍾琨妻李，白倫妻韓，以上守三十餘年。田國弼妻張，孫承規妻趙，茹苦守志，飢寒備歷。以上守三十年。王易達妻田，二十六歲守節，現年四十八歲。王起詩妻李，二十一歲守節，現年四十三歲。石永唐妻李，十八歲守節，現年四十一歲。武生王錫華妻海，二十四歲守節，現年四十六歲。生員張文林妻門，二十一歲守節，現年五十歲。紀永海妻劉，十九歲守節，現年四十二歲。楊青山妻孫，夫外出不歸，甘貧守志。孟傳忠妻甄，傳忠妾孫，周瑞元妻劉，生員甄君璽妻劉。采訪册

右三河縣七十九人

王克復妻王，守四十餘年。張錫昌妻杜，夫歿於清河，迎柩歸，裹土築墳，十指血出。守四十年。張昌祚妻杜，畿輔唐志冉志妻趙，陶

大倫妻張，族人利其産，將奪志，以死自誓，乃免。趙光顯妻王，以上守六十餘年。梁應棟妻金，教六子俱入庠。生員張耀儒妻趙，王思讓妻劉，一作思讙。孔繼儒妻張，張仲元妻孫，孫起山妻王，高貴妻張，王得旺妻楊，蕭九經妻高，卞得隆妻張，王悦妻張，劉承謨妻李，王文科妻楊，胡長泰妻劉，董[illegible]昇妻陳，羅景一妻張，劉太妻張，徐廷榮妻陳，以上守五十餘年。孫斗柄妻徐，張思弘妻賈，張士驥妻王，俱教子入庠。董懿德妻高，以上守五十年。安起妻劉，撫猶子如己出。曹士義妻石，撫小郎成立。周尚卿妻白，教子入庠。舉人陳如崗妻馬，周應乾妻曹，從九品張國經妻齊，孟國泰妻孫，孟一作萬。王希福妻姚，金保昌妻曹，徐大年妻夏，張廷璧妻劉，鄧殿甲妻龐，石琨妻李，安克培妻樊，沈敬妻張，劉玉璞妻高，王明妻趙，任自榮妻汪，沙墀妻李，趙清亮妻梁，岳起平妻曹，曹治文妻劉，崔兆文妻曹，李如春妻馬，田大發妻趙，劉太本妻劉，馬巨觀妻李，李起興妻王，張恩鴻妻馬，胡克富妻曹，王明妻周，以上守四十餘年。徐崇允妻張，教子之魁登仕籍。趙都妻趙，王璞妻張，屈世傑妻時，王雲釗妻楊，以上守四十年。陳銓妻于，段士鵬妻郭，教子入庠。沙錦妻趙，耿國爵妻張，范廷發妻王，林國珍妻王，李景春妻劉，王繼愷妻馮，趙友梅妻宋，葛殿元妻朱，田禮實妻高，諸葛治廷妻馬，楊紹周妻張，陳瑞雲妻楊，韓佩妻崔，崔玉衡妻李，楊錫勇妻李，齊峻之妻張，王大奎妻孫，尤光璧妻李，果朝鈐妻劉，徐紹周妻李，謝文鍵妻任，王瑞妻屈，馬秉義妻張，王年和妻趙，劉永成妻賈，謝文芝妻魏，謝文鎧妻王，姚思之妻曹，董漢潮妻張，張自純妻曹，張自綱妻李，杜均善妻張，曹希仲妻李，房致廷妻張，時祥妻馮，賈德敬妻劉，楊鎔妻董，果連興妻李，高學濂妻李，車文玉妻孫，孔慶奎妻安，黄鏡妻張，董希曾妻于，張維城妻孟，邰景泰妻苗，丁永齡妻于，安從憬妻高，安寶璵妻崔，石佩妻陳，高文欽妻劉，李恩緒妻閻，尹存義妻張，張兆興妻王，高永齡妻王，楊廷瓚妻侯，胡寶儒妻武，谷慶麟妻趙，李成妻張，張德順妻劉，胡寬妻藍，胡明妻張，車文榮妻李，楊永年妻張，臧珍妻趙，李繼起妻楊，趙清奎妻張，孫經妻郭，徐振東妻蕭，曹元泰妻張，蘇萬發妻王，趙綆穀妻劉，宋永泰妻李，高俊榮妻李，張守文妻周，徐得安妻劉，樊永興妻李，張志方妻劉，楊以陞妻周，劉朝羣妻劉，李淑妻王，任同元妻尚，李涵妻岳，陳宏儒妻任，楊文舉妻李，王家璦妻蕭，關天敘妻趙，李烈勳妻王，張雅堂妻諸葛，李起瑞妻張，曹星炎妻徐，崔仲妻邢，楊思彤妻李，郭明妻陳，張德賓妻何，崔萬江妻周，李環妻李，王德太妻韓，吴錦珖妻甯，倪連發妻朱，（以上守三十餘年。）曹懿範妻安，（將嫁，夫病不起，父母欲改期，不可。夫亡，矢志守節。）趙珣妻傅，（教子入庠。）生員鄭奎光妻黄，（教子入庠。）曹現龍妻汪，生員楊煥妻傅，舉人沙士熾妻魏，董士芬妻楊，（士一作母。）李蔭妻楊，郭國棟妻侯，高廷柱妻王，葉懷章妻李，張克三妻何，生員李柏先妻張，（先一作元。）陳作哲妻王，宗延緒妻劉，張夢齡妻田，梁潤妻高，陳作霖妻魏，張大照妻劉，楊輝妻羅，陳文清妻王，衛德成妻徐，張大經妻王，諸葛錫紱妻崔，諸葛錫書妻吴，生員張輝文妻孫，（一作文輝。）生員張輝簡妻劉，（一作簡輝。）趙廷彝妻劉，趙永和妻魏，安英妻蕭，（英一作英琦。）李椿妻張，曹敬興妻徐，董廷棟妻解，董開源妻朱，高士渤妻王，王樹順妻楊，生員張佩紉妻王，（紉一作紱。）趙縉妻陳，王銓妻王，周之廷妻楊，侯信之妻丁，諸葛榮先妻高，倪誠妻張，張萬有妻周，王自寬妻王，武銓妻甘，田國慶妻王，方光寺妻李，邢紹第妻李，楊永年妻馮，龐永興妻高，張國璵妻某，張安妻施，李夢熊妻王，袁文成妻薛，李國鈞妻曹，張起富妻趙，王富妻元，史長昇妻張，曹正榮妻姜，劉萬芝妻張，胡玉文妻張，曹蔚林妻劉，郭寶訓妻李，趙清玉妻梁，宋發妻李，倪顯妻王，李垂勳妻楊，劉國順妻趙，孫桂芬妻解，曹聯綬妻趙，金保山妻邊，陳德魁妻孫，周德順妻劉，宋永和妻劉，王從福妻王，鄭永安妻王，鄭紹謙妻白，鄭文祥妻李，生員胡永吉妻施，郭起鳦妻尹，（丁志）楊有位妻王，安舒妻李，高士銑妻曹，（采訪册）劉炳妻孫，（守五十餘年。）邢振璽妻劉，（守四十餘年。）童生耿濤妻侯，趙立妻李，商文士妻高，曹光炸妻劉，（禮部文札）王文浩妻師，（守七十餘年。）傅明亮妻某，（守七十年。）李琦瑄妻解，（家貧，躬自樵汲，族人周之，不受。）張文昇妻王，（士麟祖母。）張嘉賓妻董，王俊妻李，王文郁妻楊，郎宗賢妻劉，（以上守六十餘年。）楊熙妻孟，劉汝仕妻王，（邑令章旌其門。）生員沙士炳妻王，（沙一作謝，躍雲祖母。教子入庠。）方文振妻夏，（戒殺持齋，以善言教人。）陳尚魁妻王，生員趙振鐸妻邵，趙大慶妻某，（以上守六十年。）張蓉妻賈，生員趙昌齡妻吴，趙爲霖妻李，屈應進妻陳，曹佶妻孟，陳宗富妻趙，吳仲英妻王，沈國璧妻趙，張振雲妻年，曹士公妻崔，葛純士妻丁，荆德妻時，沙秉德妻宗，沙秉思妻吳，甄秉義妻李，李錦堂妻李，丁顯榮妻劉，張錫佑妻任，諸葛廣延妻閻，夏連捷妻趙，（以上守五十餘年。）朱之邴妻馬，（毀容屏迹，艱苦備嘗。）張瑞妻李，賈永貴妻楊，楊崑山妻楊，沙承海妻胡，（以上守五十餘年。）江蘇淮海道趙大赤妾奚，（夫亡，家人欲遣嫁，矢志不移，居一室，以嫗爲伴，不與人言笑。）萬國官妻陸，（薙髮矢志。）楊大光妻張，（茹苦撫孤，飢寒備歷。）張鳳翔妻王，（教子入庠。）生員趙清治妻李，馬九一妻簡，王繼祖妻劉，張九經妻馮，曹某妻劉，沙有瑤妻王，果之華妻李，項藎臣妻黃，諸葛伯龍妻李，曹湛妻劉，王維妻賈，史文昇妻孫，孫國用妻張，孔昭尚妻高，鄭耀妻李，（鄭一作郭。）袁泰妻侯，高文會妻蕭，孫程妻李，高鑌妻李，黃燊妻曹，李長春妻康，諸葛長善妻沙，李中恕妻吳，（以上守四十餘年。）段士楨妻唐，陳貴妻李，董啟曾妻徐，（一作殿曾。）李鴻舉妻李，盧漢杰妻吳，趙咸亨妻薛，（以上守四十年。）曹德一妻劉，（教子有法，後嗣昌衍，多讀書進取，皆秉劉之懿訓也。）張文健妻賈，（以禮自持，鄉人罕見其面，即母家亦不輕往。）從九品趙縉穀妻陳，（依姪以居，視姒如母。人稱其賢。）蕭原安妻孫，（夫亡，父欲奪其志，鬋髮自矢，教子入庠。）李若培妻馬，王希業妻劉，趙承平妻劉，馬聚文妻沙，張德稟妻王，王自憓妻胡，楊季華妻尤，陳文俊妻汪，羅景仰妻高，田雲扶妻劉，李海雲妻袁，王廷簡妻傅，（一作廷弼。）劉祥妻張，王永業妻劉，趙重威妻周，趙國恩妻王，張樵妻劉，陳允妻蕭，孫郁富妻韓，諸葛鴻妻吳，楊鎔妻董，（以上守三十餘年。）許士元妻郭，（撫小姑及子女，家貧，恒四日不食，救之始起。）

崔萬和妻劉，夫亡，母利豪右金，陰嫁之，車至門，知不得免，則自縊。從兄代還聘金，始解。邢文林妻張，文林赴塞外爲傭，死。張乞戚族醵錢畀伯，歸文林骨，伯耗其資返。張以鍼黹傭於巨室，數年積金若干，出塞負文林骨歸。孔某妻蕭，鄉人共表其門。某妻某，大學士潘世恩旌其門。郎宗善妻陳，郎一作鄰。家貧，戚族皆周之，不受。弟姪輩皆不輕與之言。生員趙晝錦妻鄭，教子入庠。王森妻張，縣令蘇旌其門。諸葛振域妻劉，饔飧不給，艱苦備嘗。周命新妻李，教子入庠。王章妻潘，學官蘇旌其門。張君璽妻高，教子入庠。廩生諸葛光裕妻董，教二子俱入庠。王國憲妻王，教子入庠。許承光妻張，張景星妻屈，曹德愼妻宋，張顯世妻田，趙獻璧妻崔，諸葛永祺妻石，高皤卿妻張，張尚信妻張，任玘妻曹，王天榮妻安，龔耀祖妻楊，安錦妻李，張文簡妻劉，陳德如妻曹，張鈺妻李，劉會昌妻陳，李成憲妻邢，李成德妻張，王大全妻趙，貢清淮妻朱，蕭存恕妻劉，鄭永安妻王，李承第妻解，曹星炳妻楊，劉俊義妻姜，趙曾緒妻周，馬九玉妻趙，張虎妻雷，季寬妻孫，馬鳳鳴妻宋，馬得與妻王，與一作興。趙連城妻利，郝廷作妻閻，生員賈仲篪妻施，許士元弟國元妻宋，汪天喜妻安，一作王天榮。吴廷書妻劉，袁玉書妻賈，王鑑妻王，生員李鐸妻崔，王某妻某，劉某妻王，王慶長妻陳，果朝銓妻程，諸葛治平妻高，王健妻王，韓發彦妻周，任士良妻胡，縣志胡國豐妻黃，守五十餘年。楊守法妻劉，趙永平妻劉，以上守四十餘年。李桓妻黃，張繼城妻孟。以上守三十餘年。采訪册

右武清縣四百二十人

生員牛文輝妻芮，守六十餘年。生員芮復興妻萬，教嗣子入庠。生員張天爵妻曹，撫前子如己出，教嗣子貢成均，守四十餘年。沈鉞

妻趙，夫亡，子甫彌月，貧苦無依，撫之成立。趙之琇妻吳，教子入庠。以上守三十餘年。杜立善妻鄧，與姒張同苦節。杜立言妻張，生員芮引年妻陳，習經史，親課遺腹子入庠。葉鑑妻徐，夫亡，有欲奪其志，翦髮斷指以誓。勤紡績以教二子，長時汭，領鄉薦，官洵陽令；次時沛，亦掇武科。劉世英妻孫，朝珍母。苦節自矢。洪志蘇兆書妻高，守六十餘年。李恩寵妻陳，教子入庠。康宇斌妻孫，張大魁妻岳，以上守五十餘年。康廷勳妻吳，矢志守節，鄉人爲之歌曰：百鍊鋼，猶可化，吳家女，不改嫁。夏寬妻顧，王國輔妻馬，芮秉衡妻劉，吳永科妻鍾，以上守四十餘年。方作肅妻張，自食其力，遇貧者猶卹之。曹景禮妻劉，趙廷選妻王，陳萬年妻李，李曙妻張，陳大魁妻岳，鄭雙奎妻王，王璸妻李，嚴克寬妻芮，王家祥妻趙，王茂妻韓，田茂妻張，崔步春妻劉，貢生陳銓妻張，王茂椿妻馬，王慶雲妻芮，郝筠妻方，田掌妻紀，張廣居妻王，楊士富妻王，常某妻宋，李金鼎妻薛，李薌妻陳，李琳妻李，王思義妻張，楊蔚妻李，李蒓妻胡，李金簡妻張，王熙棟妻張，楊捷敏妻唐，李百禄妻尹，曹玉會妻王，王萃英妻汪，王潤妻王，禮部文札 生員芮伯祥妻張，撫三子成立，守節六十年。王兆辰妻劉，教子入庠。崔瑗妻侯，李子鵬妻王，陳萬然妻李，崔賢妻王，教四子俱入庠。生員單者昌妻杜，劉騰雲妻周，生員苑人統妻張，生員陳賡妻楊，茹苦撫孤，常教子曰：耐苦則節堅，安遇則心曠。陳光美妻劉，吳洸妻劉，以上守四十餘年。生員趙珣妻高，守四十年。生員杜懋行妻芮，教嗣孫入庠。杜懋忠妻丁，教子入庠。高世亨妻王，以上守三十餘年。生員劉子健妻盧，家貧，無子，其境有人所不能堪者。舉人劉嵋妻楊，撫前子七人皆有成，靳登賢書，官泰興令。劉雍妻孫，夫亡，家貧，或諷之去，峻拒之，守益堅。生員劉從玉妻王，夫亡，遺子數月，茹苦撫孤，鄉人憫其貧，爭醵錢育之。生員芮應陽妻王，教子入庠，當道者旌之。生員張奇業妻周，教子入庠。生員陳以慈妻傅，勤劬撫孤，族人有官歸者，不受其賜。單家瑅妻劉，崔賢子國禎妻楊，教子入庠。盧文信妻張，茹苦撫孤，長娶婦生孫，子亡，孫亦旋殂，張竟哭孫歿。李子鳳妻王，棟母。夫亡，子數月，矢志守節，雖炊煙屢斷，毫無悔意。劉邦志妻李，矢志撫孤，性勤儉，嘗以務本力學訓其子。崔崧妻邵，夫亡，人多侮之，邵毅然力持，卒撫孤成立。王偉妻傅，孑然無依，不免凍餒，卒撫孤成立。單家瑾妻邵，碩膚母。教子登賢書。生員杜棠妻趙，以母兼師，教三子皆有成。王偉妻劉，國受母。生員李憲祖妻王，趙岱妻李，王運興妻汪，洪志　張承訓妻楊。采訪冊

右寶坻縣九十人

趙嘉順妻李，艱苦備歷，守七十年。孫甯遠妻鄭，性好施，時以錢米濟貧乏，全活者衆。守六十餘年。談三重妻張，茹苦矢志，年荒，嘗掘草根雜糠粃食之。生員談經妾景，教子入庠。劉邦殿妻段，撫甯縣教諭李旼妻杜，撫前子如己出。生員張鳴瑞妻李，教子入庠。馬榮妻許，生員劉永期妻常，生員曹泳妻高，生員廉永丞妻趙，高尚賢妻馮，靳永銓妻張，陳秉動妻莫，廉渟妻邵，于維純妻孫，劉永奎妻王，于訓妻常，以上守五十餘年。崔賢妻王，教前室子及己子俱入庠。趙嘉惠妻李，零丁孤苦，紡績終身。翟際華妻李，教嗣子成名。生員李國杜妻馮，李纘緒妻王，定國母。沙敏霖妻劉，徐泰程妻馬，邵德齡妻張，陳保妻張，任桂齡妻王，杜前妻劉，廉師濂妻閻，陳明訓妻王，武生劉沂妻趙，靳汝霖妻李，高桂芳妻趙，生員劉祝堯妻郝，以上守四十餘年。劉永吉妻唐，貢生魏希禹妻王，董清健妻劉，生員楊葆恆妻韓，生員吴瑞妻常，于倬雲妻李，劉來山妻李，高倫妻張，廉駟元妻劉，朱邦玉妻王，

以上守三十餘年。馬勳臣妻馮，廉永綏妻張，宋德聚妻曹，生員李宗泗妻廉，廉永舒妻劉，邵書行妻張，李太庚妻張，邵書櫺妻張，宗有母。生員廉永培妻田，崔光裕妻劉，生員靳鴻綸妻董，孫福春妻靳，山西平遥縣知縣于復愍妻勵，丁志興納母。邵書齡妻張，守六十年。于開第妻郭，于治世妾紀，李振德妻季，李維楨妻陳，崔楫妻李，王九齡妻劉，以上守四十餘年。翟玉山妻周，鄭國柱妻陳，一作柱。劉士傑妻劉，于葆瑞妻張，李家春妻崔，生員吳元柱妻王，以上守三十餘年。崔紹祖妻李，孟芳萱妻許，張文勝妻錢，蘇鴻瑞妻王，張顯洲妻張，劉永櫟妻王，劉文良妻王，張德身妻董，陳學思妻李，張福順妻陳，王之崐妻張，劉聯芳妻馬，崔連仲妻李，王傑妻劉，翟玉清妻高，楊昇妻齊，童裕庭妻張，張文臺妻孔，崔國玉妻孫，張文敏妻陳，禮部文札朱明妻宋，王立宜妻李，以上守七十年。李有弼妻陳，傅從憲妻倪，劉某妻廉，滕廷覲妻薛，齊傑妻王，劉開基妻馬，張義妻宋，馬文元妻岳，史恪妻吳，李進義妻崔，趙太妻王，以上守六十年。張賓東妻王，教子貢成均。學政彭旌其門。馮念祖妻吳，邵全有妻李，田桂芬妻滕，侯選州同杜恭寀妻談，教子入庠。孫天科妻唐，縣令屠祖賚旌其門。苗一鳳妻童，學政周兆基旌其門。楊澍妻徐，學政吳烜旌其門。鍾廣乾妻紀，安徽廬州府知府杜立本妾王妾于，于元捷妻高，張克讓妻李，玉麟母。李浦妻高，于存誠妻崔，王綍妻盧，張有永妻于，顧檀妻周，顧慟妻岳，顧其禮妻王，顧其敬妻姜，顧其智妻陳，于雲行妻張，劉文通妻韓，廉永略妻常，廉湧妻張，魏士慶妻紀，張桐妻王，楊錫發妻爾，劉福萬妻王，劉仲科妻李，劉世有妻閻，王有平妻張，劉鎮妻常，楊興戴妻陳，劉朝興妻宋，史學賢妻劉，周廷相妻張，李均平妻王，安徽壽春鎮總兵王錫朋妾徐，錫朋見傳。以上守五十餘年。馮世純妻邊，學政徐以烜旌其門。張鳳藻妻孫，生員杜九思妻李，李樹德妻殷，董長順妻張，生員馬彩生妻劉，劉福隆妻張，廉謹妻劉，以上守五十年。劉玉衡妻侯，杜啟新妻于，候選訓導劉機妻鄭，李登科妻朱，河南陜州知州杜遹文妾王，李廷士妻馬，李寬妻張，武夢庚妻吴，定遠母。馮永城妻唐，于新官妻張，生員崔爾調妻鄭，馬德英妻薄，馬豐妻魏，李振德妻李，楊齡妻高，于鈞妻田，侯萬基妻劉，劉廣文妻陳，李長順妻周，崔潤德妻李，李雲妻張，劉三羣妻侯，趙永亮妻張，馬鐸妻劉，陳永康妻齊，馮文科妻魏，董兆恩妻錢，桂世輔妻劉，岳智臨妻劉，岳龍光妻楊，王彤雲妻吴，王瑞寰妻杜，薄立珍妻佟，楊澄妻胡，劉大有妻許，劉福起妻任，廉德遹妻梁，生員楊永發妻董，李中尚妻王，李中平妻劉，蔣城妻董，井兆椿妻張，張泰妻徐，史有魁妻張，楊文瑞妻趙，高桂元妻趙，高發妻劉，任嘉謨妻郭，任嘉誥妻李，寇平妻郭，李萬祐妻郭，史國璽妻王，于維漢妻張，張顯濱妻周，劉靈妻柳，孔懷璟妻董，張穎清妻章，吴國魁妻劉，韓其山妻萬，李緝妻趙，石福瑞妻李，岳福泰妻高，李樹明妻張，于治世妾韓，張富妻李，以上守四十餘年。馮允貴妻王，李成會妻周，孫樂廷妻李，岳成玉妻劉，岳允智妻李，楊和妻馮，張紹曾妻齊，孟有年妻劉，李大順妻錢，以上守四十年。貢生杜嘉緒妻谷，教子與孫成名。生員鄭觀行妻董，教子貢成均。大學士董誥旌其門。楊宗國妻李，教嗣子其志登賢書。趙淮齡妻李，艱苦萬狀，戚族有周卹者，婉言卻之。馮鉅妻楊，兆良母。工部主事杜恭琦妾劉，劉輝曾妻楊，李守才妻趙，李尚妻韓，李自奉妻薄，張昌禮妻章，李文魁妻趙，張紋妻于，邵思成妻趙，岳居安妻于，胡桂妻段，王九齡妻楊，童愷妻楊，崔兆熊妻傅，張枝奇妻苗，甘茂甫妻甄，周國禄妻張，于大全妻閻，孫廷璐妻邵，李如蘭妻張，生員吳倬妻陳，鄭承祥妻閻，么某妻劉，廉永凝妻梁，廉曇妻王，魏廷猷妻張，李祥福妻孫，李英福妻王，孟天隆妻李，董桂芳妻廉，岳文桂妻張，岳文信妻劉，王愷妻孫，王福齡妻馮，李有良妻郭，常治平妻曹，生員李維貞妻陳，廉洵妻常，吴元極妻王，馮立志妻韓，高翔妻金，趙成泰妻馬，井翰妻張，史國杰妻井，李方妻魯，張祝三妻劉，張慎行妻齊，滕有德妻馬，王式楨妻劉，王式柱妻董，宋維慶妻邊，任嘉聲妻張，滕爲來妻張，劉文焠妻吴，劉禄堯妻趙，劉巽堯妻李，孔懷璞妻趙，孔懷芳妻鄭，張廷芬妻李，李樹本妻董，劉選堯妻李，劉仰堯妻曹，鄭廣田妻胡，以上守三十餘年。生員崔國楨妻楊，教子入庠。苗允盛妻李，縣令程旌其門。馮世鈞妻蘭，學政徐旌其門。生員于御龍妻某，學政徐旌其門。于九誠妻孫，教子入庠。李思玠妻孫。學政倪旌其門。馬兆璞妻李，教子入庠。李有年妻趙，學政某旌其門。邵懷妻宋，王士謙妻閻，李某妻張，文臺祖母。劉本義妻于，李如蘭兄某妻牛，邵文科妻劉，廉永興妻孫，李某妻馬，介福祖母。張某妻某，魯瞻母。董浚妻楊，桂世輔子某妻李，李峻山妻李，生員廉以襄妻劉，王蘂妻張，張其妻藺，張夢來妻薛，高明全妻鄭，廉德民妻安，貢生陳鎰妾馬，二十二歲守節，現年六十歲，教子入庠。崔允文妻李，二十八歲守節，現年六十歲，撫前室子女如己出。趙文明妻楊，二十五歲守節，現年六十歲。于明誠妻呂，二十六歲守節，現年六十五歲。劉法賢妻某，二十四歲守節，現年六十二歲。馮立魁妻劉，二十歲守節，現年五十八歲。蔣玉麟妻金，二十二歲守節，現年六十歲。杜恭偉妾孟，二十九歲守節，現年六十歲。崔玉林妻屠，二十八歲守節，現年六十五歲。李如山妻牛，二十八歲守節，現年五十九歲。劉億來妻郭，二十九歲守節，現年五十九歲。李衡同妻孟，十九歲守節，現年五十六歲。王鴻逵妻劉，二十五歲守節，現年六十二歲。崔豐妻王，二十二歲守節，現年五十七歲。許保樸妻劉，十九歲守節，現年六十三歲。于逵妻米，二十八歲守節，現年六十六歲。郝恩毓妻滕。二十九歲守節，現年六十八歲。

右甯河縣三百三十七人

焦起鳳妻劉，守六十六年。侯天保妻張，夫故，無子，有奪其志者，婦以柏舟自誓，終身茹苦無怨言。守六十一年。楊宏勇妻白，劉遇哲妻趙，二子游庠。以上守六十餘年。王安成妻李，守六十年。姚起旺妻徐，高邦立妻王，王至妻趙，宋純妻王，文童袁昂妻郭，孫有和繼妻劉，張文成妻王，張君璽妻趙，劉士祥妻羅，白桂郁妻吳，陳滄妻李，以上守五十餘年。孫起瑞妻王，守五十年。楊名時妻焦，劉榮之妻彭，王昭妻祁，劉文發妻李，陳邦棟妻郝，侯聯陞妻傅，宿璧妻邸，文生吳景秀妻白，文童侯之擢妻衡，崔茂惠妻曹，趙文鳳妻張，以上守四十餘年。廪生陳國卿妻李，高邦彥妻馮，以上守四十年。吳連貢妻侯，羅廣富妻李，朱承煦妻程，白桂棠妻何，宋圖斌妻侯，程玉梁妻梁，高顯妻陳，文生吴世昌妻葉，附生李覲龍妻王，馬海妻張，撫姪爲嗣，教之成立。崔四畏妻鄭，王玉書妻袁，袁紱妻李，果鳳吉妻張，庠生劉榮陞妻莊，以上守三十餘年。譚喜妻劉，石林妻盛，胡紹坦妻劉，郭珍妻周，崔茂妻王，以上守三十年。吴芳溯妻李，吴芳樹妻李，吴觀瀾妻朱，朱作楨妻楊，作楨疾，氏焚香默禱，割股和藥以進。以上守二十餘年。吴錦標妻劉，明太學生張汝緯妻鄒，袁宏仁妻王，鄭世傑妻程，金謙妻胡，王廷環妻汪，胡本義妻潘，黎秉忠妻郭，侯天成妻周，歸天成僅十六日，天成卒。茹苦守節終身。侯天倫妻王，劉德成妻傅，葛永安妻周，王家楨妻羅，楊成才妻劉，十七歲守節，現年七十七歲。孫天吉妻高，十三歲守節，現年七十九歲。王金柱妻郭，二十七歲守節，現年七十一歲。高自信妻陳，二十七歲守節，現年七十歲。姚邦璧妻吴，十八歲守節，現年六十二歲。李致和妻徐，二十七歲守節，現年五十餘歲。于廣海妻趙，二十五歲守節，現年五十六歲。王鈞妻王，二十七歲守節，現年六十六歲。郭熙妻陳，三十歲守節，現年六十餘歲。范彬妻藍，二十四歲守節，現年六十四歲。崔鎔妻岳，二十八歲守節，現年六十四歲。曹永順妻陳，二十五歲守節，現年五十六歲。蕭大福妻李，二十八歲守節，現年六十三歲。王亮妻張，二十四歲守節，現年五十四歲。吴自立妻袁，二十七歲守節，現年五十九歲。鄭永和妻雍，十九歲夫卒，無子，有欲奪其志者，婦以義絶之。茹苦守節三十年，現年五十餘歲。朱芮妻石，十九歲守節，繼姪爲嗣，現年五十餘歲。某妻紀，二十二歲守節，現年五十餘歲。門某妻劉，十九歲守節，現年五十餘歲。李現妻陶，二十七歲守節，現年五十餘歲。宗世明妻王，二十二歲守節，現年五十餘歲。楊鴻俊妻門，二十六歲守節，現年五十四歲。袁得裕妻范，二十九歲守節，現年五十五歲。張嘉興妻劉，二十八歲守節，現年五十餘歲。貢生張學敏妻梁，二十八歲守節，現年五十餘歲。梁松林妻吴，二十九歲守節，現年五十三歲。李秋妻李，二十七歲守節，現年七十八歲。閻璐妻高，守節已逾三十年。張廷安妻鄭，二十二歲守節，現年六

十三歲。徐長泰妻劉，二十二歲守節，現年五十五歲。宋志 王小泉妻吳，王振江妻趙。禮部文札

右昌平州九十九人

邑貢生羅傑妻單，守六十餘年，壽八旬。貢生張天格妻徐，時某妻郭，以上守四十餘年。陳萬鎰妻張，張騰蛟妻于，以上守四十年。庠生吴心中妻劉，韓興貴妻喬，撫姪成立。張而甡妻董，羅某妻姚，以上守三十餘年。周某妻趙，守三十年。駐防戴某妻狄，白秀妻李，唐士奇妻趙，黃志 沈梅妻周，胡某妻王，以上守四十餘年。周福增妻趙，守三十餘年。郭玉山妻孫。采訪册

右順義縣十七人

陶大倫妻張，孫彦侯妻王，以上守六十年。王鴻業妻張，廩生張耀儒妻趙，生員唐禪虞妻胡，撫前室子如己出，夫亡，自縊，救免，恐族人有嫉之者，讓産之半以安之。浙江處州府驛丞李經妻羅，經卒於官，羅扶柩挈子歸里。生員杜本榮妻張，張文柏妻朱，以上守五十餘年。拔貢生邵大成妻馬，教長子興邦官道州守備，次子殿邦官英德令。駐防内務府鑲黃旗彭通妻于，劉繼洪妻張，家貧，衣食不充，撫子廷梁成立。廷梁有至性，語及其母輒泣下。張國維妻齊，鄭世寵妻燕，王克儉妻張，生員吴錦銑妻甯，生員王政齊妻甯，山西布政司經歷任百勳妾孫，以上守四十餘年。陳啟亨妻馮，胡君寵妻郭，生員高日陞妻朱，劉玑妻王，杜啟文妻鄭，以上守三十餘年。邑庠生鄭奎光妻黃，彭起虬妻尹，薛志 高扶乾妻馬，武生高若華妻何，生員陳偉妻薛，教三子俱成立。縣令某旌其門。陳炳妻楊，炳亡，質其長子以葬。後楊胼胝畎畝，家粗給，贖其子、婦歸。韓某妻李，教子入庠。縣令謝孝舉旌其門。良鄉營守備郝殿魁妻閻，教前室子德徽、己子德瑞，均膺武秩。德徽見昭忠表。陳

浩妻魏，張傑妻田，王成義妻張，步軍外委張九如妻張，生員高士舉妻胡，劉進永妻楊，丁志于顯廷妻齊。禮部文札

右密雲縣三十七人

生員劉體乾妻趙，夫叔及弟虐遇之，趙行柔志堅，艱辛備歷，後教子入庠。生員劉瀛妻許，舅官廣東瓊山尉，卒於官，許贊瀛扶柩歸；瀛復歿於舟次，遂獨載二櫬還。拮据支撐，艱辛備歷。後教子入庠。里人欲爲請旌，堅拒之。吳志孫蕃妻張，守六十餘年。生員鍾鶴儀妻張。教嗣子入庠，守五十餘年。采訪册

右懷柔縣四人

屈維垣妻楊，守四十餘年。畿輔唐志萬銓妻解，壽百有四歲，守七十餘年。武生董逢慶妻王，董大成妻張，以上守六十餘年。吳端化妻朱，王鉉妻楊，史繼才妻高，馮永治妻張，保安州訓導張學溥妻韓，學溥妾崔，州應係學正，茲依原録。以上守五十餘年。周彬妻郭，張玉琦妻王，梁楨妻王，以上守四十餘年。生員董振芳妻杜，守四十年。劉紳妻范，梁本妻呂，以上守三十餘年。武生孫毓傑妾張，事大婦以禮，教子入武庠。趙文溪妻康，舉人胡公翰妻黃，公翰妾劉，武生王近仁妻宗，吳啟祉妻呂，吳曰仁妻駱，王仲義妻陳，范景玉妻郭，白良桂妻張，陳安公妻柴，劉光秀妻陳，吳志劉勃安妻趙，孫永清妻郭，姜鈺妻李，高守德妻劉，張九齡妻徐，王萬齡妾張，周成烈妻王，苑桂芳妻王，郭兆祺妻焦，方廣霖妻崔，禮部文札邱鳳岐妻陳，苑崇德妻曹，梁天祿妻李，生員趙廷槐妻董，趙廷倫妻白，生員趙廷相妻康，以上守六十餘年。溫準祥妻董，守六十年。生員夏儉妻孫，學政蔣旌其門。生員萬世法妻劉，李中

道妻楊，平松齡妻賞，翟昌本妻紀，邊鉚妻屈，董秀妻朱，副貢生馮立功妻張，竇光宗妻張，趙廷良妻褚，宋懋隆妻徐，高錡妻李，程純妻曹，馮德文妻郭，趙堯妻謝，褚清淪妻王，孫廣慶妻胡，以上守五十餘年。守備袁登妻鍾，教子及姪同入庠。趙時興妻紀，年十七，刲股療夫。杜灼華妻劉，苦節自矢，饑寒交迫。董型祖妻張，夫出亡不返，忍饑堅守。胡公翰子永年妻宗，魏國柱妻白，李國勳妻劉，李某妻王，生員田光亮妻郝，徐載妻王，生員林灝妻王，張亮公妻陳，吴植妻張，生員康維藩妻胡，劉廣文妻蔣，馮萬舞妻劉，武生祖成章妻周，李廷芳妻謝，張雲妻卜，王成妻史，生員王用予妻趙，玉田縣訓導張琇妾劉，張殿臣妻張，生員賈行惠妻劉，王振邦妻高，賈福慶妻周，尉國慶妻石，謝廉之妻馬，壽陽縣知縣張書升妾錢，沈得凝妻王，運判盧瑞妾馬，生員孟澄妻許，庠生王銓妻盧，張瑞妻楊，以上守四十餘年。劉堉妻何，遺孤長成而歿，自縊死。章治安妻王，生員王愈秀妻許，教子入庠。貢生方鏞妻任，夫病，刲臂肉和藥以進，卒不起。劉振鐸妻祁，教子登武科。解崑山妻全，教子入庠。郭廷標妻王，食貧守志。周國柱妻翟，教子入庠。生員劉秉鈞妻郎，賞鐸妻王，鄭元貴妻章，生員劉之柏妻張，劉起麟妻景，貢生劉秉鑑妻李，周儒妻劉，張繼聖妻甯，羅文錦妻黄，劉勳妻趙，楊仲清妻張，胡國秀妻李，王之傑妻史，鍾名佳妻趙，李之材妻喬，靳朝璘妻董，黄敬業妻吴，陳其義妻吴，鄭爲先妻陳，生員李成妻郎，黄傑妻黄，張玉紱妻劉，孫成志妻杜，李焜妻沈，董奎妻王，高成德妻王，楊鈞妻喬，張榮妻冀，高成名妻楊，尚楀妻劉，張樹榘妻胡，張文泰妻鍾，吳萬慶妻劉，萬嵩壽妻郭，生員吳德雄妻馮，李玉德妻王，于殿箴妻李，全永泰妻劉，吳鎔妻商，王靜庵妻于，張億成妻周，吳永福妻韓，劉建謀妻董，田德泰妻康，汪玉祥妻王，楊恩澤妻孟，孟亮妻高，屈坤妻劉，楊楨妻仝，方德鏢妻張，南永盛妻張，孟廣起妻趙，翟祥妻王，張和妻冀，（以上守三十餘年。）胡永年子大受妻何，范準妻劉，（以上守三十年。）陳國標妻晉，（教子入庠。）劉培妻甄，（親課子入庠。）生員徐塏妻王，（夫亡，投繯以殉，家人救止之。）生員陳永德妻苑，（州牧周景旌其門。）生員耿玠妻于，劉載妻石，生員劉璽妻白，劉甄妻李，生員張執中妻解，王之英妻郭，尉景惠妻周，王懷秀妻馬，生員張建業妻王，王淶妻李，范文正妻童，王瑛妻楊，繆君猷妻王，郅允恪妻蔣，章鶴九妻陳，生員吳芳妻楊，徐興遠妻李，王有德妻王，康懋芝妻張，生員王用賓妻陳，康汝華妻李，胡大章妻王，張殿清妻韓，王步雲妻康，尚楨妻姚，（續志）張明妻李，（守四十餘年。）陳有信妻祝，（守三十餘年。敬節會册）董文祥妻韓，（二十一歲守節，有因其窮乏勸之改適者，峻拒之。現年五十五歲。）萬嵩麟妻李。（二十歲守節，現年四十六歲。采訪册）

右涿州一百九十三人

生員吕任妻金，（守六十年。）高桂妻石，（邑令某旌其門。）李渟妻郭，李和宗妻王，馮鑑妻梁，王玉文妻馬，（以上守四十餘年。）蕭煦妻趙，武生郭維城妻張，（邑令旌其門。）常九圍妻邵，劉義妻李，吕恆妻陳，趙玉山妻史，邱煥章妻白，秦尚和妻陳，以上守三十餘年。王志王得志妻康，王宗洛妻趙，劉環妻隗，禮部文札孫貞妻談。守四十餘年。

右房山縣十八人

李恭妻朱，王經妻李，郝義秀妻趙，以上守六十餘年。楊得亨妻何，守六十年。王永甯妻蔡，郝本裕妻馮，生員樊文煥妻郝，生員韓雲鶴妻王，王璟妻梁，武生韓瑛妻劉，賈廷玉妻李，劉勤妻路，劉奎宗妻樊，李濤妻邱，王金華妻周，以上守五十餘年。王翥妻張，劉桐妻張，以上守五十年。張有恆妻趙，蔡琮妻劉，生員徐又筠妻李，陳福賜妻朱，徐朝桂妻任，生員韓雲圖妻司，崔天祐妻張，于良驥妻徐，鄧倪妻徐，劉椿妻吳，吳江妻石，生員崔億妻王，生員梁珂妻郭，董良佐妻徐，蔡哲妻靳，生員李有年妻王，以上守四十餘年。朱林妻劉，守四十年。張謙吉妻蔡，李九錫妻崔，生員王璉妻張，樊文燿妻邢，張元德妻劉，趙雲翔妻徐，生員張琳妻冉，王國旂妻樊，高老義妻曹，楊起唐妻周，楊燦妻梁，生員崔殿翔妻王，張景堂妻劉，張啟堂妻葉，韓紹宗妻孫，武生楊雲峯妻吳，徐煥妻張，生員崔廷獻妻元，楊璞妻王，文童楊璞妻王，按：一道光十年旌，一道光十八年旌，非一人。劉認妻王，郝鉞妻吳，劉麟趾妻梁，張積德妻陳，陳德福妻楊，生員馮祥妻王，楊彬妻王，高士華妻楊，生員吳之楨妻楊，王承業妻張，龔振妻張，張玉貴妻許，張鍾傑妻何，李壽曾妻林，牛懋績妻李，以上守三十餘年。生員蔡向葵妻王，教子入庠。生員郝金璞妻張，王宏夔妻季，生員郝士鉽妻侯，生員郝雲妻劉，王璧妻房，崔雲穀妻李，馮顯宗妻李，生員郝本端妻趙，郝本大妻韓，孟某妻劉，鄭開明妻翟，生員崔寀妻李，張某妻趙，邱廷瑜妻樊，生員王琬妻李，生員王自睿妻傅，王恕妻秦，張某妻劉，孟繼調妻李，蔡專成妻王，王璉妻劉，牛文俊妻王，生員馮廷楠妻徐，龔傑妻楊，江殿擎妻崔，王士科妻李，生員崔象晉妻李，蔣啟先妻閻，王瑞妻梁，生員馬繼光妻崔，劉寶亭妻梁，生員劉永甯妻楊，王均妻張，王雙璧妻紀，白某妻李，生員張起運妻崔，劉敏妻馬，生員田興妻牛，楊文會妻孫，趙自福妻張，梁承漢妻史，崔汝太妻馬，崔僋妻邵，牛壽妻郝，閻文隆妻劉，梁秀升妻史，白允義妻劉，張元鋭妻王，生員蔡瑄妻張，蔡尚文妻趙，蔡尚德妻馮，駐防滿洲披甲他勒不待妻李佳，駐防滿洲明德妻傅佳，駐防漢軍高慶妻高，駐防漢軍邊寶賢妻吳，朱志趙秀仟妻許，壽百有八歲，守八十餘年。秀仟兄冠仟妻孫，守七十年。安朝梁妻劉，李炳妻張，周玉慶妻常，生員李尚志妻郭，以上守六十餘年。武生張鍾和妻曹，守六十年。生員王世濬妻張，迭經饑饉，矢志撫孤。李義書妻周，夫外出不返，矢志守節，艱苦備嘗。劉壽愷妻王，武生樊大豪妻張，張玉樹妻李，聶嘉平妻梁，梁可信妻陳，高可憑妻韓，劉密妻馬，高登妻任，杜平選妻任，周禮妻董，李天德妻董，王崇德妻李，周芳妻趙，以上守五十餘年。高永妻黃，高朝喜妻李，以上守五十年。王棟妻樊，備嘗艱苦，教子入庠。李寬妻胡，知州盧旌其門。鄭鍾妻王，張鍾慶妻史，張壽山妻李，李梅妻張，張墉妻陳，崔維國妻王，史廷獻妻郝，樊青馴妻丁，胡和祥妻薛，生員陳文耀妻張，宋長青妻閻，徐印玉妻趙，徐文富妻任，徐文達妻靳，生員趙廷葵妻徐，牛和謙妻袁，生員鄭瑞妻張，劉郁文妻王，李鎮妻辛，（慶雲母。）冉承寬妻李，黃鑑妻李，王朝美妻孫，周義成妻傅，武生黃瑞朋妻董，馬殿元妻姜，劉從善妻張，孫雲立妻王，生員王沛霖妻信，靳樹杉妻宋，王道玉妻趙，陳上達妻李，李玕妻高，（以上守四十餘年。）曹福妻朱，谷祥妻沈，（以上守四十年。）徐蔭第妻葛，（教子入庠。）崔照妻楊，（知州周乃大旌其門。）牛綬妻柳，（知州曾世槐旌其門。）生員田聞妻孟，楊邦喆妻郝，楊景秋妻黃，樊濱妻郝，張明富妻楊，崔樹榮妻趙，崔琳妻趙，崔自友妻劉，（禮母。）王化淳妻白，孟昭瑞妻馬，生員仝卜年妻吳，榮金山妻馬，楊貴妻李，王慶來妻李，胡照妻王，王金臺妻韓，孟廣澤妻周，李貴元妻王，李讓妻蘇，生員牛振庠妻馮，生員陳廷琳妻莫，甄國雲妻趙，生員傅允升妻李，王裕書妻于，馮邦俊妻姜，杜長安妻朱，郝金鑑妻劉，生員崔昶妻郝，牛庭椿妻郭，谷明妻梁，劉天成妻楊，蔡淩霄妻張，張瑞成妻王，郝和萬妻王，胡培山妻阮，榮和中妻曹，陳慶麟妻王，崔俶妻高，王平妻鄧，王振起妻高，王黑妻李，崔城妻吳，（以上守三十餘年。）王尊妻汪，（學政倪承寬旌其門。）李宗周妻曹，（知州李師舒旌其門。）孔傳璉妻王，賈淑妻王，（邦宗母。）賈錢妻李，賈鐵妻安，（皆知州姬鈞旌其門。）張鈞妻高，（教子入庠。學政龐鍾璐旌其門。）蔡玉清妻李，（知州某旌其門。）張文晏妻李，（教子入庠。學政某旌其門。）王昊妻李，王學伋妻李，王燦妻高，王家興妻穆，王德滋妻孫，王繼祖妻柏，生員王璋妻李，駐防漢軍邊鍾元妻崔，知州周乃大旌其門。劉静安妻吴，梁璣妻馬，王夢鼇妻朱，王世棠妻侯，王世好妻王，錢汝傑妻董，李文敞妻馬，王國鳳妻郝，牛秉廉妻李，韓家齡妻郝，靳某妻任，吴淳妻甯，駐防漢軍高得封妻王，周志 武生王樹椿妻褚，二十三歲守節，現年七十歲。生員劉鼇妻何，二十八歲守節，現年五十五歲。職員趙國華妻王，二十八歲守節，現年六十八歲。楊景成妻榮，二十歲守節，現年六十歲。張明富妻楊，二十二歲守節，現年五十二歲。王柱妻王，二十歲守節，現年五十歲。張玉貴妻許，二十歲守節，現年七十二歲。武職劉慎徽妻馮，二十一歲守節，現年六十一歲。于喜妻王。二十一歲守節，現年六十一歲。采訪册

右霸州二百六十九人

宮朝棟妻高，教二子入庠，守七十餘年。黄應坤妻劉，守五十餘年。張懋妻田，劉琪妻李，以上守四十餘年。王正妻郭，教猶子入庠。畿輔唐志 安徽旌德縣知縣紀咸妾金，教子綿曾登賢書，守七十年。井枝棟妻郝，教子時烜登賢書。劉炳妻鄒，以上守五十餘年。井録奎妻紀，劉炳妻周，紀鏞妻元，以上守四十餘年。趙春達妻賀，湖南長寶道紀淑曾妾李，生員葛如蘭妻邵，以上守三十餘年。張廷圯妻李，守五十餘年。任秉德妻周，山西蒲縣知縣陳國籌妻鞏，和順縣知縣陳志妻何，陳其諭妻李，王國恩妻徐，以上守四十餘年。生員陳之訪妻程，陳鎖之妻韓，生員陳其誠妻邵，以上守三十餘年。張某妻邵，教子入庠。博覽載籍，著有筠窗隨筆、詩草。生員何元吕妻王，何昶妻何，何汰妻陳，劉士鶴妻郭，趙青山妻李，劉清瑞妻劉，生員劉士元妻留，劉太常妻許，王渲妻

汪，井兆妻胡，（在家時刲骨療母，夫亡，守節。）生員王九官妻竇，（教子國璋登賢書，國憲、國璘俱入庠。）生員王延鼎妻馮，楊士麟妻劉，（畿輔唐志麟作鱗。教子入庠。）黃守欽妻王，縣丞馬明圖妾李，（撫嫡子，堅持苦節。）王三接妻周，（以上守五十餘年。）倉場侍郎陳協妾趙，（縣令某旌其門。）生員張廷筠妻劉，（以上守四十年。）王訢妻孫，（楊志）劉永清妻紀，（守七十餘年。）生員井植蕃妻紀，（守六十餘年。）李和妻寇，（守五十餘年。）劉鏡妻紀，（守五十年。）井時烺妻劉，（備歷艱辛，保全四世。）寇宏業妻王，胡檉妻紀，郝瑞亭妻丁，（以上守四十餘年。）從九品馬濂妻高，（守三十年。）生員楊珊妾蔡，（守七十餘年。）陳濟妻王，（縣令某旌其門。）王遵堯妻趙，尹德純妻崔，陳良璠妻程，（以上守六十餘年。）任淩雲妻劉，（司鐸某旌其門。）沈桂齡妻王，（縣令某旌其門。）沈泰清妻董，（學政龐鍾璐旌其門。）王儼妻邊，苑懷義妻陳，尹邦光妻楊，任芳菊妻王，生員賀華屏妻何，魏亮裁妻高，陳拓妻蔣，何曾益妻董，高廷安妻李，生員陳葆妻何，陳蘆妻何，黃德明妻王，趙天岳妻劉，賈盛武妻靳，賈俊妻呂，任芳桐妻郭，周名儒妻王，王濟明妻張，張季墉妻王，趙有芳妻王，范永甯妻張，（以上守五十餘年。）王鏡宙妻盧，（紡績自給，鄰人罕見其面。）生員葛如蘭妻邵，郝仁美妻曹，帥邁羣妻楊，（以上守五十年。）楊珊妻王，生員張絢南妻紀，（教子入庠。）齊豐妻傅，（教子入庠。）劉清輔妻李，（學政某旌其門。）陳漗妻何，陳大徵妻高，穆文英妻李，井奉若妻張，陳藎妻周，陳昕妻李，何曾若妻秦，何敬文妻張，王紹文妻何，陳爔妻閻，何曾妻賈，（賈一作何。）魏殿雲妻王，陳時妻王，王道昌妻張，郭得發妻晉，趙天告妻張，劉芳妻高，李玉山妻王，薛雲和妻楊，（照臨母。）薛鵬廣妻張，徐養正妻楊，王祥明妻楊，白惠昇妻徐，生員張文光妻劉，劉榮光妻王，張華堂妻王，劉春元妻孟，趙正坪妻楊，王國棠妻張，李瀚妻趙，以上守四十餘年。林懋齡妻馬，教子與孫俱成名，守四十餘年。何曾謙妻楊，何繼泰妻陳，陳無我妻李，陳克一妻宫，陳其交妻郭，陳其譽妻劉，李曰謙妻孫，張文祥妻李，生員李在洲妻孫，候選州同陳忺妾孟，以上守四十年。王朝立妻張，備歷艱辛，水災餓死。張嵩山妻葛，解吟詠，賦詩，嘗自道其志。楊培基妻馬，歸四十日，夫亡，翦髮矢志。生員何振鐸妻劉，撫前子、己子皆成名。徐鴻傑妻王，學政楊旌其門。楊春旗妻張，生員楊琠妻張，馬喜元妻馮，教子入庠。李振鼇妻張，郭義美妻李，紀澤溥妻段，田啟墀妻夏，紀德堂妻索，縣丞井綬鏞妻董，賀登雲妻翟，李天成妻王，張柏年妻劉，封職蔡星文妻薛，趙雲峯妻王，趙浥峯妻董，井連元妻李，邵成才妻劉，葛承志妻董，董九江妻何，湖北襄陽縣縣丞葛方榮妾徐，葛方蔭妻劉，張殿邦妻宫，何繼齡妻劉，蔭生陳國史妻李，候選州同陳忺妻王，生員陳釗妻王，陳俊年妻何，陳兆康妻王，處士紀烇妻劉，魏方城妻高，李紅妻高，繳倫妻張，生員王克昌妻王，生員靳鴻禧妻王，徐鳴三妻陳，錕母。郝北峯妻張，王相邦妻王，何宣妻郝，楊寶奎妻盧，邢克儉妻趙，齊景堂妻薛，邢允曾妻齊，何嘉俊妻靳，趙連源妻齊，以上守三十餘年。楊兆基妻吴，田啟瑞妻梁，何登爽妻張，張應兆妻韓，生員張炳妻岳，張瀚妻鄧，以上守三十年。楊成基妻王，何滙子嘉言妻董，黄振方妻康，劉憲珍妻高，姚學義妻劉，以上守五十餘年。馬士明妻李，夫亡，無子女，母家諷以他適，厲色拒之，遂不復歸。晝則樵採，夜則紡績，晚年羸餘，嘗周卹鄰里。靳某妻滑，教子入庠。王師林妻曹，杜觀羣妻李，杜專一妻祁，以上守四十餘年。賈金山妻馮，董漸逵妻寇，劉仰齋妻郝，張樹棠妻孫，李廷輝妻張，齊天嶺妻白，梁文祥妻苑。以上守三十餘年。采訪册

右文安縣二百三人

王元吉妻劉，撫猶子如己出。劉琳妻宋，夫亡，無子，撫小郎成立，後以其子爲嗣，教子入庠。劉芳妻李，以上守六十餘年。趙鳳書妻何，守五十餘年。馬中喜妻趙，守五十年。蕭麟玉妻谷，張洵妻葉，李統一妻高，齊矗峯妻劉，張乾妻李，鄧天泰妻竇，以上守四十餘年。鄧毓麒妻高，胡元立妻鄧，守四十年。趙輝妻王，學海母。教子入庠。崔炳章妻許，教子登賢書。王浩妻鄧，教二子入庠。趙大廷妻劉，夫亡，子在襁褓，有諷之者，以死自誓。後教子入庠。趙象復妻王，教子入庠。李樂妻張，劉惒妻紀，劉愹妻趙，劉琯妻李，李琨妻井，宋學直妻李，段藻妻吴，傅枝妻張，綏德州知州劉璚妾楊，韓煒妻劉，王緒先妻劉，馬廷蘭妻劉，孫長貴妻賀，王元琪妻劉，張殿元妻魏，劉震萬妻苑，蔡致妻程，陳朝聘妻董，馮保和妻劉，邢觀墀妻張，孫思良妻王，李玉堂妻王，李雲山妻白，温廷棟妻宋，蔡曾藻妻田，王世營妻楊，蔡訪疇妻劉，田承緒妻于，王作霖妻董，楊廣義妻崔，王井伯妻馬，王廷琨妻倪，劉杠妻楊，馬玉堂妻王，玉堂妾杜，李伯妻廉，馬中魁妻劉，楊邦凝妻陳，咸萬青妻劉，鄧允升妻華，鄧天錫妻葉，李柄妻劉，李清純妻景，王殿士妻張，陳天符妻楊，鄧執妻景，李璠妻鄧，李

忍祥妻劉，竇學愚妻馬，王若煦妻崔，李士文妻王，王永誠妻孫，王中泰妻李，劉兆松妻鄧，鄧秉春妻劉，常炳勳妻劉，鄧秉祥妻王，鄧鳴玉妻岳，鄧昆玉妻蔡，鄧樹榮妻陳，李傳妻王，守七十餘年。孫冠冕妻王，撫前子如己出。張克儉妻李，孫鶴年妻張，齊整壹妻張，齊撥雲妻李，以上守六十餘年。宋學宏妻胡，守六十年。李成玉妻白，王直妻李，孫冠禮妻馬，以上守五十餘年。王埰妻竇，王岳齡妻岳，馬其祥妻路，以上守五十年。李柏年妻邵，王愈妻石，張丕承妻李，王登雲妻尹，尹一作孫。邵培柱妻牛，以上守四十餘年。傅明型妻張，王杞妻楊，以上守四十年。王虚庭妻張，韓杰妻王，王沛妻路，以上俱教子入庠。韓煐妻盧，教子貢成均。張同輝妻王、同輝子海澄妻鄧、海澄子桂林妻孫，三世苦節，賴鍼黹以爲活，撫前室子女六人如己出，恐家人迫之嫁，翦髮爲信。孫冠國妻陳，撫前室子，教養備至。魏金城妻岳，城一作成。撫前子，恩逾所生。劉懋源妻元，有媒氏誘之，詈之而去。繳世榮妻温，王江妻劉，王坦妻宫，傅和煦妻竇，葉太清妻劉，孫慶蔭妻葉，李化南妻王，馮寶林妻李，劉占祥妻何，劉林妻何，林子大亮妻韓，宋蘭室妻吴，王廷蔭妻邢，鄧作哲妻段，任有明妻李，任有信妻張，張海柱妻劉，王都城妻楊，竇世勳妻陳，毛雙靈妻王，任士卿妻劉，梁清林妻馬，一作青。冉國玉妻李，玉一作立。李國亮妻葉，繳履平妻張，王增翥妻岳，劉福魁妻李，劉元鈞妻王，劉永言妻李，魏金臺妻岳，王德興妻趙，李振鐸妻王，馬鴻鈞妻賀，吴振升妻于，宋萬凝妻王，宋國普妻馬，王思凝妻黄，以上守六十餘年。東麟祥妻楊，守六十年。張伾山妻鄧，郭友明妻任，李賢達妻李，段景孟妻劉，劉平妻馬，以上守五十餘年。王臨平妻李，守五十年。馬希成妻葉，王吉成妻李，鄧天植妻馬，劉恆妻趙，傅德魁妻張，張士俊妻陳，董永魁妻王，王殿林妻趙，李科達妻邢，榮福禄妻齊，鄧可行妻楊，張豐年妻韓，李壽椿妻宮，王得峯妻吴，李森祥妻翟，王廷琨妻倪，薛丹楹妻劉，以上守四十餘年。張義禄妻祕，李義宣妻崔，李雲飆妻張，以上守四十年。楊殿卿妻王，劉發妻鄧，馬希昇妻曹，劉毓林妻李，馬尚武妻王，謝萬清妻苑，蔡奎春妻楊，鄧壎妻句，馬福清妻張，馬鴻逵妻李，張應麟妻李，崔金聲妻孔，李崇湯妻孫，李玉琳妻王，邊從櫺妻裴，鄧埈妻馮，王著三妻賈，李文蔚妻董，鄭純仁妻張，景廷桂妻樊，孫兆秀妻杜，王樹榮妻張，魏永振妻李，李萬清妻張，李振先妻于，李萬祥妻吴，翟淇妻王，張世久妻段，傅雲路妻任，路一作露。傅文昭妻姚，繳秀峯妻劉，趙永茂妻劉，以上守三十餘年。杜兆奎妻孫，董世正妻魏，李振棠妻王，李殿來妻李，李毓升妻崔，鄧堡妻何，鄧淇泉妻李，劉鳳枝妻王，劉若浦妻紀，李巨川妻王，張義興妻宋，樊玉璽妻馮，王順慶妻郭，邱士恆妻李，李玉山妻馬，蔡恩寵妻馬，帥振安妻柳，邊從模妻姚，劉承宗妻蔡，王浩然妻蔡，鄧碩對妻劉，王渤妻薛，傅立柱妻繳，生員王興炎妻魏，潘振英妻周，以上守六十年。王樹軒妻元，吕孔彰妻李，節儉持家，而周卹親鄰無吝色。吕宗秋妻劉，孫志隆妻陳，邢士羣妻盧，以上守五十餘年。王治邦妻李，守五十年。蕭俊川妻孫，孟美琳妻魏，家貧，恆不舉火，鄰里饋之，弗受。白學思妻劉，王維周妻張，以上守四十餘年。鄧鳳岐妻劉，孤苦之狀，有人所不能堪者，而劉處之晏如。王得禄妻苑，劉致科妻楊，孫士科妻杜，以上守三十餘年。李師顔妻厲，楊邦本妻潘，劉樹椿妻邢，以上守三十年。馬湘妻王，邑人表其門曰：孟歐遺範。孟傑妻李，李敏妻傅，蔡錦標妻韓，劉樹杉妻陳，蔡景妻樊，蔡天海妻趙，蔡永基妻邵，邊從雲妻張，李光輝妻馬，王焜妻孫，王興妻鄭，王之珍妻孫，王方驥妻陳，潘振英子玉樹妻劉，馬丕顯妻石，王宗太妻李，王金德妻何，李德潤妻于，冉國立妻李，傅興邦妻孫，李國亮妻葉，劉世榮妻蔡，温象乾妻張，張士賢妻郝，韓慶瀾妻焦，魏尚奎妻王，劉清貴妻孫，劉萬軸妻柳，滑邦凝妻于，馬魁元妻龐，楊信妻梁，薛長林妻王，李召南妻王，李文炫妻陳，王象書妻吕，王象文妻葉，蔡同春妻薛，馬壯模妻石，韓德澄妻周，王桂棠妻葉，韓曰然妻劉，張立勳妻陳，以上守四十餘年。李文會妻魏，郝世富妻榮，孫越阡妻葉，劉翼翕妻杜，劉元瑞妻張，東鳳璽妻劉，韓相林妻劉，蘇若柏妻吕，以上守三十餘年。吕元齡妻張，蕭俊士妻孫。采訪册

右大城縣二百九十九人

廩生王綱揚妻楊。子書香有孝行。采訪册

右保定縣一人

杜毓祥妻史，壽百有八歲，守九十年。崔起鳳妻侯，教子入庠。生員崔元工妻王，教子成名。駐防漢軍李實蘩妻馬，以上守五十餘年。金宏基妻沈，守四十餘年。張國振妻劉，候選州同張耀妻王，以上守三十餘年。宗坤妻劉，家貧，業績

纘，教子成名。生員劉炳妻許，王之弼妻趙，張文傑妻郝，楊從盛妻劉，王自立妻張，邊國鏡妻楊，仇建名妻李，姜一生妻張，吴廷進妻王，俞之騋妻佘，趙淳妻馮，馮盛明妻張，王良有妻蔡，劉宗湯妻任，張亭玉妻楊，卞成玉妻楊，奚善征妻蘇，劉榮妻謝，沈志周恆有妻劉，教子入庠。王雲龍妻司，趙之屏妻紀，吴從秀妻陳，以上守六十餘年。于潤妻杜，張鋼妻金，王某妻傅，教子入庠。學政巡道旌其門。駐防漢軍王祐妻陳，楊必達妻王，王者重妻某，陳泰妻吴，王謹之妻陳，以上守五十餘年。蔡久隆妻李，撫前子如己出。林應春妻劉，教子入庠。白玢妻孫，學政某旌其門。韓文璿妻楊，王來問妻陳，李化醇妻梁，千總陳士貴妻李，林國傑妻王，白鳳鳴妻高，白文禮妻劉，高春茂妻張，榮盛妻方，榮大用妻郭，劉静妻劉，杜守業妻王，生員周九卿妻黄，華良才妻石，陳君亮妻譚，以上守四十餘年。孫守鳳妻柴，以十指供薪水，撫二子成立，其艱苦有非人所能堪。陳得君妻張，學政羅旌其門。王廷瓚妻孫，駐防漢軍李文璿妻吴，于際熙妻劉，高天錫妻方，以上守三十餘年。生員楊奇妻屈，教子入庠。生員白駰妻孫，陳禮妻吴，教嗣子入庠。張廷珍妻張，撫前子如己出。俞四維妻楊，四維死於難，楊撫二子俱成名。舉人王宸嘏妻康，惺母。教子入庠。閻國俊妻姚，州牧趙錫蒲旌其門。生員李鈞妻黄，學政□旌其門。張明德妻劉，侯有才妻甯，劉增妻尹，教子貢成均。白坦妻高，以紡績撫二子成立。高翔妻李，教子入庠。生員范維一妻王，學政羅旌其門。生員陳殿閣妻張，謝重妻楊，皆學政於旌其門。劉基純妻苗，張慶甯妻王，楊三讓妻王，駐防漢軍白來純妻張，駐防漢軍莊國明妻郝，王廷綒妻吴，宋九錫妻董，生員王紹豐妻白，王崑妻孫，張士俊妻胡，魏嚴之妻李，駐防正藍旗王開第妻趙，李忠妻沈，于漢妻何，陳玿妻段，生員陳玉麟妻孫，楊大忠妻王，趙銓妻劉，生員邵春華妻吳，趙之錦妻吉，張廷漢妻傅，吳廣普妻婁，劉忠妻馬，王景祿妻陳，李明卿妻張，白如璧妻郝，陳極妻王，徐斌妻黄，高煥妻楊，劉某妻高，李廷璧妻崔，陳景照妻王，李嘉棟妻張，婁永芳妻張，婁德俊妻李，白克讓妻李，沈志楊文明妻梁，常義妻王。禮部文札

右薊州一百一十七人

駐防正白旗漢軍劉文昌妻陳，守四十餘年。生員崔桂齡妻董，守三十餘年。王李妻倪，陳夢忠妻羅，劉瑄妻楊，劉坦妻崔，武生王德玉妻王，沈寶德妻李，以上守五十餘年。劉自申妻王，教嗣子入庠。陳寬妻張，駐防鑲黄旗生員周鼐妻王，張有興妻張，瑞母。趙才妻耿，駐防鑲黄旗李逢春妻王，以上守四十餘年。生員張緝妻劉，守三十年。賈興侯妻陳，以節著。縣令某旌其門。王鏞妻王。教子成名，二十九歲守節，現年五十五歲。王志

右平谷縣十七人

夫亡身殉一百六人：

王明元妻張，夫亡自縊。顧明楫妻某，明楫見昭忠表。某自縊死。丁本培妻劉，王所錫妻張，皆夫亡不食，死。李尚信妻王，夫亡，縊於墓側死。馬瑞妻張。瑞外出，傳聞瑞歿，乃囑族人攜二子往尋瑞，張自盡死。畿輔唐志

右順天府六人

周之德妻劉，夫亡，自縊。畿輔唐志　唐有恂妻朱，夫亡，次日殉。知縣徐承祖妻華，夫亡，身殉。王思誠妻郭，夫亡，仰藥殉。嚴官箴妻王，夫亡，絶粒殉。侯玉書妻陳，夫亡，氏立嗣畢，仰藥殉。采訪册　侯選府經歷邵鈉妻周，鈉見昭忠表。周聞信，服毒死。生員俞楨妻崔。楨見昭忠表。崔聞信，服毒死。忠義局册

右大興縣八人

知縣查延年妻楊，刑部員外郎查丙章妾劉，舉人查以新妻韓，皆夫亡，即日仰藥殉。知縣張景芝妻孟，夫亡，仰藥殉。金文軒妻蔣，夫亡，自縊殉。于世敬妻張。夫亡，仰藥殉。

右宛平縣六人

蔡樹瓊妻張，夫亡，不食，死。楊福亨妻王。夫亡，父與姑謀欲嫁之，自縊死。楊志

右良鄉縣二人

傅華祝妻劉，節孝張似熊妻劉姪女，夫亡，身殉。楊國新妻朱，夫亡，絶粒死，年甫十六。生員蕭重熾妻姜，夫亡，自縊死。大吏旌其門。辛越妻張，夫亡，自縊死。大吏旌其門。高萬基妻呂，夫病，割臂肉以進，竟不起，遺孤復夭，遂自縊死。河營外委陳振興妻劉，夫亡，服毒死。生員邵宗濂妻李。夫亡，守義，侍姑三年，以孝聞。姑歿，自縊死。陳志

右固安縣七人

王起妻姚。夫亡，自縊死。續志

右永清縣一人

朱暐妻趙。夫亡，自縊死。一統志

右香河縣一人

李時遇妻馬，夫亡，遺一女。夫姪成龍謀占其産，逼改適，馬斷髮自矢；成龍逼愈甚，馬自縊夫柩前死。駐防周六哥妻陶，夫亡，亟卜地葬，葬畢，縊墓側死。施鈺妻潘，夫亡，葬畢服毒死。劉某妻魏，夫亡，自縊死。駐防漢軍筆帖式徐海慶妻楊，夫亡，絶粒死。高振芳妻湯，家貧，無御冬具，夫婦泣牛衣，而以乞憐於人爲恥，高因飢寒病卒，湯不食，死。鍾楷妻陳，夫亡，自縊死。駐防兵部主事崇山妻喜他拉氏，夫死，服毒。薛泉妻朱，泉迫於家貧，服毒，朱遂自縊，比泉得救復生，而朱死矣。湖南東安縣知縣李右文妾郝，右文見昭忠表。郝聞信自縊於内署，尸被焚。右文子傑妻王，傑隨父殉難。王聞信旋自縊，死，尸亦被焚。于永太妻傅，夫歿，欲以身殉，因念姑老無以爲養，忍死奉姑。姑歿，葬畢，哭於夫墓側，誓不獨存，絶粒六日，卒。生員黄玉書妻康，夫亡，飲鴆死。後以女夫范雲卿貴，贈淑人。王宗誠妻黄。年十九歸王，王嬰夙疾，黄侍奉三載如一日，王歿，身殉。州志

右通州十四人

朱暉妻趙，夫亡，自縊死。陳志 李玉崑妻曾，夫亡，將以身殉，戚族勸以有舅姑在，遂止，勤紡織以養舅姑。舅姑相繼歿，不食，死。生員劉光熙妻某。夫亡，不食，死。采訪册

右三河縣三人

陸景榮妻沈，夫亡，不食七日死。韓寶山妻陸，姑嗜利，教以不義，矢死弗從。寶山歿，仰藥死。王殿甲妻鄭，夫歿，子殤，將死，舅姑力止之。舅姑歿，自縊死。董芳妻閻，年十九適芳，姑遇之虐。芳歿，恐姑奪其志，寄子於母家，仰藥死。監生趙誘妻馮，夫亡，擇嗣求婚畢，仰藥死。程德明妻馬，夫亡，服毒死。蔡志 孫裕信妻李。夫卒，仰藥死。采訪册

右武清縣七人

生員王斌妻馬，夫亡，絶粒死。禮部文札　王朝和妻林，夫亡，呑藥及金環而死。羅士芬妻王。夫亡，自縊死。采訪册

右寶坻縣三人

滿智妻杜，夫亡，仰藥死。陳祖武妻沙，夫亡，身殉。齊福山妻崔，張德言妻董，德言姪元發妻李，皆夫亡，自縊死。張福良妻李，鄭經魁妻劉，劉涵妻崔，皆夫亡，仰藥死。邯鄲縣訓導鄭閱妾史，車珊妻康，皆夫亡，絶粒死。李守義妻張，夫亡，以翦刺喉死。高起妻闞，夫亡，投水死。生員劉鉤妻杜，鉤子生員潤之妻董，潤之見昭忠表。廪生王寅清妻吳，馬躍龍妻唐。皆夫亡身殉。闕志

右甯河縣十六人

文生刑長淮妻齊。夫故，即日投水甕以殉。宋志

右昌平州一人

趙懷印妻潘，夫亡，自縊死。李繼祖妻高，夫亡，不食死。拔貢生張振燕妻田。夫亡，仰藥死。薛志

右密雲縣三人

趙遜妻熊，遜見昭忠表。熊於夫骨歸後，自縊死。生員范文明妻劉，生員張暢妻王，皆夫亡，自縊死。何中行妻王，夫亡，腹有遺孕，及娩，乃女也，遂死。楊畿妻梁，畿爲四川巡撫楊馝孫。馝官於涿，遂家焉。畿卒，梁甘貧守志。父彬官固原令，攜赴任，欲令改適，梁憤惋不欲生，病十餘日而殁。病中寄其舅詩，有生爲楊家人，死爲楊家鬼之語。舅乃爲之立後，迎其柩與畿合葬焉。馬獻璋妻蕭。夫亡，自縊死。吳志

右涿州六人

生員段鴻賓妻張，夫亡，仰藥死。孫二黑妻李，夫亡，舅與父將議再嫁之，乘間投井而死。常九皐妻劉，割肉療姑。後夫病，復割肉和藥以進，無效，夫亡。憂鬱數日死。佟志 生員王明生妻張。夫亡，絶粒死。良鄉楊志

右房山縣四人

郝綸妻劉。夫亡，仰藥死。朱志

右霸州一人

劉憲珍妻高，夫故，身殉。馮隆昌妻宋，于歸不數月，隆昌卒，宋於是夜死於牀前。舉人宋薌稷作烈婦引。紀倖妻周，夫亡，絶粒死。曹杜邦妻張，夫亡，自縊死。薛錦亭妻楊，夫亡，身殉。紀應辰妻牛，夫亡，守志，以僕婦馬氏造言誣辱，投水死。采訪册 薛仲源妻崔。夫亡，身殉。

右文安縣七人

蕭林妻馬，夫亡，父受豪右之聘，不從，自縊死。李連科妻邢，夫亡，自縊死。梁玉珍妻齊。夫亡，將以身殉，姑諭止之，養姑畢，自縊死。張志

右大城縣三人

生員白廷輝妻李，廷輝亡，絶粒七日，不克死，遂自縊。陳鏞妻閻，夫亡，自縊。白超妻陳，夫亡，絶粒死。沈志 崔士瓏妻尹，夫亡，有謀娶之者，遂仰藥死。王勇妻果。夫故，兄嫂逼改適，加以箠楚，遂縊死。采訪册

右薊州五人

山西和順縣知縣路中妻李，夫亡，自縊死。闞某妻王。夫亡，身殉。學政及通永道旌其門。王志

右平谷縣二人

守節不辱，遇變捐軀一百四十九人：

張聯標妾傅。隨聯標之任，寇起，城陷，不屈，死。土人收葬，立烈婦冢。按：畿輔唐志，聯標之官及殉節地方俱未詳。

右順天府一人

陳義明妻劉，爲强暴所逼，堅拒見殺。一統志 顧某妻吴，范先成女小姑，先成見昭忠表。四品封職范浦妻顧，范氏僕婦曹某妻陳，生員范承宗妻高，承宗女大姑，寄居江甯，咸豐三年，江甯城陷，罵賊被戕。于某妾曾，福建候補通判于錕庶母。錕見昭忠表。咸豐十年，粵匪攻陷杭城，自縊死。于錕妻周，妾胡、李、彭，姪女慧涝，于氏僕婦林某妻吕，婢子小紅、春喜，俱服毒死。楊正孚兄某妻陳，正孚見昭忠表。安慶城陷，罵賊，死。江蘇昭文縣知縣吴士松妻張，咸豐十年，粵逆陷蘇城，投井死。孫某女，字宗學教習俞僡。咸豐三年，粵逆陷安慶城，殉難。順天府忠義局册 庠生徐忠陛妻田，十年，粵逆陷宜興，投水死。忠陛子秉鈞妻朱，秉銓妻曹。與姑同死。采訪册

右大興縣二十二人

鍾宣妻劉，張彪妻許，皆爲强暴所逼，堅拒見殺。一統志 翰林院庶吉士儲德燦妻狄，同治三年，捻匪竄擾向家疃，罵賊被戕。生員李錫璋妻趙，福建上杭縣知縣李新畬女四姑，雲南順甯縣典史丁壽恩妻楊、女玉姑，福建福興場鹽大使李蕚妻楊，鹽大使李芬妻陳、女榕姑，俱咸豐十年在江蘇常州，罵賊投池死。江西候補通判李應咸妻管，浙江候補按經歷李方泰妻雍，妾潘，女德姑、蘭姑，江西景德鎮同知李新幹女

五姑，俱咸豐十一年杭州省城陷時，服毒死。李某妻某，浙江試用從九品李堉清母。服毒殉難。堉清見昭忠表。忠義局册廣東知縣喬應庚妻郭、女某、孫女某、婢某。禮部文札

右宛平縣二十一人

王順榮妻程，族惡，逼淫，不從，拾鐮斃之。張自友妻李，族人逼淫，不從，以帶勒死。王順妻王。旗人李文遠逼姦，不從，自縊死。陳志

右固安縣三人

張雲妻杜，馬文瑞妻劉，皆鄰惡逼污，不從被殺。王之文妻李，高體榮妻甯，馬儒妻岳，皆强暴逼污，不從自殺。李九妻康，陳賓妻張，任連妻周，賈文惠女滿姐，皆鄰人出言調戲，羞忿自殺。張蘭姐。梟匪之難，被執，不屈，死。續志

右永清縣十人

任義春妻孟，陶子明妻張，駱某女大姐，皆拒姦被殺。劉三妻趙，拒姦自縊。孟黑子妻苑。其姑素無行，導之以邪，苑不從；姑屢詈辱之，投水死。李志

右東安縣五人

楊殿卿妻趙。殿卿病顛，王姑陳氏謂趙不利於夫，虐遇之。趙封股療夫，久之，病復大作，陳怒，將出趙，趙跪泣不去，陳乃閉趙一室中。趙遂不食，死。采訪册

右香河縣一人

閻晞妻王，晞，應元子，晞株連坐罪。王死甚烈。康虎妻李，王福海妻陳，皆拒姦被殺死。邢德重妻王，拒姦投井死。寇廷傑妻雷，廷傑亡，雷苦志守節。咸豐十年之難，雷恐被污，先引刀刺幼女，後自刺死。浙江烏程縣縣丞張保忠母殷，保忠見昭忠表。殷亦同殉難。韓天龍妻

任，咸豐十年之變，自縊死。蘇某妻王，蘇某子永泰妻周，咸豐十年，姑婦罵賊，支解死。寇某妻雷、子松田、女四姐，咸豐十年之亂，雷率四姐以剪刀自刎死。張琇妻喬，咸豐十年，迫於賊，服毒死。韓某妻張、女嬝姐，咸豐十年，韓飲酖死。嬝姐年十三，同死。庚玉妻劉，咸豐十年，罵賊，被縛投井中死。高志按：庚字疑康字之誤。朱某妻盛，候選鹽知事朱壇叔母。壇見昭忠表。朱壇女大姑。均寄居江蘇揚州府。咸豐三年，揚州城陷，罵賊，死。采訪冊

右通州十七人

高四妻蔡，鄰人白三乘醉調戲，羞忿自縊死。陳志 王勇謨妻王。貞白自守，夫姊與人私，爲王所覺，夫姊致之死，甚慘。采訪冊

右三河縣二人

某妻朱，某夫愚劣，朱祇事之。富人某慕其德，重賂媒，使道意，朱怒，痛斥媒，媒遂肆謠諑。朱無以自明，乃投井死。吳桂妻施，猝遇强暴，力拒得免，忿恚死。殷承憲妻張，拒姦被殺。李永泰妻韓，馬賊過境誘脅之，罵賊，投井死。某女，居大程莊，游匪入境，罵賊，死甚慘，時年十五。李某妻韓。賊至，撻其舅幾斃，韓出救，賊釋其舅，執韓，被害。蔡志

右武清縣六人

王福全妻楊，夫出關貿易，奉姑家居。鄰人郭有本伺其姑出，至室欲污之，楊罵詈不從，被殺死。滕大妻齊，爲强暴所逼，峻拒之，自縊死。苗某女，村人藺卓欲污之，峻拒不從，卓逸去，自縊死。欒某妻左，姑導以淫，不從，自縊死。某女，母導之淫，不從，投水死。于生金妻劉，趙玉妻張，田永昆妻王，李九百妻張，劉崇禮妻高，汪盛女二，錢堯萬妻張，李朝安妻張，朝安女二，朝安子某妻孔，候選巡檢沙玉樸妻陳，李蘭玉妻王，史兆恩妻陳，史承恩妻宋，王福來妻楊，

李玉圃妻王，從九品甯全妻張，李會妻崔，趙美妻陳，李廷周妻宋，崔文才妻李，李文會妻張，魯泉妻張，劉和妻蕭，廉承緒妻張，某妻張。皆咸豐十年，洋人入境殉難。丁志

右甯河縣三十一人

劉永良妻劉，年十五歲，有族人持刀逼之，不從而死。永良驚救，亦被殺。咸豐十年旌表。李某妻劉，拒姦被殺，坿案旌表。宋志 李汶玉妻崔。汶玉祖父圖姦，不從，被殺。采訪册

右昌平州三人

張五妻姚，惡少逼姦，不從，自縊死。畿輔唐志 張維賢女五姐，維賢姪女福姐。同室居傭工王二，夜持刀劫之，二女不從，同時被殺。五姐年十八，福姐年十五。黃志

右順義縣三人

曹玉妻劉，遭强暴，不爲所污；賊畏罪死，賊兄以命案控。薛天培爲邑令，詢得情，坐誣，爲氏請旌表。薛志 鄭某妻王，里有惡少，屢挑之，恐終不免，自戕死。張承永妻董。承永以忤母律城旦，行之夜，董縫其衣，投水死。丁志

右密雲縣三人

王啟功妻李，雷繼祖女大姐，皆逼污被殺死。蔡賓妻韓。賓見昭忠表。韓同時罵賊，死。續志

右涿州三人

劉氏女二姐。逼污，被殺死。王志

右房山縣一人

武起妻杜，因滑佩戲之，羞忿自盡死。王大水妻孔，因張全穢語辱詈，羞忿自盡死。胡振保妻李，拒姦不從，自縊死。張渢亭妻高，因張八戲之，羞忿投河死。生員李星耀妻王，王季銓妻張，季銓子世績妻胡。皆兵變被掠，不屈，死。周志

右霸州七人

宮借輝妻何，夫亡，奉姑孝，教子入庠。順治七年，靜海寇起，罵賊，死。王某女三姐，逼姦不從，見殺。一統志 李某妻王。李爲游蕩子，遇王虐，王矢志靡佗，自縊死。采訪册

右文安縣三人

韓遇雲妻賈，咸豐四年，粵匪過境，罵賊，死。馬廷梅妻駱，拒姦不從，被殺。崔玉堂妻張，夫亡，守十餘年。同治年間，其子追賊被害，張至賊前詈，賊刺殺之。張某女煥姐。挑菜遇狂夫牽其腕，詈之，歸家後自縊死。采訪册

右大城縣四人

張廷祥妻孫。年十六歸廷祥。夫兄廷喜欲污之，氏不從，致被毆死。吏廉得其情，置廷喜於法。沈志

右薊州一人

馬鸞妻劉，獨行田間，縣役張欽欲污之，劉不屈，死。駐防鑲黄旗耿某女。某爲勳舊。屯長主徵女入侍，懼辱，仰藥死。王志

右平谷縣二人

未嫁殉烈及守貞四十二人：

王有志女，字舉人陳慶昌。夫亡，過門守節。王某女，字王蔭桐。夫亡，過門守節。葉氏女，字蔡廣承。夫亡，過門守節。沈質原女。字于德亨。夫亡，過門守節。采訪册

右大興縣四人

張聖思女秋菊，字韓鴻。鴻亡，過門守貞三十年。采訪册 李氏女，字昌平張金榜。金榜卒，過門守貞，孝事舅姑五年，卒。昌平宋志 王氏女。字方毓英。毓英卒，女過門守節。

右宛平縣三人

生員王權女，字宣化舉人魏之樞。之樞歿，女欲臨其喪，其母弗許，即以死自誓。當事聞之，備與輿蓋送歸於魏，又置園田數十畝贍之。女既歸魏，事舅姑盡孝，親操井臼，不辭勞瘁，以夫從子爲嗣，督課甚力，補諸生。守數十年。生員趙傑女，字庠生丁鼐爲繼室。鼐歿，趙毀容奔喪，誓以死殉。舅姑泣慰之，乃願終事堂上。修婦道，極孝謹，撫前室子，既長而夭。女煢煢一室，終其身。吴宏基女，字王元紳。元紳歿，女易服奔喪，號慟絕食。夫有孀姊在室，力勸之，乃守節終身。王素家貧，女以針黹自給，歷飢寒不怨。夫姊有子娶婦，生男、女各一，而夫姊及子婦相繼歿，女撫其所遺幼穉成立。柏某女，承德人，字州人潘燿。燿歿，自縊死。王曰興女，字庠生蘇世恩。世恩歿，王毀容奔喪，留事舅姑，極盡誠孝。性嚴肅，非骨肉不見其面。孫某女，字沈文淦。文淦卒，女絶粒以殉。訓導劉浩女，字陶紹溥。紹溥卒，女奔喪，留夫家，事舅稱孝，越四年，卒。趙某女，字馬麒。麒久出無耗，父、兄另議婚。女泣欲自盡，乃止。父、兄歿，家貧，與嫂針黹度生，暮年愈困憊，歷飢寒，無怨言。趙某女，字李某。王某女。字□□。高志

右通州十人

王世澤女。字單士一。士一亡，欲往成服，父母不許，將投繯，乃聽之往。士一父勸之歸，執不可，遂獨居一室，縞素終身。邑令伍澤榮爲具啟徵詩。洪志

右寶坻縣一人

張之琰女，字趙思恭。思恭卒，女絶粒死。黄某女，字廉鈐。亡，矢志守貞，孝事舅姑，撫嗣子成立。郝恩詔女潤，字張玉衡。玉衡殤，父另爲訂婚，女知之，仰藥死。劉某女，字廉兆泰。兆泰亡，女欲往夫家，家人阻之，女自刎死。張慕之女。字馬維駉子。馬氏家中落，慕之欲斷婚，女争之不得，自縊死。丁志

右甯河縣五人

高氏女。字王哲。哲亡，女年十七，過門守貞。特旨旌表。宋志

右昌平州一人

戴永利女。字胡某，嫁有日，而胡卒，女往奔喪，遂不返，孝事舅姑。丁志

右密雲縣一人

于琨女，字王芸。芸卒，女矢志守貞，艱苦備嘗。生員陶杲女，杲，江蘇吴縣人。女字州人馮德祚。德祚亡，女毁容，經服過門守節，撫猶子家璿爲嗣。後以夫弟德祚官陜西，贈封孺人。楊逢源女，字李景榮。景榮卒，女過門守節，孝事孀姑，以猶子爲嗣，撫之成立。張金荃女。金荃，磁州人。女字州人王元愷。元愷殁，女欲往夫家守志，家人婉辭以緩之，遂鬱鬱成疾，卒。吴志

右涿州四人

駐防筆帖式伊某女，字旗人景福。景福亡，奔喪守貞，養姑，以孝稱。張某女，字辛永祥。永祥殤，矢志守貞，四十餘年。縣令旌其門。生員張惠詢女。張，淶水人。女字房邑羅維常。維常卒，女奔喪守貞。佟志

右房山縣三人

金某女，字候選知縣沈琨。琨亡，守志三十餘年。王某女，字郝雍。雍亡，守志四十餘年。王某女。字庠生崔廷槐。廷槐亡，守志三十餘年。朱志

右霸州三人

梁某女，字王季良。壻亡，縗麻歸王氏，守貞。陳鳳來女。字郭士華。壻亡，歸郭氏，守貞。采訪册

右文安縣二人

高某女穩姐，幼字馬松年，童養於馬，未婚而馬氏子卒。女矢志守貞，孝事孀姑，以女紅奉甘旨。母族私賣之，黑夜將奪之去；親鄰救護，女亦執兵自衛，未遭强暴。乘間鳴官，官捐廉贍之。貢生任聯第女。字青縣劉氏子。劉卒，女絶粒死。采訪册

右大城縣二人

王天元女，字蘇幹菀，未成婚而卒。女守志終身。沈志黄輔臣女。字遵化許士洪。士洪苦讀書，逃去，久無耗，至戚中有勸女改字者，遂自縊。采訪册

右薊州二人

山西蒲州府知府劉登庸女。字山陽程氏子允元。允元隨父南歸，五十餘年無耗。女守貞不嫁，寄迹尼庵，以針黹自給。後允元隨漕船北上，始訪之，完娶。王志

右平谷縣一人

貞孝賢淑婦女九十九人

知縣鄭溥女愛姑，母殁，身殉。朱庭桂女淑娟，奉母不嫁。韓晸女霄，刲股療父。曹濬澄妻朱，母病，刲臂和藥。傅頤女某，父母病，侍奉不懈，刲臂和藥。王某妻蔣。刲臂療姑。

右大興縣七人

候選從九品馬裕章妻何，刲臂療姑。俞陸氏，父病，刲臂療疾。胡學醇妻陶，刲臂療姑。查體勤妻張。姑病，刲股和

藥療疾。

右宛平縣四人

楊國璋妻魏。刲臂以療舅姑。本道耿旌其門。楊志

右良鄉縣一人

鄭昌妻張，割臂療舅姑。县令陳旌其門。辛文炳妻李，孟廣籌妻厙，皆割臂療舅。張宏濟妻李，割股療姑。陳佩欽妻李，割臂療姑。县令陳旌其門。鄭孝妻王。孝無賴，屢欲出妻，王不允，孝棄其廬舍，且餓之。王歸母家，以紡紉易食，凡二十年。後孝卧病，王奔赴事之。孝死，出紡紉之貲殮葬焉。县令陳旌其門。陳志

右固安縣六人

趙宏毅妻郭，割臂療姑。李文燦妻郭，割臂療姑。高鳳來妻王。刲股療姑。續志

右永清縣三人

李保靈妻陶，割臂療姑。生員黃澍妻李。刲股療夫。李志

右東安縣二人

駐防正藍旗漢軍佟松林妻李。割臂療夫。好蓄藥濟人，出貲爲惜字會。撫其女弟子成武進士。采訪册

右香河縣一人

武文炳妻張，割股療親。于歸後，復煎肌肉愈夫病。千總姚永齡妻王，割股療姑及夫。生員薛光第妻雷，鄧玉成妻賀，

張某妻石，皆割股療舅。劉允瑞妻侯，黄鼎新妻劉，生員白源瀛妻鄧，王瑶妻胡，胡廷瑞妻陳，方國棟妻梁，江蘇陽湖主簿羅鰲妻龍，生員張泌妻趙，皆割股療姑。湖南辰州府知府李如璋妻盧，通書史，事姑孝，教子有法，嘗割股療夫疾。無極縣教諭彭爾齡妻金，羅朝樑妻陳，王信善妻崔，王有道妻王，皆刲股療夫。生員王家玥妻吴，趙汝鈞妻梁，從九品滕桂華妻胡，齊本志妻謝，丁汝楫妻徐，錢起龍妻茅，皆割股療親。謝立賓妻王，立賓貿易粤西，年久無耗，或疑其死。王曰：我夫縱有不諱，我豈肯事二姓者！嗣教兩子補諸生，苦守二十二年，卒。卒之次年，立賓始歸。人謂王之守，不計夫之生死，與夫死守節者同。金振邦妻戴，未婚而振邦外出，翁姑俱殁，戴在母家孝服三年，矢志守節。後振邦歸，始完娶。某妻楊，年十四，夫出不歸，繼母逼改適，不從，凌辱殆徧，以死誓。守三十年，夫始歸。陳木匠妻王，繼母性嚴苛，王曲意誠敬；姑患癆瀉疾，卧床三年，王洗穢垢無怨言倦色。夫得直無幾，王復力作以佐薪水。姑亦感悟。李天實妻虞，事舅姑至孝，歸未久，尋殁。李感其孝，不再娶。生員唐彬妻李，黽勉相夫，事舅姑色養備至，鄉里稱之。山西朔平府經歷李元恩女蒲英姑，元恩卒，女水漿不入口數日，扶柩而死。生員于漸逵女，父殁，方九歲，號呼嘔血，亡。江西龍泉縣知縣黎吉凱二女，孫某女，俱養親不嫁。巡檢滕文瑞妻周，樂善好施，戚某貧甚，鬻女於人，周聞之，典釵釧贖歸，教養擇配。胡利溥妻劉。利溥，浙江山陰文學，以好黄白術，入終南不返。遺腹生子川鄰。劉貧無所依，茹荼課子。川鄰長，工文翰，見重於時，奉母來通，寄州籍，劉享高壽終。高志

右通州三十六人

李宗奭妻廉，割臂療舅。靳某妻劉，夫遠出，事舅姑如禮。姑先殁，舅年九旬，衰病卧床，寄情酒醴，劉以針黹之貲奉養無缺。縣令某旌其門。李春妻周，姑卧病數年，祗奉無少懈。山東青州府知府王繼庭女，父病危，割臂和藥以進。蔡志 韓永清女明姑，女年十三，家貧，母病，侍奉無少懈。母殁，女投井死。陳二姑。母病，刲股療疾。馬賊入境，縛其父以脅之，女奪刀自刎。采訪册

右武清縣六人

王鳴璋女二姑。割臂療父。禮部文札

右寶坻縣一人

武生王繼孟女，割臂療父。李永兆妻劉，割臂療舅。温自福妻韓，割臂療舅。安徽壽春鎮總兵王錫朋女。錫朋見人物傳。割臂療母。丁志

右甯河縣四人

何淳女百順，矢志不嫁，紡績養親。一統志 吴恆妻李，割股療舅。張士烈妻李。割臂療舅。士烈死，守志終身。宋志

右昌平州三人

周某妻劉。割臂療姑。采訪册

右順義縣一人

生員辛錦女，割臂療母。安徽候補府經歷甯鴻音妻齊。鴻音好施與，齊左右之。鴻音卒，益好善不倦。親族扁其堂曰：爲善最樂。教子瑋入庠。丁志

右密雲縣二人

李肇元妻劉，刲股療姑。州牧顧某旌其門。生員何克明妻甘，刲股療王舅病。王瑞妻王，刲股療舅。田桂枝妻劉，刲股療姑。貢生王錦文妻秦，割臂療姑。候選理問丁文炳妻張，事姑至孝，能先意承志，曲體親心，姑愛如己女，曰吾有賢婦，娱老足矣。人亦無間言。夫故，遺三子，教以成立，次子壽嵩，舉人，山東卽墨令。錢淵淑妻邵，李某妻錢。邵割臂剪掌。其小姑適李氏者，亦有割臂事，人以爲邵之所感。續志

右涿州八人

宋啟元妻王。宋以家貧，鬻身旗下，將去，王曰：姑老病，菽水誰供？遂割左腕肉以進曰：媳無以報恩，惟此一片肉耳。見者泣下。捐貲以贍之。佟志

右房山縣一人

駐防滿洲披甲薩勒不待妻某，駐防滿洲霍隆阿妻于，皆割臂療姑。朱志 王九如妻孔。刲臂療姑。

右霸州三人

劉家聲妻王，繼姑劉病廢在床，王手捧便溺，口哺飲食，甘旨不缺，而自啖粗糲。縣令某旌其門。都司邵邦甯妻王，邦甯之官，王以姑春秋高，奉之家居，十餘年孝事不倦，并教子秉忠入庠，念三成進士。嶺南梁佩蘭詩云：堂上奉姑稱至孝，燈前課子見能慈。進士萬方慶女，刲臂療母，後適貢生邢俊三，克盡婦職。楊志 陳某女蘭谷，事母至孝，歸錢塘符貴麟。井兆安妻相。刲臂療姑。采訪册

右文安縣五人

金應兆妻王，割股療姑。張志 齊永江妻仝。事舅姑惟謹，姑病，割臂療之。采訪册

右大城縣二人

王嘉會妻張，姑老病，思肉食，貧不能致，割臂肉以進，姑病愈。州牧某旌其門。沈志 王葆妻李，割臂療姑。李萬成女二姑。幼失恃，依伯母丁。丁歿，二姑憂思，夭歿。采訪册

右薊州三人

宜興李棣林校

列女四補録

王澐妻閻，守四十餘年。胡世瓚妻湯，守三十餘年。吴毓英妻吕，守二十餘年。以上禮部文札 金劉氏女。侍養不嫁，母病，割臂療疾。采訪册

右大興縣四人

宋暄妻劉，守六十餘年。韓棟妻車，守五十餘年。仇汝明妻茅，高起鳳妻張，李鎮妻孫，馬永清妻曾，趙文繡妻紀，韓得慶妻車，王如漢妻汪，蕭銓妻王，以上守三十餘年。仇嘉榕妻梁，仇嘉楨妻周，李德鴻妻仇，孫釗妻仇，張承藻妻李，王鐏妻錢，谷嶼妻方，宋廣鎔妻鄧，張瑞雍妻張，梅旺妻于，宋溥妻潘，宋溶妻邊，季得五妻韓，孫鐈妻王，以上守二十餘年。采訪册 徐天貞妻崔，李文化妻劉，以上守四十餘年。管隆盛妻楊，守三十餘年。以上禮部文札 朱某女，奉母不嫁。孫某女。壻亡，守貞不嫁。采訪册

右通州二十九人

宋福寬妻馮。守二十餘年。禮部文札

右三河縣一人

陳德琇妾張，守五十餘年。陳子良妻方。守三十餘年。禮部文札

右寶坻縣二人

張福有妻常，李春茂妻王，馮謨妻劉，以上守五十餘年。王汝謨妻董，劉廣業妻崔，廉德適妻梁，朱俊雄妻張，李長續妻崔，李位卿妻崔，以上守四十餘年。崔椿齡妻陳，守三十餘年。李廷林妻王，劉炳鐘妻董，童翼寰妻邵，張占元妻劉，陳浩妻孫，張文鈞妻劉，張文鐸妻王，王薌妻張，滕龍恩妻李，王鑑澄妻胡，董輔仁妻李，崔元林妻邵，張成文妻崔，以上守二十餘年。吴恆榮妻方，割臂療姑。采訪册王錫琨妻劉，陳紹伊妻岳。以上禮部文札

右甯河縣二十六人

高象乾妻馬。守三十年。禮部文札

右文安縣一人

人物志二十三

光緒順天府志一百十三

釋道

黃岡洪良品纂　江陰繆荃孫覆輯

上古

廣成子

周

甘需　琴高

漢

薊子訓　陽翁伯　茅君

商君士

宋

曇無竭

北魏

寇謙之　五侯寺僧

隋

慧雲　僧名盧　釋寶巖

靖嵩

唐

靜琬法師　義浄　夜光

邊洞元　李球　石巨

田道宗　孔存獎　隱峰禪師

智嘉禪師　寶積禪師　普化和尚
馬可止　鳳綱

遼

劉元英　張非濁　釋常在
非覺　嚴慧大師　華嚴祖師
豆兒佛

金

感禪師　王處一　嚴安
洪源

元

長春真人　宋海雲　萬松老人
善選師　張志敬　尹志平

米　四
酈希誠
張留孫
李居壽
王定演
岳德文
行　滿
張道寬
孫德彧
慧　月
雲山禪師

明

道　衍
邱元清
道士某
周思得
雅爾鼐羅密克
癡呆子
雷　通
劉道符
尼吕氏
無　湼
崔志端
任風子
尹山人
赤肚子
王秃子
李小仙
吴僧真程
足克戬古爾
僧德寳
陽　明
三藏師
虎皮仙
紫柏大師
索諾木納木
痴和尚
明　馥
陳　祖

乾峰明因寺僧　懶道人　朝承義

鍾丫髻　梅志仙

國朝

韓十洲　通　傑　樸噶嚩

老　人　任和尚　克　念

宋道人　大憬禪師　智　樸

埽　雲　楊和尚　劉倔子

明　乾　劉　翁　曹　倧

李大天　劉大泉　劉含真

伽　初　溟　渤　趙和尚

蓮　筏　貞　尼

二氏之教，儒者所黜。然釋老有志，始於魏收；列仙有傳，著於劉向。蓋亦九流之一家，博綜所不棄矣。京畿山水靈異，珠林玉觀，輝映藪谷，不有宗乘，孰主宰是？雖曰流宕過誕，要其探精遠，感靈效，亦視聽閎賅之林也。志釋道。

上古

廣成子，古之仙人也，居空桐之山，石室之中。黃帝聞而造焉，太平廣記一引神仙傳。按：司馬彪注莊子云：在今薊州。盤山志云：翁同山，一名空同山，在薊州城外五里。曰：我聞吾子達於至道，敢問至道之精。吾欲取天地之精，以佐五穀，以養人民；吾又欲官陰陽，以遂羣生。爲之奈何？廣成子曰：而所欲問者，物之質也；而所欲官者，物之殘也。自而治天下，雲氣不待族而雨，草木不待黃而落，日月之光益以荒矣。而佞人之心翦翦者，又奚足以語至道？黃帝退，捐天下，築特室，席白茅，閒居三月，復往邀之。廣成子南首而卧，黃帝順下風，膝行而進，載拜稽首而問曰：聞吾子達於至道，敢問治身奈何而可以長久？廣成子蹷然而起，曰：善哉，問乎！來！吾語女至道：至道之精，窈窈冥冥；至道之極，昏昏默默。無視無聽，抱神以靜，形將自正；必靜必清，無勞女形，無搖女精，乃可以長生。慎女內，閉女外，多知爲敗。我爲女遂於大明之上矣，至彼至陽之原也；爲女入於窈冥之門矣，至彼至陰之原也。天地有官，陰陽有藏。慎守女身，物將自壯。我守其一，以處其和，故我修身千二百歲矣，吾形未嘗衰。黃帝再拜稽首，曰：廣成子之謂天矣。廣成子曰：來，吾語女！彼其物無窮，而人皆以爲終；彼其物無測，而人皆以爲〔有〕極。得吾道者，上爲皇而下爲王；失吾道者，上見光而下爲土。今夫百昌皆生於土，而反於土。故余將去女，入無窮之門，以遊無極之野；吾與日月參光，吾與天地爲常。當我，緡乎；遠我，昏乎。人其盡死，而我獨存乎！莊子三。

周

甘需，仙人也。燕昭王好神仙之道，甘需臣事之，爲王述昆臺登真之事，去嗜慾，撤聲色，無思無爲，可以至道。王行之既久，太平廣記二引仙傳拾遺。有仙子來告曰：西王母將降。後一年，王母果至。畿輔唐志八十五。自是王母三降於燕宮。而昭王徇於攻取，不能遵甘需澄淨之旨，王母亦不復至。甘需曰：王母所設之饌，非人世所有，玉酒金醴，後期萬祀，王既嘗之，自當得道矣；但在虛凝純白，保其遐齡耳。甘需亦昇天而去。仙傳拾遺。

琴高者，趙人，以鼓琴爲宋康王舍人。行涓、彭之術，浮游冀州涿郡間二百餘年。後辭入涿水中取龍子，與弟子期之曰：皆潔齋候於水旁，列仙傳。設祠奉之。神仙傳。果乘赤鯉來，坐祠中，旦有萬人觀之。留一月餘，復入水去。列仙傳。

漢

薊子訓，母不夫而孕，生子訓於薊，遂以薊爲姓。薊州沈志。按：通志氏族略云，薊氏邑名，在燕地。神仙傳有薊子訓。少嘗任州郡舉孝廉，除郎中；又從軍，除駙馬都尉。人莫知其有道。在鄉里時，惟行信讓，與人從事，如此三百餘年，顏色不老。人怪之。好事者追隨之，不見其所常服藥物也。性好清澹，常閒居，讀易、作文，皆有意義。神仙傳。建安中，客在濟陰宛句，有神異之道。嘗抱鄰家嬰兒，故失手墮地而死。其父母悲號怨痛，不可忍聞，而子訓唯謝以過誤，終無它説，遂埋藏之。後漢書方術傳。後二十餘日，子訓往問之曰：復思兒否？鄰曰：小兒相命應不合成人，死已積日，不能復思也。子訓因出外抱兒還其家。其家謂是死兒，不敢受。子訓曰：但取之，無苦，故是汝本兒也。神仙傳。兒識父母，軒渠笑悦，欲往就之，母不覺攬取，乃實兒也。雖大喜慶，心猶有疑，乃竊發視死兒，但見衣被，方乃信焉。後漢書方術傳。此兒遂得長成。諸老人鬚髮畢白者，子訓乃與之對坐共語，宿昔之間，明旦皆黑矣。神仙傳。於是子訓流名京師，士大夫皆承風向慕之。後漢書方術傳。有年少與子訓鄰居，爲太學生。諸貴人作計，共呼太學生謂之曰：子勤苦讀書，欲規富貴，但召得子訓來，使汝可不勞而得矣。生許諾，便歸，事子訓洒埽，供侍左右數百日。子訓知意，謂生曰：卿非學道，焉能如此？生尚諱之。子訓曰：汝何不以實對？妄爲虛飾，吾已具知卿意。諸貴人欲見我，我豈以一行之勞而使卿不獲榮位乎！神仙傳。乃駕驢車，與生俱詣許下，道過滎陽，止主人舍，而所駕之驢忽然卒僵，蛆蟲流出。主遽白之，子訓曰：乃爾乎！方安坐飯食畢，徐出，以杖叩之，驢應聲奮起，行步如初。即復進道，其追逐觀者，常有千數。既到京師，後漢書方術傳。子訓問曰：誰欲見我？生曰：欲見先生者甚多，不敢枉屈；但知先生所至，當自來也。子訓曰：吾千里不倦，豈惜寸步乎？欲見者語之，令各絶賓客，吾明日當詣各宅。生如言告諸貴人，各自絶客、洒埽。至時，子訓各來，凡二十三家，各有一子訓。諸朝士各謂子訓先到其家。明日至朝，各問：子訓何時到宅？二十三人所見皆同時，所服飾顔貌無異，唯所言話隨主人意答，乃不同也。京師大驚異，其神變如此。諸貴人並欲詣子訓，子訓謂生曰：諸貴人謂我重瞳八采，故欲見我；今見我矣，我亦無所能論道，吾去矣。適出門，諸貴人冠蓋塞路而來，生具言：適去矣，東陌上乘騾者是也。神仙傳。惟見白雲騰起，從旦至暮，如是數十處。時有百歲翁，自童兒時見子訓賣藥於會稽市，顔色不異於今。從人復於長安東霸城見之，與一老翁共摩挲銅人，相謂曰：適見鑄此，已近五百歲矣。顧視見人而去，猶駕昔所乘驢車也。見者呼之曰：薊先生！小住並行！應之，視若遲徐，而走馬不及。後漢書方術傳。子訓至陳公家，言曰：吾明日中時當去。陳公問：遠近行乎？曰：不復更還也。陳公以葛布單衣一送之。至時，子訓乃死，屍僵，手足交胸上不可得伸，狀如屈鐵。屍作五香之芳，氣達於巷陌，其氣甚異。乃殯之棺中。未得出，棺中噏然作雷霆之音，光照宅宇，坐人頓伏。良久，視其棺蓋，乃分裂飛於空中，棺中無人，但遺一隻履而已。須臾，聞陌上有人馬簫鼓之聲，徑東而去，乃不復見。子訓去後，陌上數十里芳香，百餘日不歇也。（神仙傳。）

陽翁伯，盧龍人。（太平廣記引仙傳拾遺。案：搜神記，雍伯，雄易人。水經鮑邱水注引陽氏譜序，言翁伯景王之後，食采陽樊，春秋之末，爰宅無終，因陽樊而易氏焉。）事親以孝，葬父母於無終山。山高八十里，其上無水，翁伯盧於墓側，晝夜號慟，神明感之，出泉於其墓側，因引水就官道，以濟行人。嘗有飲馬者，以白石一升與之，令翁伯種之，當生美玉。果生白璧，長二尺者數雙。一日，忽有青童乘虛而至，引翁伯至海上仙山謁羣仙，曰：此種玉陽翁伯也。一仙人曰：汝以孝於親，神真所感，昔以玉種與之，汝果能種之，汝當夫婦俱仙。今此宮卽汝他日所居也。天帝將巡省於此，開禮玉十珏，汝可致之。言訖，使仙童與俱還，翁伯以禮玉十珏以授仙童。北平徐氏有女，翁伯欲求婚。徐氏謂媒者曰：得白璧一雙可矣。翁伯以白璧五雙，遂壻徐氏。數年，雲龍下迎，夫婦俱昇天。今謂其所居爲玉田。陽翁伯仙去後，子孫立大石柱於田中，以紀其事。（仙傳拾遺。）

茅君，幽州人。學道於齊，二十年，道成歸家。父母見之，大怒曰：汝不孝，不親供養，尋求妖妄，流走四方。欲笞之，茅君長跪謝曰：某受命上天，當應得道；事不兩遂，違遠供養，雖日多無益。今乃能使家門平安，父母壽考。其道已成，不可鞭辱，恐非小故。父怒不已，操杖向之，適欲舉杖，杖卽摧成數十段，皆飛，如弓激矢，中壁，壁穿；中柱，柱陷；父乃止。茅君曰：向所言，正慮如此邂逅中傷人耳。父曰：汝言得道，能起死人否？茅君曰：死人罪重惡積，不可得生；横傷短折，卽可起耳。父使爲之，有驗。茅君弟在宦，至二千石，當之官，鄉里送者數百人，茅君亦在座，乃曰：余雖不作二千石，亦當有神靈之職，某月某日當之官。賓客皆曰：願奉送。茅君曰：顧肯送，誠君甚厚意，但當空來，不須有所損費，吾當有以供待之。至期，賓客並至，大作宴會，皆青縑帳幄，下鋪重白氊，奇饌異果，芬芳羅列，妓女音樂，金石俱奏，聲震天地，聞於數里。隨從千餘人，莫不醉飽。及迎官來，文官則朱衣素帶數百人，武官則甲兵旌旗，器仗耀日，結營數里。茅君與父母親族辭别，乃登羽蓋車而去。麾幡蓊鬱，驂虬駕虎，飛禽翔獸，躍覆其上，流雲彩霞，霏霏繞其左右。去家十餘里，忽然不見。遠近爲之立廟奉事之。茅君在帳中與人言語，其出入或發人馬，或化爲白鶴。人有病者，往請福，常煮雞子十枚以内帳中，須臾一一擲出還之；歸破之，若其中黄者，病人當愈，若有土者，卽不愈，常以此爲候。太平廣記十三引神仙傳。

商居士，三河縣人。年七歲，能通佛氏書，里人異之。後廬於三河縣西田中，有佛書，數百遍，手卷目閲，未嘗廢一日。從而師者百輩。往往獨遊城邑，偕其行者，聞居士每運支體，瓏然若戛玉之音，聽者奇之。或曰：居士之骨真鏁骨也。居士後年九十餘，一日湯沐，具冠帶，悉召門弟子會食，因告之曰：吾年九十矣，今旦暮且死，汝當以火燼吾尸，慎勿逆吾旨。門弟子泣曰：謹聽命。是夕坐而卒。後三日，門弟子焚居士於野，及視其骨，支體連貫若紉綴之狀，風一拂，則纖韻徐引。於是里人競施金錢建一塔，以居士鏁骨瘞於塔中。太平廣記一百一引宣室志。

宋

曇無竭，此云法勇，姓李氏，幽州人。幼爲沙彌，便修苦行，持戒誦經，爲師僧所重。嘗聞法顯等躬踐佛國，乃慨然有忘身之誓，遂以宋永初元年，招集同志沙門僧猛等，共賚旛蓋供養之具，遠適西方。初至河南國，仍出海西郡，入流沙，到高昌郡，經歷龜兹、沙勒諸國，登葱嶺，度雪山，進至罽賓國，禮拜佛鉢。停歲餘，學梵書梵語，求得觀世音受記經梵文一部。復西行至辛頭那提河，緣河西入月支國，禮拜佛肉髻骨，及睹自沸水船。後至檀特山南石留寺，住僧三百餘人，雜三乘學，無竭停此寺，受大戒。復行，向中天竺界。路既空曠，唯賚石蜜爲糧，雖屢經危棘，而繫念所賚觀世音經未嘗暫廢。將至舍衞國，中野逢山象一羣，無竭稱名歸命，卽有獅子從林中出，象驚惶奔走。後度恆河，復值野牛一羣鳴吼而來，將欲害人。無竭歸命如初，尋有大鷲飛來，野牛驚散，遂得免之。後於南天竺隨舶泛海達廣州。其所譯出觀世音受記經，今傳於京師。後不知所終。神僧傳二。

北魏

寇謙之，字輔真，自云寇恂十三世孫。早好仙道，服食餌藥，歷年無效。有成公興者，不知何許人，至謙之從母家傭賃。謙之常覩其姨，見興形貌甚彊，力作不倦，請回賃興代己使役，乃將還，令其開舍南棘田。謙之樹下坐算，興墾一發致勤，時來看算，謙之謂曰：汝但力作，何爲看此？後謙之算七曜，有所不了，惘然自失。興謂謙之曰：先生何爲不懌？謙之曰：我學算累年，而近算周髀不合，以此自愧。且非汝所知，何勞問也？興曰：先生試隨興語布之。俄然便決。謙之歎服，不測興之淺深，請師事之。興固辭不肯，但求爲謙之弟子。未幾，謂謙之曰：先生有意學道，豈能與興隱遁？謙之欣然從之。興乃令謙之潔齋三日，共入華山。令謙之居一石室，自出採藥，還與謙之，謙之食藥，不復飢。乃將謙之入嵩山，有三重石室，令謙之住第二重，歷年，興謂謙之曰：興出後，當有人將藥來，得但食之，莫爲疑怪。尋有人將藥而至，皆是毒蟲臭惡之物，謙之大懼，出走。興還問狀，謙之具對，興歎息曰：先生未便得仙，政可爲帝王師耳。興事謙之七年，謂之曰：興不得久留，明日日中應去。興亡後，先生幸爲沐浴，自當有人見迎。興乃入第三重石室而卒。謙之躬自沐浴，明日中有叩石室者，謙之出視，見兩童子，一持法服，一持鉢及錫杖。謙之引入，至興尸所。興欻然而起，著衣，持鉢執杖而去。先是，有京兆灞城人王胡兒，叔父亡，頗有靈異，曾將胡兒至嵩高别嶺，同行觀望，見金室玉堂，有一館尤珍麗，空而無人，題曰成公興之館。胡兒怪而問之，其叔父曰：此是仙人成公興館，坐失火，燒七間屋，被謫爲寇謙之作弟子七年。始知謙之精誠上達；興乃仙者，謫滿而去。至是謙之卒。其未卒前一日，忽言：吾氣息不接，腹中大痛。而行止如常，至明旦便終。須臾，口中氣狀若煙雲，上出窗中，至天半乃消。尸體引長，弟子量之，八尺三寸。三日以後稍縮，至斂，量之長六尺，於是弟子以爲尸解變化而去，不死也。通鑑補一百二十五。

五侯寺僧，范陽人，失其名。誦法華爲常業。初死，權殯隄下；後解葬，骸骨並枯，唯舌不壞。法苑珠林。

隋

慧雲，范陽人。十二出家，遊聽爲務。年至十八，乘驢至叔家，叔睹其驢快，將竊害之，持刀往，見東牆下有黃衣人，揚拳逆叱曰：此道人方爲通法大士，何忍欲害？叔懼，告婦，婦曰：君心無剛，眼華所致耳。聞已復往，又見西牆下黃衣人，云：勿殺道人，若殺，大禍交及。叔怖乃止。明旦，辭往姊家，叔又持刀送之，告雲曰：此路幽險，故送師度難。雲在前行，正在深阻，叔在其後揮刀欲斫，忽見姊夫在旁，遂得免害，雲都不知。雲後學問名德高遠，至開皇年中，領徒五百，來過叔家，見闡化，深懺昔釁，乃奉絹十匹，夫妻發露，雲始知之。乃爲說法，永斷毒心。嘗以此事每誡門人曰：吾昔不乘好物，何事累人自預？學徒聞皆儉素，大有聲譽。不測終年。法苑珠林七十九。

僧名盧，不知何許人。明僧南浦重修鎮海禪寺記。隋仁壽中，帝京景物略六。自江南造一舟，不設篙櫓，任所之，曰：舟止，吾止也。至盧溝橋，桑乾河分兩岔處，一岔通戶陀林，重修鎮海禪寺記。船至崖下止，師遂崖居。居數歲，二童子來，曰大青、小青，願侍不去。帝京景物略六。盧納之，祝髮爲沙彌，日以粥、薪奉盧師饌供，雖寒暑無怠。時旱，三年不雨，樹枯井竭，民甚憂之。重修鎮海禪寺記。所司徵禱雨者，童子白師，願施雨，雨一方。遂乘雲氣去。俄雨大注，知大青、小青乃龍也。帝京景物略六。田疇俱滿，枯者榮，憂者喜，百官稱頌，皇情大悅，遣大臣降香，御駕往顧。未及，盧先知，示現觀音儀像，身掛天衣瓔珞，奇祥異瑞。萬衆仰觀，喜動龍顔，賜盧師號曰感應禪師，重修鎮海禪寺記。建寺設像，立碑以紀其事。又別設祠於龍潭之上，春秋遣官祭青龍神。青谿漫藁。

釋寶巖，幽州人。住京下仁覺寺，守道自娱。仁壽下勅，召送舍利於本州宏業寺，卽元魏孝文之所造也，舊號光林。依峯帶澗，面勢高敞，自開皇末，舍利到前，山恆傾摇，未曾休止，及安塔竟，山動自息。仁壽初歲，天降剃刀三十三枚，用甚銛利，而形制殊别，今僧常用以剃剪也。又初造石函，明如水鏡，文同瑪瑙，光似琉璃，内外照徹。紫锬光起，函外生紋，如菩薩像，及似衆仙、禽獸、師子林樹，雜相非一。四月三日夜，放大光明，照天地，有目皆見。續高僧録。

靖嵩，俗姓張氏，涿郡固安人。十五出家，神氣俊越。及游漳南，值高齊之盛，屢投明師，咨諏幽奥。後瑯琊王深加器重。屬周武帝屏除釋教，遂南達江左。時建業有天竺僧齋，設舍，二論至中國，惟嵩獨拔元心，翫味兹典。隋開皇十年北還，自此撰攝論疏六卷，雜心疏五卷，又撰九識、三藏、三聚、戒二生死等元義，並傳於世。煬帝屢詔，嵩終固辭。門人問其故，答曰：王城有限，動止嚴難，不如物外沙門，名爲解脱，如何反以事業累乎？大業十年遘疾，卒於彭城，年七十有八。嵩性愛文史，時製詩頌，且工篆隸，足爲世模。固安陳志。

唐

静琬法師，里居、姓氏不可考。畿輔仙釋志。按：太平廣記九十一引冥報録，作知苑。考之他書，均作静琬。與遼天慶七年沙門志才涿鹿山雲居寺續秘藏石經塔記合，惟隋圖經作知泉寺僧静琬。今之冥報記，亦出于太平廣記，所引或刊落數字，訛成知苑歟？初，北齊南岳慧思大師慮東土藏教有毁滅時，帝京景物略。發心造石字一切經藏，封閟巖壑中，以備法滅。神僧傳五。静琬承師訓，訪求名勝，至涿州北白帶山，畿輔仙釋志。見其峰巒重秀，乃鑿巖爲石室，卽摩四壁以寫經，又取方石，别更摩寫，藏諸室内。每一室滿，卽以石塞門，鐵固之。時煬帝幸涿郡，内史侍郎蕭瑀，皇后弟也，性篤信佛法，以其事白后。后施絹千匹，冥報録。及餘錢物，以助成之；法苑珠林十八。瑀施絹五百匹，朝野聞之，争共捨施，故琬得成功。冥報録。大涅槃經成，是夜山吼，生香樹三十餘本。畿輔仙釋志。琬常以役匠既多，道路奔湊，欲於巖前造木佛堂，并食堂、寐室，而念木瓦難辦，恐繁經費，未能起作。忽一夜暴雨，雷電震山。神僧傳五。明旦既晴，見山下有大木，松柏數千萬，爲水所漂，積於道次。冥報録。山東少林木，松柏尤希，法苑珠林十八。道俗驚駭，不知來處。冥報録。推尋踪跡，遠自西山，崩巖倒漂，送來於此，於是遠近歎伏。法苑珠林十八。琬乃使匠擇取其木，餘皆分與邑里。邑里喜悦，助造堂宇，神仙傳五。頃之畢成，如其志焉。法苑珠林十八。琬所造經，已滿七室矣。貞觀十三年卒。門人導公歿，儀公繼焉；儀公歿，暹公繼焉；暹公歿，法公繼焉；自琬至法，凡五代焉，不絶其志。金石萃編一百五十三。今香樹林之後，琬公塔尚存焉。仙釋志。

義净，字文明，俗姓張氏，范陽人，年十五出家。咸亨二年至番禺，附海舶，經二十五年，游三十餘國，以武后證聖元年齎梵本經還河洛，敕住佛授寺。先天二年卒，年七十九。全唐文九百十四。

夜光，薊門人，少聰敏好學，雅尚浮屠氏，遂爲僧。居於本郡，僅十年，盡通内典之奥。又有沙門惠達者，家甚富有，金錢巨萬，貪夜光之學，因與爲友。是時元宗皇帝好神仙釋氏，窮索名僧方士，而夜光迫於貧，不得西去，心常怏怏。惠達知之，因以錢七十萬資其行，且謂夜光曰：師之學藝材用，愚竊以爲無出於右者。聖上拔天下英俊，吾子必將首出羣輩，沐浴恩渥。自此託跡緇徒，爲明天子臣，可翹足而待也。然當是時，必有擁篲子門，幸无忘半面之舊。夜光謝曰：幸師厚貺我，得遂西上，倘爲君之五品，則以報師之惠矣。夜光至長安，因賂九仙公主左右，得以温泉命内臣選碩學僧十輩與方士議論，夜光在選。演暢元奧，發揮疑義，羣僧無敢比者。上奇其辯，詔賜錫印朱綬，拜四門博士，日侍左右，賜甲第洎金錢、繒綵以千數，時號幸臣。惠達遂自薊門入長安訪之。夜光聞惠達至，以爲收債於己，甚不懌。惠達悟其旨，因告去。既以北歸，月餘，夜光慮其再來，卽密書與薊門帥張廷珪：近者惠達師至輦下，誣毀公繕完兵革，將爲逆謀，人亦頗有知者；以公之忠，天下莫不聞之，積毀銷金，不可不戒。廷珪驚怒，卽召惠達，鞭殺之。後數日，夜光忽見惠達來庭中，罵夜光曰：我以七十萬錢資汝西上，奈何遽相誣謗，使我冤死，何負我之深也！言訖，遂躍而上，捽拽夜光。久之，乃亡所見。師氏家僮咸見之。其後數日，夜光卒。宣室志。

邊洞元者，范陽女子，按：廣輿記以邊洞元爲冀州棗强人。幼而高潔，仁慈好善。每霜雪凝沍，烏雀飢栖，必求米穀以餵之。歲月既深，烏雀望而識之，或飛鳴前導，或翔舞後隨。年十五，白其父母，願得入道。父母未之許也。既笄，誓以不嫁，奉養甘旨。數年丁父母憂，毀瘠不食，幾至滅性。服闋，詣郡中女官，請爲道士，治機杼紡績，晝夜不懈。性亦好服餌，往往爲藥所苦，嘔逆吐痢，至於疲劇，亦無所怨。一旦，有老叟負布囊入觀賣藥，衆問：賣者何藥？叟曰：大還丹，服之長生上仙。叟面目黧黑，形容枯槁，行走傴僂。衆笑曰：既服之長生，何憔悴若此耶？逡巡，暴風雷雨，衆驚悸，稍稍散去。叟曰：此間有女道士，好行陰德，絶粒多年者，何在？或指其院以示之。叟入院，徑至洞元前，曰：此有還丹大藥，能服之乎？洞元驚喜，延坐，問：藥須幾錢？叟曰：所值不多，五十萬金耳。洞元曰：窮窘無錢，何以致藥？叟曰：勿憂。子自幼及今，四十年矣。三十年來，積聚五穀，餉飼禽蟲，以此計之，不啻藥價也。卽開囊示之，藥丸青黑色，大如梧子者二三斗。令洞元自探之，洞元所得三丸。叟曰：此丹服之，易腸换血，十五日後，方得升天，乃中品也。又於衣裾中解一合子，大如錢，出少許藥，如桃膠狀，亦似桃香，叟於井中汲水，調此令吞之。謂曰：子宜處臺閣之上，七日可以升天。當有天衣、天樂來迎矣。須臾雨霽，叟不知所之。於是洞元告人曰：吾不欲居此，願登門樓之上。時樓猶扃鎖，語未終，已騰身而上矣。一郡之内，觀者如堵。太守、僚吏，遠近之人皆禮謁焉。洞元告衆曰：中元日可來相别。衆乃致齋大會。七月十五日辰時，天樂滿空，紫雲蓊鬱，縈繞觀樓。衆仰見洞元升天，幡旌羅列，直南而去，午時雲物方散。太守具以奏聞。是日巳刻，明皇居便殿，忽聞異香粉郁，有青童四人，導一女道士，年可十六七，進曰：妾幽州女道士邊洞元也，今日得道升天，來辭陛下。言訖，冉冉而去。乃詔問所部，幽州亦驛騎馳奏，與此符合。勑其觀爲登仙觀，樓曰紫雲樓。命校書郎王端敬之，爲碑以紀其事。墉城集仙録。

李球，燕人。寳曆二年，與其友劉生遊五臺山。山有風穴，遊人稍或諠呼，及投物擊觸，卽大風震發，揭屋拔木，必爲物害。故登山之時，互相戒勑，不敢觸。球至大穴口，戲投巨石於穴中，良久，石聲方絶。果有奔風迅發，有一木如柱，隨風飛出。球性軒悍，無所顧忌，遂力拔其木，却墮入穴中。球爲木所載，亦不得出。良久至地，見一人，形如獅子而人語，引球入洞中齋内，見二道士奕碁。道士見球，喜問球所修之道。球素不知通修行之事，默然無以爲對。二仙責引者曰：吾至道之要，當授有骨相之士、習道之人；汝何妄引凡庸入吾仙府耶！速引去之。因以一杯水遺令飲，謂之曰：汝雖凡流，得睹吾洞府，踐吾真境，將亦有少道分矣；所恨素不習道，不可語汝修行之要耳。但去，苟有希生之心，出世之志，他日可復來也。飲此神漿，亦延年壽矣。球飲水，拜謝訖，引者將球至向來洞側，示以別路，曰：此山，道家紫府洞也。五峰之上，皆藉四海奇寶以鎮峰頂，亦如茅山洞鎮以安息、金墉城之寶，春山雜玉，環水香瓊，以固上真之宅。此山東峰有離岳火球，西峰有麗農瑶室，南峰有洞光珠樹，北峰有玉澗瓊芝，中峰有自明之金，環光之璧。每積陰將散，久暑將雨，卽衆寶交光，照灼巖嶺；春曉秋旦，則九色之氣屬天，光輝爍乎雲表。大帝命韓司少卿、東方君與紫府先生統六年仙寮，神王力士，以鎮於此，故謂神仙之府也。洞有三門，一徑西通崑崙，一徑出此巖之下，一向來風穴，是洞之端門也，皆有龍蛇守之。先生有勑曰：有巨石投於洞門，中吾柱者，是世間將有得道之人受事於此，卽使我引進。我亦久遠學道，當證仙品，而積功之外，口業不除，以宿功所廕，得守此洞穴之口，後三百年亦當超昇矣；以口業之故，假此形耳。我守先生之命，適門投石中柱，依教引子，誠不知子戲投石耳。然數百年來，投石者少，亦未嘗中柱，神仙之宫不易一至，子亦將有所得於元妙之津矣。此有北巖之徑，可使子得速還人間。因衣帶解藥三丸，貫一槁枝之末，謂球曰：路側如見異物，以藥指之，不爲害。此藥食之可以無病。球持此藥行於洞中，黑處藥有光如火。數有巨蛇張口向球，以藥指之，伏不敢動。因出洞，門外古樹半朽，洞欲湮塞。球摧壞土朽樹，久方得出，已在寺門之外矣。先是，劉生既失球，子方執誣劉生，疑害其父，欲訟於官。寺有大齋，未得便去，既見球還，衆皆忻喜，具話所見之異。因以三丸藥與劉及子，各餌一丸。乾符中，進士司徒鐵與球相别三十餘年，别時，球年六十，鬚已垂白。於河東見球，年九十餘，容狀如三十許人。話所遇之事，云服藥至今，老而復壯，性不食。其子亦如三十歲許。鋭志修道，與其子入王屋山去。太平廣記四十七引仙傳拾遺。

石巨，胡人也，居幽州，性好服食。大曆中，遇疾百餘日，形體羸瘦，而神氣不衰。忽謂其子曰：河橋有卜人，可蹔屈致問之。子還云：初無卜人，但一老姥爾。巨云：正此，可召。子延之至舍。巨卧堂前紙槅中，姥徑造巨所，言甚細密，巨子在外聽之不聞。良久，姥去。後數日，但有白鶴從空中下，穿巨紙槅，入巨所，和鳴。食頃，升空中，化一白鶴飛去。巨子往視之，不復見巨。子便隨鶴而去，至城東大墩上，見大白鶴數十，相隨上天，冉冉而滅。長史李懷仙召其子，問其事，具答云然。懷仙不信，謂其子曰：此是妖訛事。必汝父得仙，吾境内苦旱，當爲致雨。不雨，殺汝。子歸，焚香上陳。懷仙使金參軍齎酒脯至巨宅致祭。其日大雨，遠近皆足。懷仙以所求靈驗，乃於巨宅立廟，歲時享祀焉。太平廣記四十引廣異記。

道宗，俗姓田，千牛將軍賓庭之後。元和九年，於燕庭金閣寺受戒。聞盤山寶積大師，往詣參承。大和二年，屆盤頂居焉。咸通七年，化緣時，畢説偈靈脱常實。繼，道宗住上方感化，稱伏虎禪師。今有伏虎峪，在上方塔院。薊州沈志。

存奬，俗姓孔，闕里裔孫也。七歲時，於盤山甘皇院，依曉方剃落。大中五年，具戒。尋參臨濟，爲侍者。既而徧歷諸方。後告寂闍維，得舍利千餘粒。薊州沈志。

隱峰禪師，唐鄧人。修真於天壽山。山東北六十里曰銀山，山最高曰中峰，懸索升之三四里上，石欄供石佛，隱峰道成于此。山峰下石巖，隱峰晏坐處；巖上石如臺，爲隱峰説法臺；嶺邊一松，曲如椸枷，爲隱峰挂衣樹。隱峰有妹，與俱出家夕定巖下。冥府攝隱峰，鬼詣隱峰前，覓不得見而去。帝京景物略八。末山尼開堂説法，隱峰挾刃，夜試所守，尼憚，失志。取其祖服，集衆曉之，其徒立散。北夢瑣言。隱峰參馬祖，得悟，因遊五臺，路出淮西，屬官軍討吴元濟，鋒方交，隱峰擲錫空中，飛身而過，兩軍齊見而譁。後入金剛窟，將示寂，問衆曰：諸方遷化，坐去，卧去；還有立化也無？曰：有。還有倒立也無？曰：無。師乃倒立而化，亭亭然；衣亦順體，斬斬然；舁就荼毘不可動，屹屹然。其妹咄曰：兄生不循法律，死更惑人！推之而仆。帝京景物略八。

智嘉禪師，玉田人也，生而超異。幼慕空宗，恒誦妙法蓮花經，洞究厥旨。又喜平治道途、橋梁，不憚勞苦。師一日自歎曰：吾太區區生，豈若遯跡煙霞以休心乎？於是杖錫雲遊，遍歷林壑，將選勝地；至葛山之下，睹兹有大乘氣象，徘徊不忍去，乃穴巖以居。師一夕月下誦經。俄有鐘聲自半山來。師驚異曰：地固無寺，甯有此聞？因尋聲而往。才及半山腹，見廢寺故基，壞壁間有龍福院額，石泉數處，清淺可愛。詰旦，師結茅其上。方半載，忽夜有女子，詣師作禮。師問曰：婆夷何來？答曰：某實非人，蠆所化也。於此受諸苦惱，不知紀極。比者吾師誦讀聖教，某一心聽受，是諸苦惱悉得解脱；且無以報德，將令左右五里永絶蠆毒。言既而滅，事果有驗。由是遠近歸嚮，布施恐後。乃因舊址爲起殿廡，俄成寶坊。及師示寂，居多名僧。金呂卿雲薊妙葛山重修龍福院記。

寶積禪師，行於市肆間，見一人買猪肉，語屠家曰：精底割一觔來。屠家放下刀，叉手曰：長史那個不是精底！師於此有省。又一日出門，見人舁喪歌，卽振鈴云：紅日決定沈西去，未委靈魂在那方。幕下孝子哭曰：哀哀！師忽身心踴躍，舉似馬祖，祖印可之。後住盤山，有十人上山、九人得道之語，普化乃其一也。將順世告衆曰：有人貌得吾真否？衆將所寫真呈，皆不契師意。普化出曰：某甲貌得。師曰：何不呈似老僧？普化打筋斗而出。師曰：這漢向後掣風狂去在。師乃怛化。謚凝寂。（薊州沈志。）

普化和尚，不知何處人。師事盤山，佯狂，出言無度，隨路行化，或城市，或塚墓，隨處而往。手執一鐸，凡見人必振鐸，或於人耳邊振之，或附人背，人面顧，即伸手曰：乞我一文錢。常於闤闠間摇鐸曰：覓過去處不可得。一日入市，對人曰：乞捨我一個直裰。人以衣與，不顧，摇鐸而去。盤山僧臨濟知之，使人將一棺付之。普化笑曰：臨濟那廝饒舌。即受之。辭衆曰：普化明日去東門死也。次日，郡人相率出城。普化大聲曰：今日葬不合青烏，明日南門去死。明日，人又往南門。普化又曰：明日西門乃吉。人意稍怠，出視者漸少，普化入棺而逝。郡人奔走往視，揭棺看時，屍已不見，維聞空中鐸聲漸遠。（薊州沈志。）

可止，姓馬氏，范陽房山人。長近體律詩。乾甯中賜紫，後唐明宗令住持洛京長壽寺，署號文智大師。有三山集。在中山節度王處直座，詠白鵲，時諸侯兼并，王欲繼好息民，故可止詩云：不知誰會喃喃語，必向王前報太平。（全唐詩話。）

鳳綱者，漁陽人也。常採百草花，以水漬泥封之，自正月始，盡九月末止，埋之百日，煎九火。卒死者，以藥内口中，皆立活。綱常服此藥，至數百歲不老。後入地肺山中，仙去。神仙傳八。

遼

劉元英，字宗成，號海蟾子。初名操，字昭遠，後得道，改稱焉。燕地廣陽人也。一云遼人。以明經擢第，仕燕王劉守光爲相，素喜性命之説，欽崇黄老。文安楊志。遼史拾遺二十一。按：原作燕地廣陵人。燕地焉有廣陵？此廣陽之訛耳。今改。一日，忽有道人來謁，元英乃邀坐堂上，待以賓禮，問其氏族、名字，俱不對，但自稱正陽子。元英請益。道人爲演清净無爲之宗，金液還丹之要。既竟，乃索雞卵十枚、金錢十文，以一文置之几上，累十卵于錢，若浮圖之狀。元英驚異之，歎曰：危哉！道人曰：人居榮禄之場，履憂患之地，其危有甚於此者。復盡以其錢擘破爲二擲之，遂辭而去。遼史拾遺二十一。元英因此大悟。是夜命家人設宴，棄擲金玉。文安楊志。翌早，解印辭朝，易服從道。有詩云：抛離火宅三千指，屏去門兵十萬家。紀實也。後遇吕洞賓，得金丹之秘旨，自此往來終南、太華間，遼史拾遺二十一。韜光隱曜，莫測所以。尚書郎李觀自言爲進士時，往遊南岳，過潭州至亭買酒，忽有一人荷竹奩、持飣餃之具徑至，問觀曰：聞君將之南岳，頗識養素先生藍方否？觀曰：固將往見之。其人曰：奉煩寄聲，劉處士奉問先生曰：十月懷胎，如何出得？言訖，徑出不顧。觀至南岳訪方，具道其語。方愗然驚歎曰：吾不遇此，命也，所謂劉海蟾者也。吾養聖胎已成，患無術以出之，念非斯人不足以成吾道，今聲聞相通，而不得接，吾之道不成矣。觀急回訪于潭州，已亡所在。是年方卒。文安楊志。復結張無夢、种放，訪陳希夷先生，爲方外友。亦間作詩，有詩集行於世。其詠修煉，別有還金丹篇行於世。遼史拾遺三十一。後隱代州之鳳凰山。宋仁宗天聖九年，遊歷名山，所至多有遺跡。一日，于州壽甯觀題古詩十韻云：醉走白雲來，倒提銅尾秉。引箇碧眼奴，擔著獨壺癭。自言秦世事，家住葛洪井。不讀黄庭經，豈燒龍虎鼎！獨立都市中，不受俗人請。欲攜霹靂琴，去上芙蓉頂。吴牛買十箇，溪田耕半頃。種秫釀白醪，總是仙家境。醉卧松陰下，閑遇白雪嶺。要去卽便去，直入彩霞影。仍自寫真其傍，撮襟書龜鶴齊壽四字，題云：廣陵閑人劉某書。至鳳凰山來儀觀，亦自寫真，飛白清安福壽四字，畫五星。其所寫真，幅巾黄衣，右肩酒瓢，左肩提布囊，破綻補之，氣韻古淡，人望之知爲有道者。又嘗于成都青羊宫潑墨，成壽山福海四字。二處相隔地里，壽甯至來儀僅兩舍，西蜀至代數千里，皆同日時而書之，以示分形散景，神變無方之妙。丹成尸解，有白氣自頂門出，化而爲鶴，飛而沖天。全真傳云：十二月二十四降世，十一月二十七日上昇。不記何年。元至元六年，褒贈海蟾靈明悟道真君。楊志。

非濁，字貞照，俗姓張氏，其先范陽人。重熙初，禮故守太師兼侍中圓融國師爲師。居無何，嬰腳疾，乃遯匿盤山，敷課於白繖蓋，每晏坐誦持，常有山神敬持，尋克痊。八年冬，有詔赴闕，興宗皇帝賜以紫衣。十八年，敕授上京管内都僧録。秩滿，授燕京管内左衛僧録，屬鼎駕上仙，驛徵赴闕。上以師受眷先朝，乃恩加崇禄大夫、檢校太保、太尉。次年，加檢校太傅。師搜訪闕章，聿修睿典，撰往生集二十卷進呈。上嘉贊久之，親爲帙引，尋命龕次入藏。清甯六年春，鑾輿幸燕，回次花林，師侍坐於殿，面受燕京管内懺悔主菩薩戒。師明年二月設壇于本寺，懺受之徒，不可勝計。九年四月示疾，告終于竹林寺，即以其年五月移窆于昌平縣。奉福寺清甯石幢記。

釋常在，按：遼史拾遺及武清志俱作常在，而寶坻舊志作常住，燕山叢録又作洪源，今從拾遺。遼重熙間，在寶坻縣城南隅渠水之陰，建彌陀佛舍，結廬其旁，持經侍佛，遼史拾遺二十一。冥心入道，澹然居中。後趺坐而化，武清吳志。夏臘七十餘。寶坻舊志。其徒闍維之，烈焰已絶，身色如故。燕山叢録。僧徒以其身立於佛側，已而髮再生焉。踰月，則削之。後有女子以手捫其頂，髮遂不生。遼史拾遺廿一。

非覺，俗姓劉氏，析津良鄉人，有大名聞。車駕幸燕，重師道德，詔入内説法，特賜紫衣，并賜號儀範大師。示化大昊天寺，歸葬甘泉普濟寺。遼史拾遺二十一。

嚴慧大師，名等偉，俗姓李氏，析津龐村人。太康元年剃落，禮儀範大師爲師，從師往慧濟寺受戒。宣充三學殿主，賜號嚴慧，後示疾而終。荼毗，舌根不燼，如青蓮色。遼史拾遺二十一。

華嚴祖師，法名義琛，玉田李氏子。幼喪母，事繼母克盡孝。年十二，即辭家訪道，遇高人傳清虛修鍊之術；父訪覓，令還家，更習儒業，博通文史，詩賦超羣。遼壽昌五年，試中甲，薦名上，不赴，落髮爲僧。乾統初，蒙恩得度，後於栲栳磚興立小院，精修浄業。參訪受法，前後二百餘人，遠近持供者無數。後染末疾，入定，眼有紅光，發於頂面及臍上，光照滿室，咸以爲得道之驗。今塔尚存，人呼爲華嚴祖師塔云。懷柔吳志。

豆兒佛，房山縣東萬壽寺僧，日誦佛萬聲，以豆紀其數，久之，每誦一聲，豆輒自躍過，人目爲豆兒佛。是時皇后浴於宮中，澡豆忽躍，心悸，有言及豆兒佛者，廼出金錢建寺焉。析津日記。

金

感禪師，大安間届於龍院，喜其清幽而駐錫焉。師又居仙洞及醴泉院，即今大静寺是也。常往來此三處。道宗聞其名，召至禁中，延訪移晷，仍賜紫方袍，加號寂照大師。師撝讓數四，不獲已而受之。退卽敝褐，光而不耀。奚霫之人，舊號難化，師將入其部，或患之，師謂曰：孔子不云乎？言忠信，行篤敬，雖蠻貊之邦行矣。時院中有引辭法師及師之神足左録大師圓亭，皆得法眼，因謂曰：吾去後，汝二人協力住持。遼帝重師所居，特勅有司，山門林麓禁其樵蘇。左録門人善初、善元、善定繼居之。天慶間，歲荒民飢，寇盜充斥，緇徒逃難解散，院宇爲之一空。逮國朝肇興，削平禍亂，慧日重光，元風復暢。初等三人却返故山，見其焚爇之餘，惟存瓦礫，相顧悲泣。因謂曰：先師嘗以此院傳付我輩，不幸殘毀，盍復修而崇起之！乃共請檀那數十百人，告之曰：夫教有時而廢，亦有時而興，汝等得脱兵厄，皆諸佛之所佑也。今欲經營遺緒，於意云何？衆聞是語已，皆大歡喜，踴躍讚歎。於是富者施財，貧者輸力，期月工成，斬斬一新，制度輪奐，有加於初。正隆左録殊公，亦久其處。今在院同温法師者，俗姓畢氏，遵化人也，自幼出家，而以讀經受具足戒。都東施仁關觀音院嘗請師爲宗主，未及二載，厭其塵囂，徑歸舊院，藁席陶盂，冀終老焉。金呂雲卿葛山重修龍福院記。

王處一，甯海東牟人。大定二十七年，徵至燕京，居天長觀。帝問衞生爲治。對曰：舍精以養神，恭己以無爲，雖廣成復生，爲陛下言，無易此者。世宗嘉之。姚燧牧菴集。承安丁巳，處一受第三宣，於六月二十五日到都下天長觀，七月初三日，宣見賜座。帝問清净經，解之。次問征北事，師答曰：戊午軍卽止。後果應。次問全真門户，師一一對答，帝深嘉歎。流連抵暮方去。翼日，賜紫衣，號體元大師，仍差遣近侍傳旨，賜崇福、修真二觀任便住，每月給齋厨錢二百鏹。日下舊聞引雲光集。

嚴安，霸州文安人，胡煌僕。煌居莫金口，家稍豐，好義輕財。嚴執役二十八年，恭謹有信，煌待之如弟，而嚴事煌如兄。正隆五年春，忽把煌袂，密曰：兄將死，又不以善終，七十日後，當雷震于市，弟有一術可救。煌告於妻子，皆憂窘莫知所爲。後六十日，叩嚴曰：若果如弟言，大期已逼，所謂術者云何？嚴卽授以密呪，曰：可脱兄厄，吾亦從此逝矣。及期，至午，煙震坌興，迅雷激電。嚴引煌伏桌下，急誦呪。須臾，火光迸裂，旋繞左右，若有所索，移時方散。煌得免而嚴不知所往矣。文安楊志。

洪源，順義人。幼夢釋迦佛自天而降，坐中堂授法華經。源敬仰久之而覺。遂辭父母，居西峰寺，後挂錫靈岩院。一日，出遊，卧沙灘側，有虎繞其身，見者異之。畿輔唐志六十八。

元

長春真人，姓邱氏，名處機，字通密，號長春，登州棲霞縣濱都里人也。父業農，世稱善門。輟耕錄十。兒時，有相者謂其異日當爲神仙宗伯。年十九，爲全真，學於甯海之崑嵛山。續宏簡錄。二十，謁重陽王真人，請爲弟子。帝京景物略三。重陽一見大器之。續宏簡錄。重陽既逝，真人乃遊秦隴，戢志磻溪，雲山集。日乞一食，行則一蓑，人謂之蓑衣先生。大定二十八年，徵赴京師，官建菴於萬甯宮之西，召見於長松島，進瑶臺第一層曲，眷遇至渥。翌日，遣中使賜上林桃，師不食茶果者十餘年矣，至是取其一啗之，重上賜也。甘水仙源錄。元太祖定燕京，金主奔汴。丙子，復召，不起。己卯，居萊州時，魯齊入宋，宋遣使來召，亦不起。輟耕錄十。及太祖自奈曼命近臣徹伯爾、劉仲禄持詔求之，處機一日忽語其徒，使促裝，曰：天使來召我，我當往。元史列傳。翌日，果至。乃與弟子十八人同往。明年宿留山北，先馳表謝，拳拳以止殺爲勸。又明年，趣使再至，乃發撫州，經數十國，涉地萬餘里，自崑嵛歷四載始達西域之雪山，續宏簡錄。馬上舉策試之，未及積雪之半。姚燧長春宮碑。時上在雪山之陽，舍館定，入見，上勞曰：他國徵聘皆不應，今遠萬里而來，朕甚嘉焉。賜坐就食。設二帳於御幄之東以居之。約日問道，以回紇叛，親征，不果。至九月，設庭燎，虚前席，延問至道。輟耕錄九。處機每言：欲一天下者，必在乎不嗜殺人。及問爲治之方，則對以敬天愛民爲本。問長生久視之道，則告以清心寡慾爲要。元史列傳。帝大然之，曰：天遣仙翁以寤朕志。命左史書其言，又敕徐世隆載諸靈應之碑。長春宮碑。癸未，乞東還，賜號神仙，爵大宗師，掌管天下道教，輟耕録十。賜金印章曰神仙符命。嘯虹筆記。夜醮焚簡，五鶴翔焉。帝京景物略三。太祖感雷震，以問處機。對曰：雷，天威也。人罪莫大於不孝，不孝則不順乎天，故天威震動以警之。陛下宜因天威明孝道，以導有衆。太祖善之。續宏簡録。帝問以長生之藥。真人曰：有衛生之經，無長生之藥。帝嘉其誠。雲山集。太祖畋獵於東山，馬踣。處機請曰：天道好生，陛下春秋高，數畋獵非宜。太祖爲罷獵。時國兵蹂踐中原，河南、北尤甚，民罹俘戮，無所逃命。處機還燕，使其徒持牒招來於戰伐之餘，由是爲人奴者得復爲良，與濱死而得更生者，毋慮二三萬人。元史列傳。乙酉九月初吉，宣撫王公以熒惑犯尾宿，主燕境災，請師作醮。處機禱之，果退舍。丙戌五月，京師大旱，農不下種，人以爲憂，長春真人西遊記。又爲旱禱，期以三日雨，當名瑞應，已而亦驗。有旨改賜宫名曰長春，且遣使勞問。制若曰：朕常念神仙，神仙毋忘朕也。元史列傳。初，真人自行在歸，道由宣德日，一富家新居落成，禮致下顧，將冀一言以爲福。既入其室，默然無語，輒以所持鐵柱杖於窗户牆壁上，頓毁數處而出。主人再拜，希解悟。曰：爾屋完矣美矣，完而必毁，理勢然也，吾不爾毁，爾將無以圖厥終。今毁矣，爾宜思其毁而欲完，克保全之，則爾與爾子子孫孫庶幾歌斯哭斯，永終弗替。主人悦服。輟耕録十。六月，浴于東溪，越二日，天大雷雨，太液池岸北水入東湖，聲聞數里，魚鼈盡去，池遂涸，而北口高岸亦崩。處機歎曰：山其摧乎！池其涸乎！吾將與之俱乎！遂卒。年八十。元史列傳。明年，其徒尹清和始以師入龕，葬于處順堂之後。今都人正月十九致漿祠下，游冶紛沓，走馬蒲博，謂之燕九節，又曰燕邱。相傳是日真人必來，或化冠紳，或化游士冶女，或化乞丐，故羽士十百結圜松下，冀幸一遇之。帝京景物略。

海雲，名印簡，山西甯遠人，帝京景物略四。俗姓宋氏。燕京慶壽寺海雲禪師碑記。七歲入學，受孝經之首章，遽問：開者何宗？明者何義？父異之，以見傳戒顔公，祝髮。明年，禮中觀沼公，受戒，修童子行。帝京景物略四。崇慶改元，受金朝衛紹王恩賜納具足戒，時年始十一。後三年，從中觀寓嵐州之廣惠寺，已能陞座講演經文。時天下凶儉，人相食，師竭力濟衆。宣宗聞之，賜通元廣慧大師之號。初，甯遠城陷，師與其師中觀皆被執。碑記。元太祖遣使語太師國王曰：卿言老長老、小長老是告天之人；可好存濟。自是天下稱小長老焉。帝京景物略四。及師在嵐州，太師國王復將兵至城下。中觀慮城陷不免，謂師曰：吾老矣，死亦爲宜，汝方妙齡，求生路可也。師泣曰：死生有命，今在危難之際，豈忍棄師而獨求生！況衲子家風，又何有死生之可惑而亂於心乎！中觀聞之，喜曰：汝心既定，計汝緣當在北方，吾亦與汝俱北矣。中觀示寂，師爲殯葬，守其墳。碑記。一夕，夢神速其行，乃來燕，夜宿松鋪巖下，擊火大悟，年二十也。至景州，參本無元禪師。元曰：孟八郎又恁麽去也？

時中和老人章公住燕京之慶壽寺，夢僧杖而入門，踞獅子座。是日師至，中和以向上鍵鎚差別機智，一一勘驗，曰：已到大安樂地。（帝京景物略四。）遂以衣鉢付之。癸巳，丞相霞哩奉詔來燕，謁師請訓法名受戒。師聞丞相以嚴爲治，乃勸之以幽燕殘民，遭罹變故，正宜安輯。丞相從之，遂成善治。至如胡土克大官人蝗災之問，師對以官政、民心共感之致。問出獵，對以救人爲急。問刑賞，對以仁恕爲心。及使臣來謁，師亦勸以慈悲安利衆生。使臣雖不能悉從，亦重其教焉。初，孔聖之後襲封衍聖公，元措自汴渡河，復曲阜廟林以祀。師言于胡土克大官人曰：孔子，天生聖人，襲封凡歷五十一代，有國者皆使之承襲祀事，未之或闕。大官人從其請，使復襲爵以繼祀事焉。復言：顏子、孟子後，及習周、孔學者，皆宜免差役，勤復其業。從之。凡與當世王侯論治民之道，必以儒教爲先。歲在丙申，朝廷差官選僧道，丞相霞哩問之曰：今奉聖旨試經，不識字者令還俗。因言僧以悟爲第一，豈與聘士同科！丞相以是言白于大官人，奏聞，由是考試無復退落。尋有詔，聽僧道如故。（日下舊聞考四十三。）辛丑，燕京普濟院僧衆舉寺以施於師，曰：此刹始立於金天會七年，至大定二年賜是名，其地爽塏幽僻，非師居之不可。壬子春，師罄衣鉢，命庵主覺久等戮力興修，殿宇雄麗，金碧輝映，爲諸刹冠。以師之道號曰海雲，賜爲寺額。（元一統志。）所著語録曰雜毒海。前後得其法乳者十四人，可庵朗公繼主慶壽寺事焉。（帝京景物略四。）

萬松老人，金元間僧，兼備儒釋，機辨無際，自稱萬松野老，人稱之曰萬松老人。居燕京從容菴。楚材一見老人，遂絶跡屏家，廢餐寢，參學三年，老人以湛然目之。（帝京景物略四。）其語楚材曰：以儒治國，以佛治心。楚材稱之，謂：雲門之宗，悟者得之於緊峭，迷者失之識情。臨濟之宗，明者得之於峻拔，昧者失之鹵莽。曹洞之宗，智者得之於綿密，愚者失之廉纖。獨萬松老人，全曹洞之血脉，具雲門之善巧，備臨濟之機鋒，誠宗門之大匠，四海之所式範。其傾心至矣。老人有萬壽語録、釋氏新聞。（渌水亭雜志。）後以所評唱天童頌古三卷寄楚材于西域阿里馬城，曰從容録，自言著語出眼，臨機不讓也。（帝京景物略四。）又善撫琴，嘗從楚材索琴。畀以永華殿春雷，及種玉翁悲風譜贈之。（渌水亭雜識。）

善選師，姓劉氏，世居香河會仙鄉馬家里，生於金大定十五年四月。稍長，出家于里中隆安寺，禮真覺爲師，博通華嚴妙旨。聞燕京永慶寺正法藏大師通清涼國師義疏，迺就習焉。它日，燕坐佛前，聞雲版聲，頓然開悟，遂以空明自號。元師伐金，師轉徙平灤軍中，僅得還燕。憫忠、崇國二寺已俱爲兵毁，丞相雅克里等奉朝命徙各寺人匠，中書令耶律楚材署疏，請主憫忠寺，尋之崇國寺。行臺舒穆嚕明安聘主賓集寺。歲壬子五月庚子，演説八關浄戒，詰旦謂衆曰：今日止得見汝等一度。又明日，留偈而逝。（日下舊聞考五十三。

張志敬，不知何許人。長春宮方丈西，有堂曰萃元，側有小樓，積書萬卷，真常李真人以鎖鑰付之，志敬恣所窺覽，大暢元旨。中統三年，制曰：元門掌教真人張志敬，自童子身，著道士服，志行修潔，問學淹該，甫逾不惑之年，純作難能之事，增光前輩，垂法後人，可賜號光先體道誠明真人。至元二年，就長春宮設金籙大醮，有羣鶴翔舞，下掠壇墠，去而復來者累日。天子命詞臣作瑞應記，刻之碑。甘水仙源録。

志平，字太和，姓尹氏，萊州人。觀長春真人於棲霞觀，執弟子禮。又授易於郝太后。己卯歲，太祖遣劉仲祿徵長春真人主長春宮，師爲勸行。北上時，從者十八人，師爲之冠。繼真人主長春宮，尋葺大房山之真陽觀，更曰清和宮。謂侍者曰：我洒埽西堂，吾將逝矣。是夜曲肱而逝。中統二年，詔贈清和妙道廣化真人。門人撮其著述曰葆光集。甘水仙源録。

米四，字元禎，安次人。初業儒，能通六經，尤深於易。遇異人，授以仙術，便志存山水。元中統初，舉人才，以有司薦，登進士高第，不仕，隱雲居山三十餘年。元末歸家，見一老嫗，問曰：此非米四故宅乎？嫗曰：是也。吾乃四之近鄰。四去家百餘年，田廬已盡，其父母兄弟皆吾家生死周卹之，今存者已去此矣。四曰：吾卽米四也，受汝厚恩，何以爲報！昨檢天籙，此地不數年後當遭兵燹，母亟避之。媪從其言，後果驗。四去，未知所終。東安李志。

太元真人酈希誠，嬀川水峪人。至元初，闡教山左，其師毛真人召來燕，遂至房山之懷玉鄉，愛其巖壑，剪荆闢棘，創隆陽宫居焉。涿州吴志。希誠居京師天寶宫，見知憲宗，始名其教曰真大道，授希誠太元真人，領教事，内出冠服以賜，仍給紫衣三十襲賜其從者。元史列傳。年逾期頤，忽失所在。先是，嘗遊泰安州，時值亢旱，真人至岱岳，觀主謂之曰：速迓雨具，雨卽來矣。隨於方壺之西，面西北立，以椶扇蔽面，默祝之。忽有片雲從所向方陡起，須臾布滿天上，雷鳴電掣，雨如翻盆。又一日，至岱之白龍潭東，面西立默禱之，水面有光如盤，漸如車輪，舒張不止，忽躍身環曲，離水數尺而殁。適有樵人樹上窺見，奔告州人，真人卽還山云。吴志。至元五年，世祖命其徒孫德福統轄諸路真大道，改賜銀章。又三傳，至張志清，其教益盛，授演教大宗師、凝神冲妙元應真人。志清事親孝，尤耐苦辛，制行堅峻。東海珠、牢山舊多虎，志清結茅其上，虎皆避徙，然頗爲人害。志清曰：是吾奪其所也。遂去之。後居臨汾，地大震，城郭盧舍摧，壓死者不可勝計，獨志清所居裂爲二，無少損。續宏簡録。乃偏巡木石間，聽呻吟聲，救活者甚衆。元史列傳。朝廷重其名，給驛致之，掌教事。志清舍傳，徒步至京師，深居簡出，時人罕識其面。（續宏簡録。）貴人達官來見，率若病，伏卧内不起。至於道德縉紳先生，則納履杖，屢求見不以爲難。時人高其風，（元史列傳。）競爲圖以相傳焉。（續宏簡録。）

張留孫字師漢，信州貴溪人。少時入龍虎山爲道士，有道人相之曰：神仙宰相也。至元十三年，從天師張宗演入朝，世祖與語，稱旨，遂留侍闕下。世祖嘗親祠幄殿，皇太子侍，忽風雨暴至，衆駭懼，留孫禱之，立止。又嘗次日月山，昭睿順聖皇后得疾，危甚，亟召留孫請禱。既而后夢有朱衣長髯，從甲士導朱輦白獸行草間者，覺而異之，以問留孫。對曰：甲士導輦獸者，臣所佩法籙中將吏也，朱衣長髯者，漢祖天師也，行草間者，春時也。殿下之疾，其及春而瘳乎！后命取所事畫像以進，視之果夢中所見者。帝后大悦，即命留孫爲天師；留孫固辭不敢當，乃號之上卿，命尚方鑄寶劍以賜，建崇真宫於兩京，俾留孫居之，專掌祠事。十五年，授元教宗師，錫銀印。又特任其父信州路治中，尋復升江東道同知宣慰司事。是時，天下大定，世祖思與民休息，留孫待詔尚方，因論黄老治道貴清净、聖人在宥天下之旨，深契主衷。及將以鄂勒哲爲相，命留孫筮之，得同人之豫。留孫曰：同人，柔得位而進乎乾，君臣之合也。豫，利建侯，命相事也。何吉如之！願陛下勿疑。及拜鄂勒哲，天下果稱得賢相。大德中，加號元教大宗師，同知集賢院道教事，且追封其三代皆魏國公，官階品俱第一。武宗立，召見，賜坐，升大真人，知集賢院，位大學士上。尋又加特進。進講老子推明謙讓之道。及仁宗卽位，猶恆誦其言，且諭近臣曰：累朝舊德，僅餘張上卿爾。進開府儀同三司，加號輔成贊化保運元教大宗師，刻玉爲元教大宗師印以賜。元史列傳。延祐七年七月，命修醮事於崇真宮。元英宗紀。至治元年十二月卒，年七十四。天曆元年，追贈道祖神應真君。元史列傳。

真常真人李居壽，召赴闕下，特旨於奉先坊創太一廣福萬壽宮，中建齋壇，繼太保劉秉忠禋六丁神將，歲給道衆粟帛有差。王惲秋澗大全集。至元十三年，賜太一掌教宗師印。十六年十月辛丑，月值元辰，敕居壽祠醮，奏赤章於天，凡五晝夜。事畢，居壽請間曰：皇太子春秋鼎盛，宜參預國政。且又因典瑞董文忠以爲言，世祖喜曰：行將及之。其後詔太子參決朝政，庶事皆先啓後聞者，蓋居壽爲之先也。元史列傳。

定演，姓王氏，三河人。七歲入大崇國寺，事隆安和尚。世祖賜號佛性圓融崇教大師。至元二十四年，别賜地大都，乃與門人協力興建，作大殿以像三聖，樹高閣以庋諸經，丈室、廊廡、齋厨、僧舍，悉皆完美，故崇國有南北寺焉。時昊天宿德雄辯大師授以道宗刺血金書戒本，於是祝髪之徒萬計禮師。自涖講席，爲羯磨首師。數蒙聖恩，嘗賜白玉觀音菩薩像。臨終具湯沐浄髪，與門人别，怡然長往。舊制，近郭禁火化。師卒，以聞。上在春宮，特旨有司賻喪，令於城西南净土院荼毘。獲舍利數百粒，葬魯敦之野，起支提焉。（趙孟頫演公親銘。）

岳真人，名德文，涿州人。（虞集道園學古録。）其母夢老人，皓髮長身，冠劍莊偉，告之曰：我今當寄母家矣。（萬曆沈志五。）明日，州人見西北有青氣自天而下，羣奔視之。真人降生，自幼不食酒肉。長學道，師事太元真人，得其秘。至元中，封崇元廣化真人。丞相安童病，真人往視之，卽起矣。大德初，飛昇仙府，遠近共見之。（涿州吴志。）始，涿有童謡曰：涿有八岳。父老莫之解也。後真人爲真大道第八代師，蓋其徵云。（道園學古録。）師名行滿，字萬山，俗姓曾氏。其先出東魯曾子後，祖仕江右，遂爲太和人。至元庚辰，至仰山，有會心處，遂留薙髮，禮澤菴爲師，更今名。又參學四方，雲門、臨濟，皆得其髓。大德癸卯，仰山學者請師歸舊隱，聲聞大振。梵僧宣政使沙克嘉實哩、功德司大使年札克策喇實相慕爲道友。武宗在北邊，下令施鈔萬貫，造文殊菩薩像。思幸其寺，施金百兩、銀五百兩、鈔六萬貫，賜號佛慧鏡智普照大禪師，勑尚方造織金龍錦緣僧伽大衣，窮工極巧，經歲乃成。命有司作尊勝塔於東嶺，及建明遠、觀光二亭，以備臨幸。蓋棲隱寺始建於遼，至師爲二十六代云。（趙孟頫滿禪師道行碑記。）

張道寬，東安州人。壯嬰危疾，夜夢偉人授符咒諸法，並告以結緣呼奴山。既寤，惡疾皆愈。訪至順州，得呼奴山，居焉。無何，疫癘大作，寬依咒果實，令病者食之，立愈。踵門謁者日千計。大丞相東平王患瘍，醫藥罔效，召寬治之，頓痊，勞以殊禮，爲搆白雲觀。後師事元逸真人張霞卿，遂賜通口大師之號。卒，葬觀西。其後居民病者，禱之輒應。每年三月二十八日，争獻袍旛致賽云。懷柔吴志。元封普濟真人，立廟呼奴山。密雲丁志。

孫真人德彧，長春宫道士也。延祐二年，禮部尚書元明善代丞相禱雨長春宫。時旱甚，德彧曰：明日雨微至，須丞相上章，自言憂民報國之意。小得雨，尚書卽爲章，往白丞相。丞相病在卧内，使人取章入，署名付還。真人一見，告尚書曰：章觸婦人手，且得罪，甯敢望雨乎！使人問丞相門下，果然。乃拜伏請罪。久之，退齋宫俟命，夜半，真人曰：上帝念民無辜，賜之雨三日。果雨三日。道園學古録。

高麗國僧名慧月者，因禮文殊大士于五臺，衲衣錫杖，幽然脱俗，經房山縣西鄉里東峰古刹名曰小西天華嚴堂，其堂并華嚴經本等十二部皆石爲之，蓋有年矣。歲月綿延，住僧雲至，當摧經剥者有之，存基址焉。慧月留止于此，憫其石户摧圮，經本殘缺，幸遇資政院使資德大夫龍卜高公、匠作院使大夫黨珠中公，慧月拜禮，詳陳其事。公等允其言，布施浄財千餘緡，命慧月施勞董工，修石户經本，不月餘而俱修。至正改元，夏五月初八日上石。房山王志。

雲山禪師，皇慶、延祐間主教京師之大聖安寺。時太皇太后以檀州紅螺寺殿宇將圮，賜鈔五萬緡，命師修葺之。師前後主教聖安四十餘年。至正中，以年高歸隱紅螺山，悉出累朝所賜珍玩易楮幣，重修大殿，塑佛像，金碧丹堊，山谷改觀。師辨博無礙，禪寂之餘，存心治道，每遇顧問，即以佛化合於王化者奏之，甚被隆遇。晋秩榮禄大夫、大司空，佩一品銀章。懷柔吴志。

明

道衍，字斯道，長洲人。江南通志。本醫家子，明史列傳。幼名天禧。父欲衍學醫。曰：兒不樂爲醫，願學諸生求仕，否則從佛學。至正間，削髮爲僧里中妙智庵。吾學編十。已，又不學佛，而好讀兵書，廣名將傳。尚謀略，吾學編十。事道士席應真，得其陰陽術數之學。然時無知者，獨里人王行識爲非常人。常游嵩山寺，相者袁珙曰：是何異僧？目三角形，如病虎，性必嗜殺，劉秉忠流也。道衍大喜，益自負。明史列傳。洪武四年，詔取高僧，會病，免。八年，詔僧通儒者官，禮部試，不得官，賜僧服還山。吾學編十。還經北固山，懷古賦詩。其儕宗泐見之，曰：此豈釋子語耶？道衍笑不答。明史列傳。十五年，宗泐薦衍，因往來南京。吾學編十。成祖封燕王，道衍乘間請謁曰：大王骨相非常，英武冠世，今皇圖草昧，東宮仁柔，廣名將傳。若蒙殿下不棄，當奉上白帽子戴。白帽子，謂皇字也。靖難功臣録。成祖已稔知衍意，亦欲得之。吾學編十。會高皇后崩，帝命諸王與一高僧誦經爲薦福。明史列傳。成祖遂乘機請道衍去，廣名將傳。至北平，住慶壽寺。明史本傳。侍燕邸，每夜夢與劉太保仲晦寤語。列朝詩集小傳。初，懿文太子薨，皇太孫監國，仁厚好文，中外屬望；惟成祖不平，常懷窺覬，而其陰謀發自道衍。帝崩，太孫立，削諸王，明史稾列傳。且至燕，成祖懼甚，因憶道衍言，而召之入卜。道衍遂借卜而説曰：主上猜間宗室，侵漁齊藩，所戮入囚首隸士伍者蓋五王矣。大王，先帝所最愛也，且又仁明英武，得士衆心，主上所最忌也。夫燕，勝國之遺，而北方雄鎮也。其民習弓馬，地饒棗栗，若悉幽、薊屬郡之材官、良家子，彀甲可三十萬，粟支十年，大王之護衛精兵投石超距者，又不下一二萬，鼓行定山東，略河南，此勢若建瓴而下，誰能抗禦大王！若不南，然機已發，欲高卧，得耶？旦暮匹夫耳！臣竊謂大王卜之心，與臣卜無異也。廣名將傳。成祖曰：民心向彼，奈何？道衍曰：臣知天道，何論民心！乃進袁珙及卜者金忠，於是成祖意益决。明史列傳。及朝廷責燕，成祖遂召道衍入便殿密議，或歎息泣下。道衍曰：廣名將傳。天之所興，誰能廢之！願厚自愛。吾學編十。成祖因問師期。道衍曰：未也，俟吾助至。又問：助者何人？曰：吾師。又數月，乃請曰：可矣。成祖遂謀召張昺、謝貴等宴，設伏斬之。遣張玉、朱能攻克九門，出祭纛，見披髮而旌旗蔽天者，問道衍曰：何神？道衍曰：嚮固言之，吾師北方之將元武也。成祖因披髮仗劍應之。兵初起，廣名將傳。暴風雨，成祖意不悦，問道衍，對曰：飛龍在天，從以風雨，元吉。吾學編十。忽承運殿鴟吻墜地，尤惡之。對曰：要換顔色矣。謂以黄易緑也。功臣録。兵南行，衍送道旁，言：江南有方孝孺者，吾學編十。殿下入京，慎勿殺；殺此人，天下讀書種子絶矣。備遺録。當是時，太子居守，衍及郭資等日夜守禦，輯拊兵民。吾學編十。其年十月，成祖襲大甯，李景隆乘間圍北平。道衍守禦甚固，擊卻攻者，夜縋壯士擊傷南兵。援師至，内外合擊，斬首無算，景隆、平安等先後敗遁。成祖圍濟南，三月不克，道衍馳書曰：師老矣，請班師。乃還。復攻東昌，戰敗，亡大將張玉，復還。成祖意欲稍休，道衍力趣之。益募勇士，敗盛庸，破房昭西水寨。道衍語成祖：毋下城邑，疾趣京師，京師單弱，勢必舉。從之。明史列傳。成祖卽帝位，授僧録司左善世。初，成祖在藩邸，所接皆武人，獨道衍定策起兵。明史稿列傳。及轉戰山東、河北，在軍三年，或旋或否，戰守機事，皆决于道衍。道衍未嘗臨戰陣，然帝用兵有天下，道衍力爲多，論功以爲第一。明史列傳。立東宫，陞太子少師。復姚姓，賜名廣孝。吾學編十。賜敕諭曰：卿秉性篤實，學行老成，事朕藩邸，積有年歲，朕靖難之初，卿侍左右，謀謨弼贊，裨益良多。今建儲嗣，簡求賢輔，以卿舊人，特授太子少師。(雙槐歲抄三。)贈祖父如其官。與語，呼少師而不名。(明史列傳。)令蓄髮再三，終不肯。嘗賜兩宮人，逾月不近，亦不辭，乃召還。(廣名將傳。)常居僧寺。冠帶朝，退衣緇衣。(明史稿列傳。)重修太祖實録，廣孝爲監修，(明史列傳。)躬自校閲，克勤其事。嘗歸吴中，以所賜金帛悉散之宗族鄉人。其生平樂善好施，天性然也。(舊聞攷引明成祖御製集。)道閶門，(明史稿列傳。)見一酒帘，書字奇偉，問之，爲里中少年所書，召之至，喜愜，遂以爲子。(野獲編二十九。)歸白于帝，賜名繼，使侍東宮讀書文華殿。(明史稿列傳。)帝往來兩都，出塞北征，廣孝皆留輔太子於南。五年四月，皇長孫出閣就學，廣孝侍説書。十六年三月入覲，年八十有四矣，病甚，不能朝，乃居慶壽寺，(明史列傳。)命從者曰：天子且至。頃之，車駕臨幸，語甚歡，賜以金唾壺。問所欲言，(明史稿列傳。)對曰：出家人復何所戀！强之，乃曰：僧溥洽南洲在獄久矣。卽日出之。(雙槐歲抄三。)溥洽者，建文帝主録僧也。廣孝頓首謝。(明史稿列傳。)至二十八日，召詔諸門人，告以去期，卽斂袂端坐而逝。(明成祖御製集。)帝聞震悼，(明史稿列傳。)輟視朝三日，命有司治喪葬，追封榮國公，謚恭靖，贈以勳號。(明成祖御製集。)官養子繼尚寶少卿，又召其弟、姪二人，賜賚遣還。(明史稿列傳。)卜地西山，礱石建塔。四月六日發引，靈輀飄灑，法幢旋繞。于以火之，心、舌與牙堅固不壞，得舍利皆五色。六月十一日乃葬，墓在房山縣東北四十里。(明成祖御製集。)廣孝少好學，工詩，與王賓、高啓、楊孟載友善，宋濂、蘇伯衡亦推奬之。晚著道餘録，頗毀仙儒，識者鄙焉。其至長洲，候同産姊，姊不納；訪其友王賓，賓亦不見，但遥語曰：和尚誤矣！和尚誤矣！復往見姊，姊詈之。廣孝憫然。洪熙元年，加贈少師，配享成祖廟廷。嘉靖九年，明史列傳。學士廖道南疏請革之，上亦以廣孝釋氏之徒，不當配食，乃撤廟主，移祀於興隆寺。日下舊聞攷引明世廟識餘録。

全真道人邱元清，嘯亭雜録二。初從黄得禎出家。洪武初，以張三丰薦，爲五龍宫主持。有司又以賢才薦御史。野獲編三。明太祖以二宫人賜之，邱度不能辭，遂自宫。嘯亭雜録二。後轉太常寺卿，封三代，殁於京師。野獲編補遺三。今白雲觀後殿中觀其遺像，白皙方頤，黄冠羽衣，儼然嫗也。嘯亭雜録二。京師正月燈市，例以十八日收燈，次日游白雲觀，名爲耍煙九。意以爲火樹星橋，甫收聲采，而以煙火得名耳；既都下耆舊云：全真道人邱元清，以是日就閹，故名閹九。野獲編三。

道士某，不知何許人。洪武間，漷邑士子張聰與之遊。嘗渡水無船，道士教聰閉目，不覺而渡。聰問己何時登第。道士曰：瓠盧架上開蓮花，是其時也。聰自揣必無售理。永樂九年夏，大雨，河水泛溢，平地數尺，後園瓠蘆架上，漂藕節忽生蓮花。聰見而喜，是年果中鄉試，次年成進士。聞者謂聰與仙遊，至今稱其地爲仙莊，在漷縣西十五里。或曰，道士卽張三丰，人所呼張邋遢者。通州高志。

周思得，永樂中道士。行靈官法，知禍福。文皇帝數試之，無爽也。至招弭祓除，神鬼示彰，逆時雨，禬災兵，遠辜疾，維影響，乃命祀王靈官神於宮城西。世傳靈官藤像，文皇獲之東海，崇禮朝夕，對如賓客，所征必載。及金河川，舁不可動，就禮而秘問之，曰：上帝有界，止此也。成化初，靈應愈著。勅所司拓其宇曰大德顯靈宮。帝京景物略四。

大國師雅爾鼐羅密克，華言智光，號無隱，姓王氏，山東慶雲人。年十五，移居北京吉祥法雲寺，禮西天班迪達桑噶實哩國師，傳天竺聲明記論，授心印。嘗侍師遊五臺諸山，得睹文殊妙相。太祖命譯其師班迪達四衆弟子菩薩戒。奉使西域，至天竺國及烏斯藏等處，宣傳聖化，衆皆感慕，相隨入貢。比還再往，復率其衆來朝。太祖念其勤勞，擢僧籙司闡教，尋陞善世，俾迎大寶法王。及還，敷對多所見贊，賜圖書、國師冠、金織袈裟、禪衣諸物。仁宗誥封爲圓融妙慧浄覺宏濟輔國光範衍教灌頂廣善大國師，命居大能仁寺。宣宗敕有司度僧百餘，與之爲徒，建大覺寺以佚其老。上加封西天佛子。卒，年八十八。説頌辭世云：空空大覺中，永斷去來蹤。實體全無相，含虚寂照同。儼然坐化。三日入龕，又三日掩龕，舉體柔和，容貌如生。荼毘之日，大慈法王秉法炬，甫置薪龕頂，智火迸出，五色光明，化畢，骨立皆金色，舍利盈掬。造塔葬於暘臺山，仍建寺宇，賜名西竺。其弟子分其舍利，建塔寺於各處。其大國師烏巴迪呢雅實哩等，建造灰塔於荼毘所。告成之日，賜名西域，令其徒布達實哩爲住持。日下舊聞攷九十六。

癡呆子，姓陳氏，邵武人。學道武夷山，遇至人李古岩、徐守中，授金丹秘訣，行持久，遂有神通。永樂間，至房山隆陽宫，凡居民有禱輙應。終日如醉，人稱曰癡呆子。年既耄，童顔兒齒，步履如飛。常懸鐵牌於胸間，以驅役雷霆。宣德四年羽化，先期沐浴更衣，趺坐，命其徒崔璇珙曰：吾返真矣，窆吾必待鶴至。時年八十四。越五日，果有羣鶴翔其庭。有來鶴碑記其事。涿州吴志。

雷通，以祖振世職，家通州，少落拓。宣德間，家譙樓側，設機織絹爲業。暑月卧譙樓納涼，夜半，檐際偶語曰：明日石橋北酒壚新張，我輩往飲，取蓮花作下酒物。通聞其語在空際，異之，明日迹至石橋，果有酒壚。俄見四人持猪肝至，索酒痛飲，割猪肝生啖。通意其爲仙，拜求度。四人不顧，飲啖自若。通固請。四人趨出，先後躍入井中。通亦隨入井，遂不知所之。踰時，忽歸，持一鯉爲母壽；而里人有在金陵道中見其擕鯉者，卽此日也。妻鄭没，復歸，持紙錢至墓焚化，尋又隱。嘉靖間，其裔孫霦家有道士持瓶踵門，曰：我雷通也。時已百年。霦謂：吾祖名通，向傳仙去，今果來。卽出延之，已失所在。今雷氏家譜稱嘉靖間勅封爲黑虎真人。通州高志。

劉道符，字信菴，别號如幻大師，江浦人。母沈得異夢而娠，遂不喜茹葷。及誕，晝夜啼聲不歇，人皆驚愕，以爲異事。方期月，遂抱送於比鄰接待寺爲沙彌，啼聲乃止。既成童，高額深目，大頤方口，儀表端嚴，眉宇森秀，人相具足，梵音清暢。恆引羣兒聚沙爲塔，釋禮矩儀，動如宿習，人皆疑爲羅漢下生。七歲，依京城靈谷寺，禮前堂慶叟爲師，昕夕瞻拜觀音，懇求聰慧。未幾，復禮天童觀翁，具威儀，禀持範，傳唯識大義，通涅槃大旨。時觀翁名振天下，宣廟在潛邸，每承顧問，恩禮特隆。宣德丙午，召至京師，館於慶壽丈室。大師左右朝參，出入禁中，翼翼勤愼，終始如一。丁未，受度，賜西服茜衣，大師固讓不服。常於文華殿楷書大字齋額，上每俯案視之，有高僧書法勝中書之奬。又常設施食於内庭，開法場於秘殿，爲民請福。敷衍瑜珈華梵，上爲之改容坐聽，擊節歎賞，以爲靈山勝會，今古一時。己酉，飛錫江浙，秉戒具，乃言曰：此行不達曹溪路，永不回頭見故鄉。既而徧謁知識，歷覽勝槩。壬子，還京。會觀翁指明心要，乃西遊五臺，乃曰：一翳在眼，空花徧界。遂號如幻。英廟聞其名，召之，一見，天顔大悦，呼爲鳳頭和尚，尋陞僧録講經。先是，京西馬鞍山寺修建，思得至人以振宗風。師知此寺乃遼普賢大師所建，四衆受戒之所，喟然歎曰：釋迦如來三千餘年遺教，幾乎泯絶，吾既爲佛之徒，豈忍視其廢而不興耶！乃往住兹山，修葺一新。

景泰丙子夏六月，趺坐，沐浴畢而更衣，升堂别衆曰：昔本不生，今亦不滅，雲散長空，碧天皓月。端然而逝。時維暑月，顔色如生，異香馥郁。荼毘，得舍利若干，建塔於寺之南原，尊本教也。日下舊聞考一百五。

尼吕氏，陝人。耳譚。正統八年，駕出紫荆關，親征也先，帝京景物略五。尼送駕，告駕耳譚。曰：不利。上怒，叱武士交捶，尼趺坐以逝。及蒙塵虜營，數數見尼，娓娓有所説，時時授上餅餌。駕返，居南宫，亦數數見之。帝京景物略五。後復辟，念之，封爲御妹，建寺，賜額燕都遊覽志。曰順天保明寺。或曰隱也，如云明保天順焉。帝京景物略五。人稱爲皇姑寺。耳譚。後殿祀姑肉身，趺坐愁容，一媪也。萬曆初年，像未飾以金，頂猶熱爾，姑著繡帽，製自宫中。殿懸天順手敕三道，廊繪己巳北征之圖。今寺尼皆髮，裹巾，緇方袍，男子揖。帝京景物略五。

香林，名無湼，京師人，俗姓鮑氏。夫俞，爲鏝工，早亡，臨訣時，謂婦曰：吾賃工尚不給，每减其口以養母，今何能矣！汝年小有貌，請召婿於此而贅養之，何如？婦不許，曰：吾以指力養，不足，取之吾家之稍贍者。諾而瞑。隣有惡少，艷婦色，强娶不得，訟於官，又不得，謀壞其操。婦所居者爲西便門外之八里莊，值燕九節，俗聚男女於城西白雲觀，設祠，陳百戲，相傳是日邱真人來降，當邀之。婦騎驢從母家歸，經觀前，惡少望見，遥指曰：此仙姑也。迣尾之，人不之疑。至月壇，惡少挾下驢，使羣少健者力持之，蜿蜒草間，將蜕衣，值慈壽寺老宫監從西山運石炭來，車經壇西，救婦而訶之，羣少散走。宫監乃詢婦所由，彈指曰：此終非久長事也。去此保明寺，爲天順皇帝御妹薰修之所，盍姑捨髮而匿身焉。婦從之，遂爲尼。初不識字，不習禮拜，第挑菜擇米，任雜作。既而發願，訟之佛前曰：吾向食指力，自晝迄暝，今曠手度日，滋罪孽。且居此何爲矣？自今後，請日習經課，禮拜一過，持佛號萬聲，夜卽趺坐，勿令寐。如是五年，風穴僧有知識者，以朝臺來京，企脚於萬壽之番經樓。宫監延之設齋，風穴驟見尼，呼尼與語，頓有省。既而少林國師請部印，候旨天甯寺。宫監介尼見，國師乃付衣焉。天啓七年，信國繼大統，例番宫人出，有年大無家、願爲尼者送保明，於是雲還師以宫人落染拜尼爲師。居無何，雲還謂保明嘈嘈，自出所蓄金，搆園於寺北數里，而迎師其中，虔事之。以師號香林，而香山又適在前，名見香園。既而，雲還亦刻苦有省，師卽以少林所付衣付之，師遂卒，年三十有九。康熙己未，雲還建師塔於園，旁一塔則瘞其姑者。方丈懸師象，朱衣而杖錫，垂兩目，趺坐，面如瑩雪，其眉膴間猶不失閨閤中色。毛大可香林湼禪師塔誌銘。

崔志端，宛平人，習步虚聲，音吐洪暢。成化中，傳奉歷官至太常寺少卿，久之進卿。

宏治十七年，擢禮部尚書，仍掌寺事。言官以志端羽流，不宜清秩，抗疏力争。帝曰：先朝有之。既擢用矣，不聽。綱目三編十七。

任風子，不知何許人。能弈棋，善導養。成化中，翱遊至東安，去就不常，不修容止，類乞丐狀。雪夜宿古廟中，着粗布單衣，汗流沾體，邑人異之，多與之遊。一日，拉伴於廣嚴寺看棋，倏忽不見。有人自城外來者云：任風子於京北山坡中，已屍解矣。東安李志。

尹山人，燕人。始祖時爲天慶觀道士，懷一牒，綴之羊皮，久而尚存。成化間，遊南都，髮累歲不櫛，人呼爲尹蓬頭。每卧踰月，少五、六日。起居常不飯，人饋之食，亦不辭。南京有宦者，遣僕上病疏，遇尹於端門，告以疏已得旨。午餐，尹報宦曰：今旦端門前見使者，君已得告。後僕還，覈問，果合。人聞而異之。魏國公館尹於第，嘗晝睡，寤而語魏國曰：適遊姑蘇洞庭山。魏愕不信。卽出袖中兩橘畀之，其時南京尚未有洞庭橘也。王守仁試禮闈，落第，卒業南雍，從尹遊，尹曰：爾大聰明，第筋骨脆，難學我。爾無長生分，其竟以勳業顯哉！守仁悵然。後劉瑾潛圖不軌，恐尹知之，羅而成之闢右。至戍所，偶過鐵鶴觀，騎一鶴淩空去。畿輔唐志八十六。

赤肚子，不知何許人。正德辛未入密雲城，入豕圈，與豕同眠，無穢氣，人皆異之。後徙學宫傍，又徙滕家巷居民簷下，甃磚爲井，踞坐，以足頂尾閭，兩手握六指，不放如勾。問之，則不言。與之食，則食。不食葷酒，不多食，過午則不食。與之衣，則裂之。與之貨，則給僧以誦經。赤身髡首，覆以片氊，祁寒盛暑弗侵也。居民市鬻者與之，輒多利，競致之。入人寢室，如其家，不避婦女。有戲之者，亦躍足昂首，嬉然而笑。置囹圄中，數日不食，亦不死。許内臣爲繪像，京師及四方好事俱呼以仙。嘉靖壬辰，春、夏大旱，居民强令祈雨，凡八日不食。至五月十二日雨，乃食，十三日又雨，人益異之。赤肚子傳。

王秃子，不知其名，亦不知何許人。嘉靖時，寓於房山之元元觀，鬢髮脱落，人以秃子稱之。行處惟持一茅籃，中置敝垢殘布，及一葫蘆盛酒，終日酣醉。邑人與之游，或就飲，則杯盤食物，皆取辦茅籃中。人咸異之。忽别去，寓邑北山村。有惡少年數輩，索其術不得，捶之弊，倒瘞之。數年後，邑人解俵馬至京師，遇於市，時嚴冬，止著一破葛衫。衆方驚愕，王邀衆入肆飲。飲畢，曰：有少許錢，取以償酒。乃走百步許，入小巷内，即出，負錢二緡付酒家，忽不見。人始知前乃尸解也。又十餘年，有人於易水山中草菴内見之。涿州吴志。

李小仙，不知何許人，亦不知其名。穉齒寡髮。永樂初，常詣固安彭村彭源家丐食，因爲牧羊，呼爲小久。嘗與羣兒嬉戲，畫地爲限，置羊於中，終日嚙草不敢出。他異事類此。且言未來事多奇中。暇則獨居一室，暄目静攝，不妄與人接。一日，謂源曰：有刺事者來，吾必不累而家，當爲具食以俟。稍頃，果至，索其所習書，皆兒童讀者。因趨蹌入室，仆地而卒。源哀而葬之，植木塚上，烏雀不棲。越數年，源隣人遇小仙於南郡蔬圃中，摘一茄與之，笑謂曰：吾李小仙也。彭翁無恙乎？曩所葬者，予一履耳。隣人歸語源，啓棺視之，果無一物。越嘉靖戊子，李侯玦欲修縣志，採訪異聞，源家送小仙所撰四言詩一帙，有仲玉作志等語。玦大驚曰：是何神也！仲玉，玦字。遍訪不知所在。（固安陳志。）

吴僧真程，（按：燕都遊覽志及長安可遊記俱作程次南。）自雲棲來，（帝京景物略四。）飛錫京師，駐庵名吉祥。剪除叢莽，（長安可遊記。）發古甃下，得石幢一，式如鐙臺，旁鐫般若心經一部，唐廣德二年少府裴監施，朝請郎趙偃書，（帝京景物略四。按：燕都遊覽志作唐代宗時成紀郡夫人所造。）若爲度生施食用者。（燕都遊覽志。）適黄儀部汝亨過其地，以庵甫治而鐙適出，遂手書額，稱石鐙庵焉。程居此無華飾，朝梵夕唄，二十餘年無懈日，日無懈聲。紳衿緇素月八日就此放生，籠禽雀、盆魚蝦、筐螺蚌，羅堂前，僧作梵語數千相向，縱羽空飛，孳者落屋上，移時乃去；水之類，投皇城金水河中，網罟笱餌所希至。今謂庵爲小雲棲云。（帝京景物略四。）

足克戩古爾，西竺南邱土僧。按：日下舊聞考云，足克戩，唐古特語首飾；古爾，帳房也。舊作左吉古魯，今譯改。東入中國，初息天甯寺，後過阜成門外二里溝，帝京景物略五。見地勢靈秀，松茂張蓋，遂憩息松下，結跏趺坐，耳環，手鉢，王槐雙林寺碑。紅罽衣，蒼紫面而虬髯，古達摩相也。帝京景物略五。曰：吾西竺南印度方僧遊化中國耳。遂留守供其後，一月不食，雙林寺碑。默持陀羅尼呪。畢長寺奏之，帝京景物略五。聞於慈聖皇太后、皇帝，賜織金禪衣、錢錠，日齋萬僧，仍賜酥油燃燈。師齋日滿期，卽欲辭去，曰：此庵未足以綏佛聖，建一大寺奉三寶，是吾之屬也。寺前爲山門，金剛，鐘、鼓二樓，天王殿；宇中爲佛殿，左、右伽藍護法；後爲方丈，左、右齋堂、禪室，兩側廚庫、僧房；其後疊土石爲山，高可丈餘，上爲明陽洞，左臺右榭，羣卉叢萃。凡寺之所宜有者，無不備。雙林寺碑。賜寺名西域雙林寺。帝京景物略五。

僧德寶，號笑巖，京師人，錦衣世家吳氏子也。披薙於都門之廣慧寺，師事了空，宛平王志。受法於玉泉明聰。寺院志。萬曆初，居西城之柳巷，人罕知者。一日，有梵僧來參，亞身翹袖，作種種相，師以拄杖畫字，隨方答之，僧作禮，騰空而去。弟子問：適來僧問何法？師曰：此阿羅漢西天秘密語也。泠然志。其傳燈弟子則有天童磬山焉。我世祖章皇帝詔舉天下高僧，如報恩、目澄、昂溪，皆其法裔也。宛平王志。

誠意道人，姓牛，名斗熒，萬曆間，州庠生，屢躓棘闈。遇道士，蒼髯童顏，刖一足，授以詩曰：萬刧千塵得此身，幾回出後幾回新。而今不向無生度，更向何方問去津！斗熒異之，報弟子禮，求度。道士授九轉金鼎書。斗熒晝夜參索，久之，有悟，作詩云：功名蓋世春來夢，富貴驚人水上漚。遂黄冠出遊，莫知所之。後二十餘年，有里人入洋遭風，泊一島，見一道人執一麈尾，自稱誠意道人，卽斗熒也。寄書訊其舊時同學云。通州高志。

水齋，名陽明，故中山郡鹿氏子。水齋禪師傳。自孩幼，好摶顙天地。帝京景物略三。鎮星甫周，卽從剃落。嗣法本郡慈氏太和座下，肇修苦行，八閱暑霜。自是三十餘年間，水齋禪師傳。行脚不襪不席。帝京景物略三。普陀大士、峩眉普賢菩薩、少林達摩祖師道場，躬親頂禮，往來五臺、終南、伏牛、斗山，普行饒益。水齋禪師傳。曾跪行至五臺，足膝血流，不知痛。帝京景物略三。其在中臺，古松和尚問師云：空假中是甚麽？師默然無對。當體全空，頓見本來心地，爲然指以謝。復於普陀問大智禪師云：如何是生死？答云：生死原是大智師。了然更然一指，炙背八十一炷，如華嚴卷數，乃去。通天和尚者，峩眉老宿也，問師西來意，師云：晴天日頭出，下雨地皮溼。説破無生話，只恐信不及。又問：識得麽？師左指天，右指地，不更下一語。機緣既投，衣法旋授二十四代之燈，囑師重剔。蓋至是師復然一指，通前而三矣。最後來京師，以水齋著，人號水齋師。先期不食，一再七，然後呷水，日數升以爲常。水齋禪師傳。孝定皇太后聞而創寺居焉，神宗賜額曰長椿，並賜紫衣、金頂凡三。帝京景物略三。尋勅師齋内帑，徧賜南海諸浄刹，及欽建八十八佛道場。水齋禪師傳。吉水鄒都憲南皋問：十指今七，那三指何處？和尚曰：十指依然。又曰：老宿遍參，所得何事？曰：是慈氏寺明陽。崇禎甲戌歲九月朔，和尚端坐，宣偈四句而示寂焉。帝京景物略三。

三藏師，陜人也，幼事徧融大師。按：日下舊聞考據碑云徧融卽三藏。終身一衲；終身未嘗寢，多立，少坐卽其休卧時。主十刹海二十年，終未飯長住一顆，日出乞食，歸立鐘板側。其乞也，持珠，佩一瓢，未飯仰之，既飯覆之。翁嫗孺子見其瓢仰，曰：師未飯。争飯之。不入人家，飯門外去。今一瓢、一數珠猶掛菴中也。紳衿敬問，師直突語，如村師訓教村童，不少迴避。一宦眷作禮問，師喝曰：女子，夫朝貴人，念佛家中也得，何得出見僧人！那畔無家法在，者畔無佛法在，將回檀施去。萬曆甲寅，師示寂。荼毘竟，一中貴言：苦行和尚，乃無舍利？忽爆一粒，着其掌上。神宗時，帑施日出，師定規，止晨粥，午飯。典作白言：米麥幸多，方便爲十方念佛子，作朝時飯。師曰：米多不飽，米少不散。後神宗升遐，帑施不出，方僧他寺散略盡，而此十方給仍前也。帝京景物略一。

虎皮仙，狀貌豐偉，顏色温潤，不知其何處人。來薊，披一虎皮。冬月鑿冰而浴，屠沽市餅之家，争以物飲啗之，是日獲利必倍。郡人步允遷童時，虎皮仙摩其頂曰：爾做我弟子，勝於中進士。允遷後果登第。薊州沈志。

紫柏大師，萬曆二十九年自五臺來明因寺，夜夢十六僧請挂瓶鉢。亭午，有負巨軸售者，軸十六，貫休所畫羅漢也。軸軸展視，面面若舊曾識。夜請挂瓶鉢者僧，俱是也。師歎異，購之，各係以贊，傳寺中。帝京景物略三。

梵僧索諾木納木結，能爲漢音。詰其西來踐歷蹤由，云：其國名卓哈，近高昌；出家法藏寺，本周天元時甘露梵王刹；東行九萬餘里，始達五臺山，逢御馬監太監劉潤，引至北京雙林寺住。萬曆三十年，明肅皇太后命住萬壽菴。又三年，番經太監張貴引奏，命住雙林寺，賜紫衣、寶冠。命西經廠掌壇，教授中貴，又賜織金禪衣，金緞膳盒等物。六研齋筆記。

痴和尚，不知何許人。狀肥黑，樸陋寡言，似不解世事者，人呼爲痴。天啟間，寓塔院，日乞食於市，虚往實歸。嘗以餘食授人，人怪其易得，以難得者難之，罔不應。一時遊僧流丐及飢寒殘病者，咸取給焉。衣破衲，冬夏赤腳行，或問之，曰：恐蟲蟻當屐而死。每飯輒兼數人食。與之言，或不答，答必出深至語，令人省隱私處。再叩，則又支吾誕謾矣。里中羣兒窮極戲侮，漠然如不覺。平居閉目靜坐，禮神號不輟。行亦不避風雨。崇禎十六年，忽辭衆，適京師某寺，坐化。通州高志。

明馥，原籍荆溪，遷居武清河西務。建瀛西園，精通内典，旁及經史，與楊村極樂院元震禪師有閒雲閣詩，一時並稱。所著有瀛西麓芝禪師語録及山堂詩話。（武清吴志。）

陳祖，通州邢家莊人，俗名道安，業農。時浄空祖師卓錫薊之盤山，行脚經其莊，道安心竊慕之，棄家隨入山參悟，幾十年，生精進心。嘗暑夜裸體趺坐山崖，供蚊虻噬嚙。旋坐化，弟子爲立塔山下。盤山李靖安以浄空爲開山祖，以道安爲二代祖云。（通州高志。）

乾峰，明因寺僧，念佛三十年，都人無知者。崇禎四年正月十六日，乾峰曰：燈夕也，邀湖州章孝廉日炌茗飲。飲次，歎浮生者再。呼童子歌中峰皮袋子歌。歌竟，立化。年七十。（帝京景物略三。）

懶道人，京師人。崇禎末，每在東直門關王廟，行止無定，不言姓氏，善觀氣色，吉凶立驗。錦衣衛指揮張同方甚敬信之，二月中延飲，與之弈，因談禍福。時京師晏然，忽勸同方挈家南行，同方曰：再二年，卽理刑矣，奈何去之！道人曰：理刑未必，受刑是實。同方乃猶豫不決。又一月，道人來辭。同方曰：老師云小子吉凶若何？道人指飛鴉示曰：汝觀，此鴉墜下，立死！同方曰：此不祥兆也，我得免否？道人曰：四方八面，俱是羅網，貧道前言不信，今救不得。遂往東直門外，飄然而去。同方止憂在朝犯事，遂於衛堂告病乞假。及城陷，同方與武職二百餘人悉斬於中吉門外。道人之言始驗。（明季北略）

二十二。

顯靈宮道士朝承義，工蹴踘，肩、背、膺、腹，皆可代足，兼應數敵，敵皆給。自弄可使踘繞身，終日不墮。燕山叢録。

鍾丫髻，年百十四，寓白雲觀。其人短而黧，髮半白。問：何以壽？曰：不娶，不多飲，不怒，不識目。弇州山人稿。

梅志仙，檀州人。戒行精嚴，修道黑山三十餘年，常神遊郡國。所居有柏樹，已無根，使其徒植之，立見茂盛。卧石間，輒浹旬不食，虎馴繞之。年九十餘，坐化。後時有人見於他郡縣云。密雲薛志。

國朝

韓十洲，通州人。初以登瀛名，補諸生。善讀書，工草隸。不喜穀食，力參内典，有訪道名山之志，以父在不果。崇禎十六年，易道服，告家人曰：南遊即返。自是莫知所向。後州人於揚州遇之，語以家事，不答。子禹甸，國朝順治間令烏程，罷官，寓於吴。適他往，有子年十二，戲門外，一道士操北音問曰：爾父安在？禹甸子惡其倨，曰：爾焉用知吾父！道士曰：欲爾父一見我耳。遂去。禹甸歸，其子以告。窮其狀貌聲音，實十洲也，大驚。遍訪，卒不得。通州高志。

通傑，號漢萍，漢陽人，俗姓楊，三歲嗣徐氏。二十七，禮衲剃落，即首謁黄蘗、無念師，不契。乃入廬阜凌霄巖，結茆力究，聞溪聲有省，爰偏參博幽、無異、雲門、湛然諸禪師。雲遊歷宇内，凡吴、魯、燕、晉，靡所不至。其名公鉅卿留意禪宗者，皆與爲方外友。無何，泛舟抵都門，訪笑巖祖塔，得於荆榛蒼莽中，力爲整葺；因寓京邸，道風日著。宰官、居士及諸山名德，請住京西翠微山勝水禪林。是時師年五十有三矣。順治辛丑，將示寂，冬至上堂，有痛惜寸陰，努力取辦，人之將死，其言也善之語。歲盡日，安居無恙，忽書偈語，擲筆，跏趺而逝。日下舊聞考一百四。

樸噶嚩大阿羅漢尊者，中天竺室羅筏人，所謂王舍城者是也。常居一室坐禪，精於等韻，以三十六字母通諸國語及鳥獸音、風聲、水響，皆能測之。每得人姓名，配字音推測，輒能知其心術行業，賢愚高下。偏遊天下，歷十餘年。順治五年，至通州，言天竺及所歷諸國風土甚悉。或問：如何爲道？答曰：平常心爲道。八年，西歸，擇一僧年二十餘者偕行。所遺有麻子茶飯，食之可見性。然惟心潔志專者，乃可悟入；苟非其人，則平日淫瞋傲誕諸習無不自吐云。通州高志。

老人，逸其名，不知何來，居東門甕城白衣菴。自言一百八歲，順治十四年坐化。通州高志。

任和尚，逸其名，永清馬家舖民也。順治年，於本村五蓮寺爲僧。寺久頽廢，任募重修，露坐村外誦經，祁寒酷暑，未嘗稍歇。鄉人與之食，則受；不與食，亦無所求。或餓七八日，誦經如故，人以是異之。康熙五十四年，寺始落成。任年八十餘，無疾而逝。永清周志。

僧克念，不知何許人。行腳至州静嘉寺，習袪魔術，晝夜不寐，稍倦，卽攀窗櫺或圍屏上，作鳥伸狀。康熙二年坐化。通州高志。

宋道人，不知何許人，居京師正陽門外五道廟。身不滿三尺，日惟跏趺坐，目炯炯有光。力極雄偉，有人絙大繩，道人握其端，數十人牽之，不動毫末；道人曳之，數十人並仆於地。粤西朱刺史寓京師待銓，朱固博雅，且工導引術，訪之道人，口若懸河，廿三史如指諸掌，微及呼吸頤養之法，朱語多中肯。道人曰：子亦非凡人，期某日與會南西門外破廟中。朱往，道人先在，談竟日，天文、地理、兵法、技擊、劍術、神仙，娓娓數萬言，不能悉紀。及言歷代盛衰事，道人曰：大戰棋盤街時，曾親見之，如目前事耳。或以爲宋獻策，或曰：非也。蝀階外史三。

大憬禪師，諱行敏，不知何許人，未辨姓氏。聞師家居時，夜夢梵僧指示，遂出家。緇染後，徧訪知識，始謁覺浪和尚於江左，次參萬如老人於龍池，未經一夏，命居第一座。晚抵燕都，隱青塔者二十年，終歲閉户，曾不知有門外事。報緣已盡，示寂於康熙三十三年二月十九日，葬於城西之西村。日下舊聞考九十九。

智樸，號拙菴，張姓，江南徐州人。母王氏，得異夢而生。自幼穎異，年十五歲爲僧，深禪機。三十五歲至盤山，結廬於青溝。其地間多虎豹，樵夫不敢入；自智樸開山結茅之後，惡獸潛踪，人咸異之，名遂大振。盤山向無志乘，智樸編輯成書，薊州沈志。頗有體裁，居易録十。咸稱爲釋氏董狐。又善詩，薊州沈志。山居詩有極似寒山子者，其佳句如：雪衲經時補，春薪帶雨燒；青溝一派水，紫蓋萬重山；閒心將白日，隨意斬青茅；木蛇鱗甲異，俊鶻羽毛青；蒲團安養地，秋色浄居天；鬢從新處白，天自舊來青；竹窗來夜月，茆屋隱春雲。皆可誦。居易録十。聖祖仁皇帝巡幸盤山，曾令唱酬。薊州沈志。御書户外一峰賜之。居易録二。

僧埽雲，俗姓張，名明章，徽州人。幼隨祖師奎令蜀中，過青城、峩眉諸山，飄然有雲外相。年十五，通經史，忽棄去，曰：吾安用此爲！潛心内典，生大覺悟，遂祝髮。徧遊名山，入劍南，登九皋，陟匡廬，歷齊、魯及燕。至潞水上，悦玉泉瑩潔，泉畔舊有關帝廟，埽雲止其中，改名玉泉菴。先是，廟有僧獻廷，守戒律甚嚴，素不輕禮遊僧，嘗曰：瑜珈妙法，恐爲若輩所誤。及見埽雲，語，大悦，曰：吾謂千古慧燈，必不泯也。參埽雲爲師。埽雲兼通詩畫，曾見許於新城尚書王士禛。州人士争敬禮之，稱爲緇隱。通州高志。

楊和尚，不知何許人，或曰蓋都中某巨室僕也。號月泉，人第呼之曰和尚。和尚精遁甲、青烏術，挂錫邑東南錐山寺及鎮羅營廟。所在夜户不扃，有盗入，輒迷不得去。山中故多猛獸，而廟中牲畜，但界以石子，毫無損。與同行，相失於後，忽相遇於前。奇蹟多類此。年九十餘，先期示寂，時至，果坐化。城東門内永慈菴壁間畫梅並偈，其手筆也。後其房圮，而此壁巍然獨存。密雲薛志。

劉倔子，不知何許人。亦莫悉年歲，有自幼至老遇之者，狀貌不稍改。康熙初，往來通州城市間，里人咸識其面，能談休咎，或出隱語，事後皆奇驗。性倔直使氣，故争呼爲倔子。州人温某，年八十餘，與之值，倔子曰：君道袍可見惠矣。温瞿然，翼日製袍以贈。或詰温，温曰：余成童時，從父輩會於某，彼在座，目余曰：此兒有壽。余戲答曰：如過八十，則以道袍贈。今聞其言，始憶及耳。漢軍總兵王某客之，與講導引術。王嘗欲郵書津門，倔子請往，踰宿而返。王疑之，倔子曰：有覆函在，可驗。又嘗偕里人遊西山，從行者步皆輕捷，移時而至。既登山，衆苦腹餒，倔子忽出鍋具，以卵石貯之，拾薪爲炊，少頃啟鍋，謂衆曰：熟矣。令衆取食，味如山藥，衆以其異，藏懷中，及歸，則卵石如故。後居七里橋關帝殿中，或踰月不出，或一日數出，出亦莫知所之。常數日不食，食則無數。噉瓜立盡擔許，市瓜者色沮，令偕還殿中，所食瓜仍在，還之。冬月菜萎，以口噓氣，菜復生。其奇異類如此。雍正元年逝去，或以爲尸解云。通州志。高志。

明乾，字仁化，號二憨，甯波奉化馬氏子。年二十三，落彩於普陀法華洞。明年，於西湖昭慶律寺受具得度，旋習静艮山門外報恩院。由是徧參諸方，道望日進。雍正癸丑，奉世廟命，嗣法無閡永覺禪師座下，賜紫衣及鉢、杖、如意，敕往西山法海寺，主席十年。高宗皇帝嗣位，頒賜如前，命住拈花寺。歲辛未，移住萬壽寺。師遊方之外，荷兩朝恩遇，爲珠林所未有。閱七年，以老病乞歸山，蒙恩得請，卽前所居報恩院也。歸三年而示寂。壽六十五。頻羅菴遺集八。

三和尚，不知何許人。雍正間祝髮寶坻城北宏福寺。善拳勇，某家延之守望。自言少年爲盗，誓不近女色，不竊善良，故生平未破案。後十八人同至關東，夜盗一家，牆甚峻，躍而登，推藝絶倫者一人下，杳無聲息。又推其次，如之。次當至三和尚，和尚素執一熟銅杖，杖首銜鍊，長丈餘，遂先投杖，聞琅琅有聲，疾掣，鍊已削去半截，刀鋒稜稜。羣盜懼，如鳥獸散。三和尚遂棄去爲僧，洗心滌慮，雖大戒律不啻也。夏夜，宿某家廳事，門不闔，横置二凳，一擱腦後，一擱足根，空其中，鼾齁如雷。某家小公子輩戲以鐵杖擊其腹，膨脝作皮鼓聲，目微張，呵欠曰：勿惡作劇。齁聲又作矣。某家有樓，高數丈，前後有門，令小公子面北立門中，三和尚當面立，曰：汝面向南。公子轉身，和尚已從樓脊躍而過，又當其面。俄頃之間，已數十度。飛鳥騰猿，遜其矯捷。偏體傷痕鱗鱗，撫以手，膚内隱小鐵丸無數。問之，笑不答。臨示寂，始言：某走關東，官兵合圍，火伴數人悉就擒，火槍如雨，伊身被數十創，潰圍出。每陰雨，傷處輒隱隱作痛。其徒間以告人云。蜨階外史二。

劉翁，通州人。守鼓樓，司撞鐘。鐘以漏初下爲度，杵一撞，則獄囚收禁不能轉。劉憫之，每酷暑，遲撞四刻，謂舒緩不至苦蚊蠅齧耳。持此念，行之數十年。樓下有酒肆，劉每見數人詣肆飲，衣懸鶉，貌奇古，異之。付肆主錢數緡，謂數人再來，恣飲噉，勿取值。數人詢知其人，卽約共飲，高睨大談，所語率世外事，不可解，飲畢，別去。劉送之郊外，長跪曰：某愚人，然知數公皆仙，願度爲弟子，供洒埽。數人相顧笑曰：子持念不忍，有仙根，遇我等能識，亦有仙緣。遂攜之去無跡。劉家有老母，年近九十，無以養。家有櫝，母啟之，輒得錢、米，賴以無凍餒。逾年，劉忽自至，鬢之白者盡黑。時隆冬，持一桃餉母，腐其半。母恚曰：去年餘，將持朱提來，僅一腐桃，何所用？擲於地。劉曰：一桃不易得，兒獻此亦孝心，母不食，數也。因自掇食之，復叩辭去。母問返期。曰：待牛市行舟，兒當再至。牛市者，通州城内通衢也。去後，遂不復來。母死，鄰人共葬之，棺衾之費，皆取諸櫝。桃核棄院落中，後生桃樹，結實極甘美，居人售其實，猶代爲上塚云。蜨階外史一。

曹倧，字超伯，性倜儻，豪俠好義，不事家人生産。千金一諾，雖家資屢耗，弗恤也。年四十八，遊京師，得槖籥訣，學爲導引之術。於報國寺購得麻姑小像，朝夕拜禮。語言動止，固若平時，而神采丰儀，自是寖異。閉户清齋，漸能知隔世事。絶粒近百日，力益健，戲以掌抵堂柱，甍瓦皆震。嘗昏夜静坐，屏去燈燭，張目出白光二道著壁間，頓成圓暈，宛有美人在其中。又能作法，令人歌舞。偶有天津劉客至，命之歌，對曰：不能。少頃，劉自蹁躚作舞態，而音調悠揚，恍如素善於歌者。命之止，則聲容頓息。劉方悟，向之爲其法之所使也。將卒，預示期，及期而逝。芝貌玉肌，鮮華朗映，七日體猶温，人弗敢殮也。逝之日，有樵者遇諸野，徜徉自適，如閒遊狀。越半載，復有鄰人見其乘馬而過者，人始疑其爲尸解云。武清吴志。

李人天，不知何許人，居涿州之芳樹村。與郝勳善，授以熊經鳥伸之術。聞人叩扉，即知其姓名，人多異之。每晨興埽地，則是日必雨，不雨，則否。鄉人習知之，當耕作，悉早起屬耳，聞拂帚聲，卽不理田事，否則必往市覓工作，率以是爲準，因目爲神仙。一日，送一頭陀於韓村，遂於路旁坐化。時值鄚州廟會，有人自廟歸者，見李服常服，持茅籃，自北而南。訊以何往，曰：往廟中。計其日，正坐化日也。涿州吴志。

大泉，姓劉，號月江，父母以家貧子多，捨之雲居寺爲僧。一日，吹管弗諧，衆僧笑之。泉曰：月江豈能爲伶人事耶！挈衣鉢入鳳凰山中，誅茅居之。歷二十餘年，返雲居，拜父母墓，問訊親舊畢，卽閉關。又歷二十餘年，州之富人楊讓邀泉至家供養，不往，爲讓論禍福甚辨。謂善則福，不善則禍，不在供養僧人也。讓又問：天堂地獄有無？泉笑曰：天，積氣耳；地，積土而浮乎水者也，雖有堂、獄，亦無處着。朱子不云乎：君子徇天理，故日進於高明，此天堂也。小人徇人欲，故日流於污下，此地獄也。昔賢又嘗曰：天堂無已，有則君子登；地獄無已，有則小人入。人但求爲君子而已，天堂、地獄有無，安用問哉！涿州吴志。

劉含真，籍貫無考，修煉於小直沽三官廟。常於琳宫誦黄庭，往來觀者，隱有祥光覆於其上。行年六十二，顔色如童。一日徧辭檀越，趺坐静室，數日不食，沐浴更衣，書榻右云：遁世和光了幻緣，緣消幻滅始超然。清風遍界無遮障，赫日當空照大千。書罷，風雨晦冥，端坐而逝。武清吴志。

僧伽初，姓姜，名濟宇，年二十餘，始祝髮爲僧，法名廣慈。修持於報成寺，多所繕葺。繼從大鉢禪師雲遊五臺山，杖錫攀躋，蛇馴虎伏。一日，問師曰：如何是兜率境？師答曰：一水挼藍色，千峰削玉青。慈遂大悟。後於隆相寺趺坐而化。武清吴志。

溟渤，名超古，武清人。幼樸魯，傭工於人，好呼盧戲。一旦忽悟，披剃出遊。師盤山大博，遂證道妙。出言真實，不爲怪幻。襯施一無所受，往來遠近悉徒步。創都門、涿州海會、西域二寺，皈依者雲集。辛未三月十九日，起，沐浴，付法留偈而去。武清蔡志。

趙和尚，法號天印，通州人。幼祝髮於六里屯嚴浄寺，守戒行，修持精進，其講經傳戒，能參法乘妙諦。好利濟，嘗施粥，施棺，及掩埋遺胔，歷久不懈。遇歲旱，禱卽雨。乾隆二十七年大旱，天印不食四十二日，玉箸甫垂，大雨隨降，遂坐化。塔在仁壽寺。通州高志。

蓮筏，長洲人，爲萬壽寺住持十數年。白髮清癯，頗解禪理，與章嘉國師論經典，每至竟日。國師深服其博通。蓮謂人曰：章嘉經典雖諳熟，然未解阿羅漢道，下乘學也。詩饒有別趣，與韓葑、法式善唱和，有虎溪三笑之風。年七十餘，尚輕健如故。聞其圓寂前數日，至鄭邸盤桓，曰：七寶池邊已促吾行，不復參謁王矣。嘯亭雜錄。

貞尼者，佚其名。幼削髮於城西北隅之苾芻菴，虔心奉佛，恪守清規，居人罕見其面。年七十餘，寢疾，知不起，乃召其俗家男女至菴而謂之曰：凡人年自二十至四十，血氣未定，情欲之私，有觸斯動。予未獲明師，洞窺上乘，惟知堅忍自持。每當情不自禁時，輒用翦自刺，晝夜痛楚，妄念頓消，以是幸能自保。此後，凡有女者，愼勿使爲尼。今之不肖僧尼，比比皆是，可爲烱鑒。袒而示之背，刀痕無數。見者莫不垂涕。語畢而逝。平谷采訪册。

華陽吴祖椿校

光緒順天府志一百十四

黄岡洪良品纂　江陰繆荃孫覆輯

人物志二十四

僑寓

戰國

騶衍　荆軻

晉

高瞻

北魏

韋闐　胡叟　梁祚

羅侯

唐

李忠臣

元

郝經　趙復　王粹

楊奂　舒穆嚕拜達勒　伊喇聶哷子邁弩 孫元臣

高彥敬

明

董倫　金忠　薛斌

毛尚志　焦禮子亮　黃潤玉

徐本　蔡通　華孝廉

丁乾學　沈[illegible]　秦宣

李贊　吳從義

國朝

王國賓（子師旦）　陳善道　王宗智

閔益　李鍇　石永甯

柳國棟　王梁

自古聖賢瑰瑋非常之人，游歷所經，山川且增色焉，矧其擇仁而處者哉！燕京表海負山，古稱形勝之國，名流萃止，四方輻輳，習其風土，長夫子孫，表俗型方，蓋與此邦之彦競烈矣。擇其尤者，著之於篇。元明以來，建爲都邑，服官、射策，棲止益衆，類皆删削，不在此例。僑外縣者，間亦録之，雖人往風微，覽古者尤可識其梗概云。志僑寓。

戰國

騶衍，齊人。燕昭王于破燕之後，率身厚幣以招賢者。衍自齊往，（史記燕召公世家。）昭王擁彗先驅，請列弟子之座而受業。築碣石宮，身親往師之，作主運。（史記孟荀列傳。）燕有谷，氣寒，不生五穀。（王充論衡。）騶子居之，吹律而温氣至。（劉向別録。）以種黍，黍生豐熟，到今名之曰黍谷。（王充論衡。）

荆軻，字次非。博物志七。其先乃齊人，徙於衛，衛人謂之慶卿。而之燕，燕人謂之荆卿。史記刺客傳。燕太子丹質於秦，亡歸而求爲報秦王者。田光言荆軻，太子願交，荆軻遂見太子。國策九。太子甚喜，自以爲得軻永無秦憂。後日與軻之東宮，臨池水而觀，軻拾瓦投鼃，太子令人捧盤金，軻用投，投盡復進。軻曰：非太子愛金也，但臂痛耳。後復共乘千里馬，軻曰：馬肝甚美。太子卽殺馬進肝。燕丹子。樊將軍亡秦之燕，太子客之。國策。置酒華陽之臺，酒中，太子出美人能琴者，軻曰：好手，琴者！太子卽進之。軻曰：但愛其手耳。太子斷手，盛以玉盤奉之。太子常與軻同案而食，同牀而寢。後日，軻從容曰：軻傅太子三年於斯矣，而太子遇軻甚厚，黄金投鼃，千里馬肝，姬人好手，盛以玉盤。凡庸人當之，猶尚樂出尺寸之長，當犬馬之用；今軻常侍君子之側，聞烈士之節，死有輕於鴻毛，義有重於太山，但聞用之所在耳。太子幸教之！太子斂袂正色而言曰：燕丹子。秦有貪利之心，非盡天下之地，臣海内之王者，其意不厭。燕弱小，數困於兵，今計舉國不足以當秦。丹之私計，愚以爲誠得天下之勇士使於秦，闚以重利，秦王貪，其勢所得願矣。誠得刼秦王，使悉反諸侯侵地，則大善矣；不可，則因而刺殺之。此丹之上願，而不知所委命，唯荆卿留意焉。史記刺客傳。軻曰：微太子言，臣願得謁之。今行而無信，則秦未可親也。夫樊將軍，秦王購之金千斤，邑萬家。誠得樊將軍首，與燕督亢之地圖，獻秦王，秦王必說見臣，臣乃得有以報太子。太子曰：國策。樊將軍以窮歸我，而丹賣之，心不善也。燕丹子。荊軻知太子不忍，乃私見樊於期，曰：秦之遇將軍，可謂深矣，父母宗族皆爲戮没。今聞購將軍首，將奈何？史記刺客傳。於期曰：常念之，日夜飲淚，不知所出。荊君幸教，願聞命矣。燕丹子。軻曰：願得將軍之首以獻秦王，秦王必喜而善見臣，臣左手把其袖，右手揕其胸，然則將軍之仇報，而燕國見陵之恥除矣，將軍豈有意乎？國策。於期曰：此臣之日夜切齒腐心者也。遂自刎，頭墜背後，兩目不瞑。太子聞之，自駕馳往，伏於期屍而哭，悲不自勝。良久，無奈何，遂函盛於期首，燕丹子。爲裝，遣荊軻，國策。舞陽爲副。燕丹子。頃之，未發。太子遲之，疑其改悔，乃復請曰：日已盡矣，荊卿豈有國策作無。意哉？丹請得先遣秦舞陽。荊軻怒，叱太子曰：僕所以留者，待吾客與俱。今太子遲之，請辭決矣！史記刺客傳。不擇日而發，太子與知謀者皆素衣冠，送易水上。燕丹子。既祖，取道，高漸離擊筑，荊軻和而歌，爲變徵之聲，士皆垂淚涕泣。又前而爲歌曰：風蕭蕭兮易水寒，壯士一去兮不復還！復爲羽聲慷慨，士皆瞋目，髮盡上衝冠。國策。精誠感天，白虹貫日。初學記二。於是荊軻就車而去，終已不顧。史記刺客傳。夏扶當車前，刎頸以送。二子行過陽翟，軻買肉爭輕重，屠者辱之，舞陽欲擊，止之。燕丹子。既至秦，持千金之資幣物，厚遺秦王寵臣中庶子蒙喜，先言於秦王。秦王朝服，設九賓，見燕使者咸陽宮。荊軻奉樊於期頭函，而秦舞陽奉地圖匣，以次進。至陛，史記刺客傳。鐘鼓並發，羣臣皆呼萬歲。燕丹子。秦舞陽色變振恐，羣臣怪之，荆軻顧笑舞陽，前謝曰：北蕃蠻夷之鄙人，未嘗見天子，故振慴。願大王少假借之，使得畢使於前。秦王謂：軻起，取舞陽所持圖。軻既取圖奉之。秦王發圖，圖窮而匕首見。國策。軻左手把秦王袖，右手揕其胸，目數之，曰：足下負燕日久，貪暴海内，不知厭足，於期無罪而夷其族，軻將爲海内報讎。今燕王母病，與軻促期，從吾計則生，不從則死。秦王曰：今日之事，從子計耳。乞聽琴聲而死。召姬人鼓琴，琴聲曰：羅縠單衣，可掣而絶。八尺屏風，可超而越。鹿盧之劍，可負而拔。軻不解音，秦王從琴聲負劍拔之，於是奮袖超屏風而走，燕丹子。擊荆軻，斷其左股。國策。軻拔匕首擿之，決秦王耳，入銅柱，火出然。秦王還斷斬兩手，軻因倚柱而笑，箕踞而罵曰：吾坐輕易，爲豎子所欺，燕國之不報，我事之不立哉！燕丹子。於是左右既前殺軻，史記刺客傳。遂體解以徇。通鑑輯覽十。

晉

高瞻，字子前，渤海蓨人也。少而英爽，有俊才。身長八尺三寸。光熙中，調補尚書郎。永嘉之亂，還鄉里，乃與父老議曰：今皇綱不振，兵革雲擾，此郡沃壤，憑固河海；若兵荒歲儉，必爲寇庭，非謂圖安之所。王彭祖先在幽薊，據燕代之資，兵强國富，可以託也，諸君以爲何如？衆咸善之。乃與叔父隱率數千衆北徙幽州。晉書載記列傳。既而，以王浚政令無恆，乃依崔毖如遼東。册府元龜九百四十八。毖之與三國謀伐廆也，瞻固諫以爲不可，毖不從。及毖奔敗，瞻隨衆降於廆。廆署爲將軍，瞻稱疾不起。廆敬其姿器，數臨候之，撫其心曰：君之疾在此，不在餘也。今天子播越，四海分崩，蒼生紛擾，莫知所係，孤思與諸君匡復帝室，翦鯨豕於二京，迎天子於吴會，廓清八表，侔勳古烈，此孤之心也，孤之願也。君中州大族，冠冕之餘，宜痛心疾首，枕戈待旦，奈何以華夷之異，有懷介然？且大禹出於西羌，文王生於東夷，但問志略何如耳，豈以殊俗不可降心乎？瞻仍辭疾篤，廆深不平之。瞻又與宋該有隙，該陰勸廆除之。瞻聞其言，彌不自安，遂以憂死。晉書載記列傳。

北魏

韋閬，字友觀，京兆杜陵人也，世爲三輔冠族。閬少有器望，遇慕容氏政亂，避地薊城。北史列傳。世祖徵拜咸陽太守，轉武都太守，屬杏城鎮將郝温。及蓋吴反，關中擾亂，閬盡心撫納，所部獨全。在郡十六年，卒。魏書列傳。

胡叟，字倫許，安定臨涇人也，世爲西夏著姓。叟少聰慧，年十三，辯疑釋理，鮮有屈焉。北史列傳。孤飄坎壈，未有仕路，遂入漢中。魏書列傳。宋梁、秦二州刺史馮翊、吉翰頗相禮接，授叟末佐，不稱其懷。未幾，翰遷益州，叟隨入蜀。北史列傳。在益土五、六載，北至楊難當，乃西入沮渠牧犍，遇之不重，叟亦本無附之之誠。歸魏，拜虎威將軍，賜爵始復男。家於密雲，蓬室草筵，唯以酒自適。叟不治産業，常苦饑貧，然不以爲恥。養子字螟蛉，以自給養。每至貴勝之門，恆乘一牸牛，敝韋袴褶而已。作布囊，容三、四斗，飲噉醉飽，盛餘肉、餅以付螟蛉。見車馬榮華者，視之蔑如也。尚書李敷嘗以遺財物，都無所取。初，叟一見高允，曰：吴鄭之交以紵縞爲美談，吾之於子，以弦韋爲幽贄，以此言之，彼可無愧也。叟少孤，每言及父母，則淚下若孺子之號。春秋當祭之前，則先求旨酒美膳，將其所知廣甯常順陽、馮翊田文宗、上谷侯法儁，攜壺執榼，至郭外空静處，設坐奠拜，盡孝思之敬。時燉煌氾潛家善釀酒，每節送一壺與叟。著作佐郎博陵許赤虎、河東裴定宗等謂潛曰：再三之惠，以爲過厚，子惠於叟，何其恆也！潛曰：我恆給祭酒者，以其恆於孝思也。論者以潛爲君子矣。順陽等數子稟叟奬示，頗涉文流。高閭曾造其家，遇叟短褐曳柴，從田歸舍，爲閭設濁酒、蔬食，皆手自辦。然案其館宇卑陋，園疇局褊，而飯菜精潔，醯醬調美。見其二妾，並年衰跛眇，衣布穿弊。閭見其貧約，以衣物直十餘疋贈之，亦無辭免。間作宣命賦，叟爲之序。密雲左右皆祇仰其德，歲時遺以麻布、穀、麥，叟隨分散之，家無餘財。年八十，卒。魏書列傳。

梁祚，北地泥陽人。篤志好學，歷習經典，尤善公羊春秋、鄭氏易，常以教授。有儒者風，而無當世之才。與幽州別駕平恆有舊。北史列傳。又姊先適范陽李氏，遂攜家人僑居於薊。積十餘年，雖羈旅貧窘，而著書不倦。恆時相請屈，與論經史。辟秘書中散，稍遷秘書令，爲李訢所排擯，退爲中書博士，後出爲統萬鎮司馬。徵爲散令，撰并陳壽三國志，名曰國統。又作代都賦，頗行於世。清貧守素，不交勢貴。年八十七，太和十二年卒。子元吉有父風。魏書儒林傳。

拓拔羅侯，魏京兆王繼之弟。遷洛之際，以墳陵在北，遂家於燕州之昌平郡內。豐資産，唯以得意爲適。不入京師，有賓客往來者，必厚相禮遺。豪據北方，甚有聲稱。元叉權重，以羅侯不樂入仕，就拜昌平太守。正光末，逆賊大俄佛保陷郡，見害。子景遵，直寢太常丞。魏書列傳。

唐

李忠臣，本姓董，名秦，平盧人也，世家於幽州薊縣。舊書列傳。少籍軍，以才力奮，事節度使薛楚玉、張守珪、安禄山等，甄勞至折衝郎將、平盧軍先鋒使。新書列傳。及禄山反，與其倫輩密議，殺僞節度吕知誨，立劉正臣爲節度，以忠臣爲先鋒使，攻長楊，戰獨山，襲榆關、北平，殺賊將申子貢、榮先欽，擒周釗送京師。舊書列傳。從正臣赴難，復敗李歸仁、李咸、白秀芝等。無何，潼關失守，郭子儀、李光弼退師，忠臣整軍北還。奚王阿篤孤初引衆與正臣合，已而，紿約皆攻范陽，至后城，夜，乘間襲忠臣。忠臣接戰，敗之，追奔至温泉山，擒首領阿布離，斬以釁鼓。至德二載，節度使王玄志使忠臣率兵三千，自雍奴桴葦絶海，擊賊將石帝廷、烏承洽，轉戰累日，拔魯城、河間、景城，收糧資以賓軍。又與田神功下平原、樂安，擒僞刺史以獻。於是防河招討使李銑承制假忠臣德州刺史，新書列傳。屬史思明歸順。舊書列傳。河南節度使張鎬，督忠臣軍，合諸將，平河南州縣。又與裨將陽惠元大破賊將王福德於舒舍口。肅宗累下詔慰諭，仍令鎮濮州，尋移惠城。乾元元年，與郭子儀等九節度圍安慶緒於相州。明年二月潰，忠臣亦退至滎陽，破賊將敬釭，取糧艘二百舵以餉汴軍。未幾，授濮州刺史，屯杏園渡。許叔冀以汴下史思明。忠臣力屈，亦降。思明撫背曰：吾衹有左手，今得公，兼有右手矣。舊書列傳。厚待之，收其妻子，置長蘆爲質。通鑑紀事本末一百八十三。從思明寇河陽，夜帥其衆五百，拔柵突圍，降於光弼。資治通鑑二百二十一。詔加殿中監，封户二百。召至京師，賜今氏名，給良馬、甲第。時陝西、神策兩節度使郭英乂、衛伯玉屯陝，故以忠臣爲兩軍兵馬使，戰永甯莎栅，與賊將李感義等數十遇，皆破之。淮西節度使王仲昇爲賊執，以忠臣爲汝仙蔡六州節度使，兼安州。合諸軍平東都，進御史大夫。新書列傳。時回紇可汗既歸其國，留判官安恪、石帝廷於河陽，守禦財物，因此招聚亡命爲寇，道路壅隔。詔忠臣討平之。永泰元年，吐蕃犯西陲，京師戒嚴。代宗命中使追兵，諸道多不時赴難。舊書列傳。忠臣與諸將擊毬，得詔亟命治行，諸將及監軍皆曰：師行必擇日。忠臣怒曰：父母有急，豈可擇日而後救耶！即日勒兵就道。通鑑紀事一百八十六。自此方隅有警，忠臣必先期而至。由是代宗嘉其忠節，加本道觀察使，寵賜頗厚。及同華節度周智光舉兵反，舊書列傳。華州牙將姚懷、李延俊殺智光，以其首來獻。忠臣入朝，以收華州爲名，帥所部兵大掠，自潼關至赤水，二百里間，財畜殆盡，官吏有衣紙或數日不食者。大曆五年，加蔡州刺史。十年，陝州軍亂，上命忠臣按之。將士畏忠臣兵威，不敢動。忠臣設棘圍，令軍士匿名投庫物，一日獲萬緡，盡以給其從兵爲賞。資治通鑑補二百三十五。十一年，汴宋都虞候李靈曜殺兵馬使孟鑒，北結田承嗣爲援。詔忠臣與李勉、馬燧討之。忠臣、燧軍於鄭州，靈曜逆戰淮西，軍潰，忠臣將歸，燧曰：以順討逆，何憂不克，奈何自棄功名！堅壁不動；忠臣收散卒，軍勢復振，大戰汴州。靈曜敗，入城固守，忠臣等圍之。承嗣遣田悦將兵救靈曜，敗永平、淄青兵，乘勝進軍汴州城北。忠臣遣裨將李重倩將精騎數百，夜入其營，綜横貫穿，斬數十人而還，營中大駭。忠臣、燧因以大軍乘之，鼓噪而入。悦衆不戰而潰，靈曜逆遁，通鑑輯覽五十七。汴州平。燧知忠臣暴戾，以己功讓之，不入汴城，引軍西屯板橋。忠臣入城，果專其功。宋州刺史李僧惠與之争功，忠臣因會擊殺之；又欲殺劉昌，昌遁逃得免。通鑑紀事本末一百九十二。庚戌，加忠臣同平章事，仍領汴州刺史，治汴州。資治通鑑補二百二十五。忠臣貪殘好色，將吏妻女美者，多淫逼之。悉以軍政委妹壻節度副使張惠光，惠光挾勢暴横，軍中苦之。忠臣復以惠光子爲牙將，暴横甚於其父。左廂都虞候李希烈，忠臣之族子也，爲衆所服。希烈因衆心怨怒，與大將丁暠等殺惠光父子，而逐忠臣。忠臣單騎奔京師，上以其有功，使以檢校司空同平章事，留京師。通鑑紀事本末一百九十二。建中初，嘗因奏對，德宗謂之曰：卿耳甚大，真貴人也。忠臣對曰：臣聞驢耳甚大，龍耳甚小，臣耳雖大，乃驢耳也。上説之。舊書列傳。散騎常侍張涉以贓得罪，帝怒不赦。涉故侍讀東宫者，忠臣曰：陛下貴爲天子，先生以乏財觸法，非過也。帝意解，免涉，歸田里。湖南觀察使辛京杲私怒部曲，殺之，有司劾當死。忠臣曰：京杲應死久矣。帝問故，對曰：新書列傳。京杲諸父兄弟皆戰死，獨京杲至今尚存，臣故以爲當死久矣。上憫然，左遷京杲諸王傅。忠臣乘機救人，多此類。資治通鑑補二百二十六。忠臣木强率直，不識書，不喜儒生。及罷兵權，官位崇重，常鬱鬱不得志。及朱泚反，以爲僞司空兼侍中。泚率兵逼奉天，命忠臣京城留守。泚敗，忠臣走樊川別業。李晟下將士擒忠臣至，繫之有司。興元元年，并其子並誅斬之，時年六十九。籍没其家。舊唐列傳。

元

郝經，字伯常，澤州陵川人。金末，父思温辟地河南魯山。河南亂，居民匿窖中，亂兵以火熏灼，民多死。元史列傳。母許亦預其禍，經甫九歲，暗中索得寒葅一甌，抉齒飲母，良久乃蘇。元朝名臣事略十五。金亡，徙家順天。元史類編二十一。經晝則負薪米爲養，暮則讀。元史列傳。父母欲成其志，假館於鐵佛精舍，俾專業於學。坐達旦者凡五年。元朝名臣事略十五。爲守帥張柔、賈輔所知，延爲上客。二家藏書皆萬卷，經博覽，無不通。往來燕趙間。元好問語之曰：子貌類汝祖，才器非常，勉之！元史列傳。自是聲名藉甚。藩帥交辟，皆不屑就。元朝名臣事略十五。憲宗元年，世祖以皇弟開邸金蓮川，元史列傳。羅致異儁，挹其聞，遣使者一再起。經既奉清問，上稽唐、虞，下逮湯、武，所以仁義天下者，條數十餘事，皆援據古義，剴切時病。元朝名臣事略十五。大悦，遂留王府。元史類編二十一。歲己未，憲宗自將伐宋，據梁、益上流，元朝名臣事略十五。命世祖總統東師。經從至濮，會有得宋國奏議以獻，其言謹邊防，守衝要，凡七道，遂下諸將議。元史列傳。經建議，大概以爲彼無釁可乘，未見其利；惟修德以應人心，發政以慰民望，簡賢以尊將相，惇族以維基圖，撫殊俗、制列政以防窺竊，結盟保境、興文治、飭武事、育英才、恤罷氓以培植元氣，藏器於身，俟時而動，則宋可圖矣。元朝名臣事略十五。世祖以經儒生，愕然曰：汝與張巴圖議耶？經對曰：經少時館張柔家，嘗聞其論議，此經臆説耳，柔不知也。進七道議，七千餘言。元史列傳。帝偉之。元朝名臣事略十五。乃以楊惟中爲江淮荆湖南北等路宣撫使，經爲副，將歸德軍先至江上，宣布恩信，納降附。惟中欲私還汴，經曰：我與公同受命南征，不聞受命還汴也。惟中怒，弗聽。經率麾下揚旌而南，惟中懼謝，乃與經俱行。經聞憲宗在蜀，師久無功，進東征議。元史列傳。及會兵渡江圍鄂州，聞憲宗崩，經復進班師議。元史類編十五。會宋守帥賈似道亦遣間使請和，迺班師。明年，世祖即位，以經爲翰林侍讀學士，佩金虎符，充國信使使宋，告即位，且定和議，仍賜沿邊諸將，勿鈔掠。元史列傳。或言：宋人譎詐叵信，盍以疾辭？經曰：元朝名臣事略十五。南北構難，兵連禍結久矣，聖主一視同仁，通兩國之好，雖以微軀蹈不測，苟能弭兵靖亂，活百萬生靈於鋒鏑之下，吾學爲有用矣。宋元學案九十。經入辭，賜蒲萄酒，詔曰：朕初即位，庶事草創，卿當遠行，凡可輔朕者，亟以聞。經奏便宜十六事。時經有重名，平章王文統忌之，陰屬李璮潛師侵宋，欲假手害經。經至濟南，璮遺書止經，經以璮書聞於朝而行。元史列傳。將入宋境，憂朝廷初政，治具未完，遣使上封事，言闕失，以爲國家振舉綱維，修明禮樂，雖不能使如三代，亦當期漢、唐，不宜苟且參用金人，以蠹國政。又極論風俗者天下之命脈，方今最爲敗亂，當速條理。元朝名臣事略十五。經至宿州，遣副使劉仁傑、參議高翿請入國日期。不報。遺書宰相及淮帥李庭芝，庭芝復書，果疑經。元史列傳。答書：弭兵息民，通好兩國，實出聖衷，且諭邊將輯戍守圉，以契和議，衆所聞知。今啟釁自壇，一旦律以違詔，將無所逃罪，此何與使人事也！元朝名臣事略十五。時似道方冒鄂圍之解爲己功，恐經至而泄其情也，遂以李壇爲辭，拘之真州。元史類編二十一。經乃上表宋主曰：願附魯連之義，排難解紛，豈知唐儉之徒，款兵誤國。又數上書宋主及宰執，極陳戰和利害，且請入見及歸國。皆不報。元史列傳。宋人既留住不遣，明年，館伴使朱寶臣僞報本朝異聞，弗聽。後累言之，經厲聲曰：此事斷無！設若有之，當發遣我輩還國。元朝名臣事略十五。驛吏棘鑰户，甚逾犴狴，經不爲動。元史類編二十一。介佐而下，久於囚羈，戚嗟尤怨，無復生意。經語之曰：嚮顧望不前，將命之責；一入宋境，死生進退，聽其在彼，守節不屈，盡其在我者，豈能不忠不孝以辱中州士大夫乎！但公等不幸，須忍死以待。揆之天時、人事，宋祚殆不遠矣。衆服其言，亦皆自振勵。元朝名臣事略十五。從者四十騎，居七年，死過半，經獨與六人處真州楊子院。元史類編二十一。又九年，丞相巴延奉詔南伐。帝遣禮部尚書珠德哈雅名臣事略作廉希賢。及經弟行樞密院都事郝庸入宋，問執行人之罪。宋懼，遣總管以禮送經歸。道病，帝敕樞密院及尚醫近侍迎勞。所過，父老瞻望流涕。明年夏至闕，錫宴，庭咨以政事，賞賚有差。秋七月，卒，年五十三。元史列傳。所撰有易象春秋外傳、續後漢書、陵川文集共數百卷。元史類編二十一。案：元史載，經還三歲，汴中民射雁金明池，得繫帛書詩云：霜落風高恣所如，歸期回首是春初。上林天子援弓繳，窮海纍臣有帛書。後題曰：中統十五年九月一日，國信大使郝經書於真州忠勇軍營新館。經使宋被拘，抗志不屈，宜與蘇武並稱，帛書一節，亦因武事而附會點綴詞章，固無不可；正史列傳亦採而録之，則誣矣。

趙復，字仁甫，德安人。太宗二年，命太子庫春伐宋，德安嘗拒戰，其民數十萬皆俘戮無遺。時楊惟中行中書省，軍前姚樞奉詔，卽軍中求儒、道、釋、醫、卜士，凡儒生挂俘籍者，輒脱之以歸，復在其中。元史列傳。樞與之言，奇之。宋元學案九十。復見樞戎服而髯，不爲禮。及至帳中，見陳琴書，乃駭然。元名臣事略。以九族俱殘毁，不欲北，因與樞訣。樞恐其自裁，留帳中共宿。既覺，月色皓然，惟寢衣在。遽馳馬周號，積屍間無有也；元史列傳。行及水際，見復披髮徒跣欲自沈，樞追止之。勸以徒死無益，身存則宗祀可延，隨吾而北，保無他。復强從之。先是，南北道絶，載籍不相通，元史列傳。程、朱之學不及于北。宋元學案九十。至是，復以所記程、朱諸經傳註，盡録付樞。燕學徒從游者常百餘人。後建太極書院於燕京，續通鑑。立周子祠，以二程、張、楊六君子配食，宋元學案九十。選取遺書八千餘卷，請復講授其中。復以周、程而後，其書廣博，學者未能貫通，乃原羲、農、堯、舜所以繼天立極，孔子、顔、孟所以垂世立教，周、程、張、朱氏所以發明紹續者，作傳道圖，而以書目條列於後。别著伊洛發揮，以標其宗旨。又以朱子門人姓氏見諸傳記與得諸傳聞者，共五十三人，作師友圖，以寓私淑意。又取伊尹、顔淵言行，作希賢録，使學者知所嚮慕。樞既退隱蘇門，乃卽復傳其學。元史列傳。由是許衡、郝經、劉因輩皆得其書，尊信之。北方知有程、朱學，自復始，學者稱之曰江漢先生。世祖嘗召見，曰：我欲取宋，卿可導之乎？對曰：宋，父母國也，未有引他人之兵以屠父母者。世祖義之，不强也。復雖在燕，常有江漢之思，故學者因而稱之。宋元學案九十。

王粹，字子正，右北平人。郝陵川集。初名元亮，改名元粹，後止名粹，系出遼衣冠家。宋元學案。年十八九，嗜讀書作文，性習專固，世事不以累其業，故時輩無能當之者。正大末，用門資敍爲酒官，流寓襄陽。襄陽破，隻身北歸，寄食燕中。中州集。遇真常，北面執弟子禮，遂爲黄冠，師居長春宫之粹元堂。甘水仙源録。楊惟中修太極書院，請雲夢趙復爲師儒，粹佐之，久之而歸。宋元學案。至元八年，許衡以國子監祭酒教貴胄，元史姚燧傳。復徵粹，詔驛召之來京師，以爲齋長。元史許衡傳。日與門弟子講學，研究聖經。學者宗之。張特立傳。尤長於詩，有十月風霜侵病骨，數家針線補寒衣之句。年四十餘，病卒。中州集小傳。

楊奐，字焕然，又名知章，乾州奉天人。母嘗夢東南日光射其身，見一神人，以筆授之，已而奐生。其父以爲文明之象，因名之曰奐。元史列傳。案：姚牧菴序先生文集云，初名煥，後更爲奐，後從太宗簡文判，誤奐爲英，不敢私更，遂就名英。然據元史本傳，仍名爲奐；宋元學案亦然，今從之。金末，元史列傳。秋試四中選，而春試輒不第。四庫提要。嘗作萬言策，指陳時病，欲上不果。元初，隱居講學授徒，學者稱爲紫陽先生。宋元學案。癸巳，金元帥崔立以汴京降，奐微服北渡，冠氏帥趙壽之延致奐，待以師友之禮。門人有自京師載書來者，因得聚而讀之。元史列傳。以耶律楚材薦，爲河南廉訪使，約束一以簡易，在官十年，請老於燕之行臺。宋元學案。世祖在潛邸，驛召奐，參議京兆宣撫司事。卒，年七十。謚文憲。奐博學强記，元史列傳。嘗讀通鑑至論漢魏正、閏，大不平之，遂修漢書，駁正其事。輟耕録。詩文皆光明俊偉，四庫提要。務去陳言，以蹈襲古人爲恥。續宏簡録。其汴故宫記，述北宋大内遺跡；東遊記，述孔林古蹟尤悉，皆可以備文獻之徵。四庫提要。奐不治生産，家無十金之業，而喜周人之急。人有片善，則委曲稱奬，唯恐其名不聞。或小過失，必盡言觀止。所著有還山集六十卷、天興近鑑三卷、正統書六十卷行於世。元史列傳。

舒穆嚕拜達勒，原作石抹孛迭兒。契丹人。父圖卜伊爾，原作桃葉兒。徙霸州。拜達勒仕金，爲霸州平曲水寨管民官。太師、國王穆呼哩率師至，拜達勒迎降。穆呼哩察其智勇，奇之，擢爲千户。歲甲戌，從穆呼哩覲太祖於雄州，佩以銀符，充漢軍都統。帝次牛欄山，欲盡戮漢軍，穆呼哩以拜達勒可用，奏釋之，元史列傳。因請隸麾下，從平高州。授左監軍。徇地山東、大名；比至洺州，城守甚堅，師不得進，拜達勒不避矢石，率衆先登，遂拔之。續通鑑。從平益都、沂、密、萊、淄及定太原、忻、代、平陽諸州郡，除霸州等路元帥，以黑軍鎮守固安水寨。既至，令兵士屯田，且耕且戰，披荆棘，立廬舍，數年之間，城市悉完，爲燕京外蔽。已，從征河南，及討萬努於遼東，元史類編二十八。平之。拜達勒始從征伐，及後爲將，大小百戰，所至有功。年七十，以疾卒於官。元史列傳。

伊喇聶呼，原作移剌捏兒。幼沈毅，多謀略。遼亡，金授以參議、留守等官，皆不受。聞太祖舉兵，私語所親曰：爲國復讎，此其時也。率黨百餘人，詣軍門獻策。帝召見，與語，奇之。問：爾生何地？曰：霸州。因號霸州元帥。元史類編十七。乙亥，拜兵馬都元帥，佐太師穆呼哩，元史列傳。進攻北京。金守將伊木沁率衆二十萬來拒，逆戰，破之，斬首八萬餘級。元史穆呼哩傳。取北京，下高、利、興、松、義、錦等二十六城。元史類編十七。錦州張鯨被誅，鯨弟致遂據錦州，僭號漢興皇帝，改元興龍，元太祖本紀。略平、灤、瑞、利、義、懿、廣甯等州，元史穆呼哩傳。兵勢方熾。穆呼哩命聶呼與大將烏頁爾、昭烏呼合兵討之，致拒戰，聶呼出奇兵掩擊，斬致。穆呼哩第功以聞，遷襲虎衞上將軍、兵馬都提控元帥，元史列傳。進取遼陽、廣甯、金、復、海、蓋等十五城。元史類編十七。興州監軍綽爾以兵叛，元史烏頁爾傳。復與烏頁爾討平之。帝遣使者詔之曰：自汝効順，戰功日多，令錫汝金虎符，居則理民，有事則將，其勿替朕意。元史列傳。從圍鳳翔，先登，左臂中流矢，裹創進攻丹、延，穆呼哩止之，對曰：創未至死，敢自愛耶！元史類編十七。穆呼哩壯之，與所乘高馬。明日，介其馬，飾以朱纓，簡驍衛七十人與金兵戰。穆呼哩乘高，見其馳突萬衆中，曰：此霸州元帥也。諸軍繼進，金兵敗走，丹、延十餘城皆降。遷軍民都達嚕噶齊、都提控元帥兼興勝府尹。癸未，從帝征河西，取甘、合、辛、蛇等州。師還，復從穆呼哩攻益都，下萊、膠、淄等三十二城。戊子得疾，歸高州，卒。贈推忠宣力保德功臣太尉、開府儀同三司、上柱國，追封興國公，謚武毅。子邁努。元史列傳。

邁努，蚤從父習戰陣。初入見，太祖問曰：汝年小，能襲父爵乎？對曰：臣雖年小，國法不小。帝異其對，顧左右曰：此兒甚肖乃父。元史類編十七。以爲高州等處達嚕噶齊兼征行萬户。庚寅，命攻高麗花涼城。監軍張翼、劉霸都殞於敵，邁努怒曰：兩將陷賊，義不獨生。趨出破之，元史列傳。誅其渠。進攻開州，州將金實默逆戰，生擒之。元史類編十七。城中人出童男女及金玉器以獻，卻不受，遂下龍、宣、雲、泰等十四城。元史列傳。從諸王阿齊台征女真萬奴部有功。未幾，召還。興州趙祚反，土豪楊買驢等附之。從親王察合台進討，圍于險樹寨，三月不下。邁努令健卒卽寨北小徑上大樹，以繩潛引百人登，直前奮擊。買驢投崖死，餘黨悉平。元史類編十七。太宗卽位，録功，賜金鞍、良馬。元史列傳。命再征高麗，取西京而還。元史類編十七。賜金鎖甲，加鎮國上將軍、征東大元帥，佩金虎符。元史列傳。將復出師，以疾卒。元史類編十七。贈推誠效義功臣、榮祿大夫平章政事，追封興國公，謚顯懿。子元臣。元史列傳。

元臣，別名哈喇哈斯，年十六，入宿衛，應對進止有度。世祖謂丞相曰：此勳臣子，非凡器也。命襲千户，將其父軍。從伐宋，攻淮西，戍清口，取瓜州，下通、泰，累有功。至元十二年，從丞相巴延平宋，進階武義將軍、中衛親軍總管，佩金虎符。十四年，珠爾噶岱叛，圍應昌府。時皇女魯國公主在圍中，元臣以所部馳救，敵敗走，追至魚兒濼，擒之。元史類編十七。公主賜賚甚厚，奏請暫留元臣鎮應昌，以安反側。元史列傳。居三歲，召還。帝以所籍權臣家婦賜之，辭曰：臣家世清白，不敢自污。帝嘉歎不已。元史類編十七。二十二年，進昭毅大將軍、同僉江淮行樞密院事行院。罷歸高州。帝親征納延，元臣率家僮五十人見行在所，願効前驅。八年，移僉湖廣行樞密院，時溪洞、施容等州蠻獠作亂，元臣親入其境，喻以禍福，賊首魯萬丑降。三十年卒。贈安遠功臣、龍虎衛上將軍、同知樞密院事，追封興國公，謚忠靖。子迪，中奉大夫、湖廣宣慰使都元帥。元史列傳。

高克恭，字彥敬，其先西域人，後居燕京。元史類編三十六。至元十二年，由京師貢補令史，至大中大夫、刑部尚書。卜居房山，博學能文，善畫，初用二米法寫林巒煙雨，涿州吳志。後學董源；墨竹宗黄華，皆有古趣。怪石噴浪，灘頭水口，烘瑣潑染，作者鮮及。元史類編三十六。墨竹妙處，不減文湖州、趙集賢。畫爲元人冠冕，推重彦敬，故世稱爲高房山。購遺墨者，一紙率千百緡。涿州吴志。一日，與客游西湖，見屏潔雅，乘興寫奇石古木。數日後，趙孟頫爲補叢竹，虞集題詩其上，此圖遂成三絶，世争寶之。元史類編三十六。

明

董倫，字安常，恩縣人，僑居宛平。遜國名臣記七。元末，政粃民困，隱居力學，從遊者衆。因其居貝川，人稱貝川先生。累徵不出。宛平王志。國初，擢用單縣儒士張甯。按：遜國名臣記、革除遺事，俱作張甯，惟明史作張以甯。洪武十五年，甯以倫薦，遣使徵之，革除遺事三。授贊善大夫。侍懿文太子，陳説剴切，太祖嘉之，進左春坊大學士，明史列傳。賜文綺六疋、鈔五錠。革除遺事三。懿文卒，出爲河南左參議，盡心民事，宛平王志。名其退食思政之堂曰後樂，方孝孺爲之記。嘗草封事，數千言無不愜上心者。革除遺事三。又薦肇州吏目諸葛伯衡，上擢伯衡陝西右參議。遜國名臣記七。又言儒學訓導宜與之冠帶，别於士子，訓導始注選。三十年，坐事謫雲南教官。明史列傳。惠帝在東宫，憐其老且遠去，賜白金若干鎰。遜國名臣記七。行至成都，蜀獻王深寵之，留連彌月，恩寵有加，賦詩八章以導行。革除遺事卷三。雲南初設學校，明史列傳。倫開心訓化，不忍鄙夷其人，雖蠻童、僰豎，皆知向慕。（遜國名臣記七。）三十七年後五月，惠帝卽位，眷念東宫舊僚，屢詢及之，左右多言倫可。卽召至京師，慰勞備至，拜嘉議大夫、禮部侍郎兼翰林院學士，與方孝孺皆入内閣，侍經筵。（革除遺事三。）御書怡老堂額及髹几、玉鳩杖各一，賜之。謝表有云：桓榮設几杖於太常，不聞宸翰之賜；晏殊題舊學於神道，未見几杖之頒。自今將杖以戒噎，則當思四海或有飢餒之民；凴几以安身，則當念一物或有顛連之歎。人争頌之。庚辰，主南宫試，精於去取，所收如湖廣吴溥、楊榮、楊溥、胡濙輩，稱得人焉。（宛平王志。）解縉謫河州，以倫言得召還。（明史列傳。）倫爲人質直敦厚，富文學，爲時所重。建文間，屢懇言宜親睦宗人，不聽。（遜國名臣記七。）靖難後，年已八十餘矣，致仕而歸。每念革除事，輒抑鬱吁歎者累日，尋卒。（宛平王志。）

金忠，鄞人，兄戍通州，亡。忠補戍，貧不能行，相者袁珙資之。既至，編卒伍。（明史列傳。）少讀書，善卜易，居通無所資，（通州高志。）賣卜北平市，多中，市人傳以爲神。僧道衍稱於成祖，成祖將起兵，託疾召忠卜，得鑄印乘軒之卦，曰：此象貴不可言。自是出入燕府，常以所占勸舉大事。成祖深信之。（明史列傳。）靖難兵起，忠言：殿下太平天子，兹舉大事，人材爲急。成祖悦，（吾學編二十八。）授忠王府紀善。守通州，南兵數攻城，不克。已，召置左右，有疑輒問，術益驗，且時進謀畫。遂拜右長史，贊戎務，爲謀臣。成祖稱帝，論佐命功，擢工部右侍郎。贊世子守北京。明史列傳。永樂二年，召入爲兵部尚書。吾學編二十八。帝起兵時，次子高煦從戰有功，許以爲太子。至是，淇國公邱福等黨高煦，勸帝立之。忠以爲不可，在帝前歷數古適孽事。明史列傳。上喜，賜忠大鑑。又曰：詹事宮端，汝以尚書兼詹事，幸善調護佐太子。吾學編二十八。六年，命兼輔皇太孫。帝北征，留忠與蹇義、黃淮、楊士奇輔太子監國。明史列傳。時時勸起孝敬，篤友愛，小心敬慎，無失禮，毀譽禍福，聽諸天日而已。吾學編二十八。是時高煦奪嫡謀愈急，蜚語譖太子。十二年，北征還，悉徵東宮官屬下獄，以忠勳舊不問。明史本傳。上密令審察，忠退，每數日頓首再三，爲白無此，願陛下寬霽。上或不喜，卽又頓首言：臣敢保其無他。他日有蹤迹，卽如人言，臣甘連坐。吾學編二十八。以故太子得無廢，而宮僚黃淮、楊溥等亦以是獲全。忠起卒伍，至大位，甚見親倚，每承顧問，知無不言；然愼密不洩。處僚友不持兩端，明史列傳。每導人寬愛，無爲苛刻。公事輒推同官，使展其才能。有闕誤，引爲己過。不遺片善，不念舊惡。俸賜有餘，周賑鄉族。吾學編二十八。十三年卒，給驛歸葬，命有司治祠墓，復其家。洪熙元年，追贈榮祿大夫、通州高志。少師。謚忠襄。明史列傳。

薛斌，蒙古人，本名脱歡。父薛台，洪武中歸附，明史列傳。賜姓薛。累官燕山護衛指揮使，遂家昌平。畿輔唐志七十六。斌嗣職，明史列傳。從成祖起兵，一統志。累遷都督僉事。從北征有功，進都督同知。永樂十八年，封永順伯，禄九百石，世指揮使。斌卒，子壽童方五歲，從父貴引見仁宗，立命嗣伯，賜名綬。（明史列傳。）長，驍勇善戰。（畿輔唐志。）正統十四年秋，（明史列傳。）與成國公朱勇等遇寇於鷂兒嶺，軍敗矢盡，猶持空弓擊賊。賊支解之。（一統志。）既而知其本蒙古人也，曰：此吾同類也，宜勇健若此。相與哭。諡武毅。（明史列傳。）斌弟貴，（一統志。）本名脱火赤，以舍人從燕王起兵，屢脱王於險，積官都指揮使。再從北征，進都督僉事。永樂二十二年，封安順伯，禄九百石。宣德元年，進侯，加禄三百石，予世券。卒，贈濱國公，諡忠勇。（明史列傳。）

毛尚志，號盛源，浙江紹興人。精明理學，尤深周易，以訪友講學爲事，北遊京、洛，回至大城，樂其人情之淳、風俗之厚而駐足焉。學士往從，循循善誘，講誦不輟，與遊多知名之士。（大城張志。）

焦禮，字尚節，蒙古人。（按：萬安焦公墓志銘作其先廣甯府人。）父把思台，（墓志銘作捌思台。）洪武中歸附，（明史列傳。）授薊州衛指揮僉事，尋調通州衛。（墓志銘。）子勝嗣。傳至義榮，無子，以勝弟謙嗣，累功至都指揮同知。卒，子管失奴幼，謙弟禮借襲其職，備禦遼東。宣德初，禮當還職，宣宗念禮守邊勞，命居職如故，別授管失奴指揮使。尋以年勞，累進都指揮同知。正統中，積功至右都督。英宗北狩，景帝命充左副都總兵，守甯遠。未幾，也先逼京城，詔禮率師入衛。

寇退，還鎮。景泰四年，賊二千餘騎犯興水堡，禮擊走之。璽書獎勵，進左都督。英宗復辟，以禮守邊有功，召入覲，封東甯伯，世襲，賜賚甚厚，遣還鎮。兵部以禮年垂八十，不可獨任，奏遣都指揮鄧鐸協同守備。居無何，禮奏鐸欺侮，請更調。命都指揮張俊代鐸。天順七年，卒於鎮。贈侯，謚襄毅。禮有膽略，精騎射，善以少擊衆。守甯遠三十餘年，士卒樂爲用，邊陲甯謐。子亮。明史列傳。

亮字惟寅，自少潁敏異常兒。長，習武藝，智勇過人。隨父禮鎮甯遠，問視惟謹。且樂與賢士大夫遊，以資薰炙，退然謙謹，未嘗以富貴驕人。每部下官屬士卒或有過差，務從容爲解之，得不譴謫。嘗從征境外，數有功，辭而不居，或誚其太過，亮曰：吾父荷恩受爵，吾闔門袖手享之，恆懼無以仰答。方今效微勞，敢暴白而興企望耶！誚者謝曰：某誠不知君子如此存心也。父殁，當襲爵，以久嬰風疾，疏曰：臣亮有疾，弗克襲爵。臣長子壽，精力富强，且嘗從臣父履行間，實克承襲。英宗允其請，以壽襲封，尋召侍衛，給金牌，賜盔甲、佩刀，仍命掌典三千營事，寵賚稠疊。亮歸自遼，構第於禁城東，客有賀者曰：室若甚美然。亮曰：吾構此室，上以妥祖宗之靈，下以貽子孫之計，非徒自爲觀美也。成化改元，天子推恩大臣，賜誥命封及三代，亮封東甯伯。受封之明年，六月疾作，召壽語曰：汝祖奮身行伍，能輸忠貞，故致大爵。汝今嗣之，尚心汝祖之心，期以追躅前休，報稱君上，則吾地下無遺憾矣。語畢而歿。年五十二。墓誌銘。

黃潤玉，字孟清，鄞人。五歲，侍母疾，夜不就寢。十歲，道見遺金，不拾。明史列傳。郡守行鄉飲酒禮，觀之，歸而書於册，習禮者不能過也。明儒學案二十六永樂中，遷江南民實北京，宛平王志。潤玉請代父行，官少之。對曰：父去，日益老；兒去，日益長。官異其言，許之。明史列傳。踰年抵京，授廛北城外十里，所居沙漠無人煙。與役築室，墾圃，鬻蔬以爲生，人不堪劬勞，潤玉安之。稍隙，則肆力於學，以己心爲嚴師，而蘄造於聖賢，行無所苟焉。北學編七。有富翁招之同寓，潤玉謝而不往。或問之，曰：渠有一女，當避嫌也。明儒學案二十六。十八年，舉順天鄉試，授建昌府學訓導。明史列傳。丁父憂，服闋，改南昌府學。宣德中，擢交趾道監察御史，出按湖廣，宛平王志。斥兩司以下不職者至百有十二人。正統初，明儒學案作景泰初。詔推舉提學官。以楊士奇薦，擢廣西僉事，提督學政。時寇起軍興，有都指揮妄掠子女萬餘口，潤玉劾而歸之。副使李立入民死罪至數百人，亦爲辨釋。南丹衛處萬山中，戍卒冒瘴多死，爲奏徙夷曠地。母憂歸，起官湖廣。論罷巡撫李實親故二人，實憤，奏潤玉不諳刑律，坐謫含山縣知縣。以年老歸。明史列傳。潤玉之學，以知行爲兩輪，嘗曰：明理務在讀書，制行要當謹獨。明儒學案二十六。平生著述甚富，以朱子嘗欲編禮記附儀禮，乃取儀禮析爲四卷，以禮記比例附之，不類者附諸卷末。又以五禮獨缺軍禮，因取周禮、大田禮補之，而以禮記諸篇載田事者附焉。爲之注釋，曰儀禮戴記附注。以小學、四書、諸經注家或遺或誤，撰經補註。以大學、中庸旨皆淵奥，撰學庸通旨。其他備論理事曰南山録。北學編七。其所友爲李時勉、薛瑄，故操行亦相似。家居二十年，卒，明儒學案二十六。年八十有九。學者稱南山先生。明史列傳。

徐本，字以道，姑蘇人，居京師。嘗出入楊榮之門，及見諸老，能道前朝典故，氣棘棘，好面折人過。徐天全兄呼之，本殊不辭。言輒中其肺腑，曰：吾史筆也。一時名德如葉盛、岳正輩，皆禮爲上賓。素習家禮，士大夫有事殯斂，請之必往；然非禮致，不輕造訪，訪亦不俟茶而出。獨嗜書，每得一書，手自披對，缺板脱字，則界烏絲欄紙，乞善書者補之。笑謂人曰：吾猶老鼠搬生薑，勞無用也。年八十餘乃卒。其自號曰竹軒，所輯有竹軒詩一卷。李東陽都城故老傳。

蔡通，湖廣人，老居京師。每步行匝皇城，見其甎石垝壞，默數之，自某門至某門，凡損幾千幾百有幾。傭善書人具奏疏，赴通政司上之，請命工修葺。事下工部，寢弗行。越數年，復然，又寢之。又數年，欲復奏，其子諫之，不可，其妻苛止之；索傭書銀，不得，乃潛脱銀簪具疏，竟上之。郎中項文泰惡其瀆也，送法司訊治之。既贖罪，費家貲數兩，其妻若子交怨不置。通已老病，遂鬱悒以死。當具疏時，通素不識字，習讀其章，對客口誦，累數百言，尺寸一二無少遺失。及遭沮抑，輒嘆曰：朝廷養士，歲糜官禄數十萬，孰肯計及此者！或以爲此細事烏足計，通應曰：自某年至某年，已加損若干數矣，久而不治，必大壞極弊，所費何可勝計哉！李夢陽都城故老傳。

華孝廉，揚州如皋人，失其名。正德初，僑寓房山元元觀，見承塵上置一册，驚歎曰：此書吾遍訪天下，何意得之於此！與邑中士大夫言吉凶，皆奇中。邑令曹俊夜夢大蛇蟠樹，其首下垂。問之華，華曰：君遷矣。私語人曰：遷則遷矣，死且近；又，死必其頭搶下。未幾，令果遷州守，以匿喪事覺，衛尉逮捕，投井死。華後舉進士，授户曹，分司潞河。一日，同僚宴飲，風吹簷瓦落。華曰：宸濠敗矣。是時甯藩作逆，翼日得露布，果已授首。後因奏天象忤上旨，謫縣令。趣裝南去，不復知其蹤迹。涿州吴志。

丁乾學，字天行，號自菴，史外五。浙江山陰人。寄籍京師。明史列傳。數歲，知孝弟之道，竭力事父母，所往來皆東林賢士大夫。東林列傳。萬曆己未進士，選庶吉士，授檢討。魏忠賢亂政，魏廣微以同姓得與羣小相搆煽，權勢益横。乾學感憤時事，輒太息流涕，仰天哭，嗚嗚不已。與同年吴裕中深相得。吴官御史，每朝退，即過乾學論時事，及璫黨，輒叫號呼天，相持痛哭；或中夜起舞，拔劍擊柱、斫几，聲撼鄰壁。家人不知，驚謂得狂疾。遇廣微，則數數引義規切之，毋墜父訓。廣微怒甚，史外五。謂其私人曰：丁檢討舉動如此，想不欲保首領耶？爲我廉其所爲，入告上公而誅之。月餘，邏者無所得。東林列傳。天啟四年，偕給事中郝士膏典試江南。明史列傳。深疾逆閹擅竊國柄，故于試録序推重南昌萬燝劾閹之疏，多爲士勸。宛平王志。謂：中旨頻頒，緹騎時下，凡再辱士大夫，天下亦既虞寺人矣。且事變甯可預料？漢擾夷狄，曹節、王甫與張角兩亂之；唐苦藩鎮，仇士良、劉季述與王仙芝兩亂之。當時汪直、劉瑾之禍，釀之有端，去之有術，其不可用枉，明甚。東陽之委蛇，既不可爲；遷健之潔己，亦豈得策？韓文之聲大義，固未可盡非乎！顧何以如楊一清卒清君側奸耶！語侃侃不少忌。史外五。忠賢之黨，摭拾以告，因嗾御史糾試臣語譏上公，宛平王志。矯旨鐫三級，復除其名。明史列傳。時有舊僕高守謙者，濫籍錦衣，亦逆黨也。宛平王志。守謙率中官數十人，史外五。擁入乾學寓，矯稱有詔。乾學俯伏就逮。守謙偕諸人箠楚交下，乾學創甚，尋卒。明史紀事本末七十一。崇禎初，事始白，守謙伏誅，餘悉戍。贈乾學侍讀學士，宛平王志。再贈禮部侍郎。史外五。

沈[火奇]，字敬樞，浙江山陰人，恩貢，任長沙衞經歷。善醫。萬曆三十二年入籍順義佃子里。開魯各莊水田，順義之有稻自此始。順義黄志。

秦宣，字克正，號崇古山人，家武清河西務。厭其地多販舶，移家於涿，門臨塘水，蓬户竹籬，宅不盈畝，而禽魚樹石、圖書几榻，環列其間。以醫自給。出則服古衣冠，乘小車，一童挽之，蒼頭荷杖以隨。市里無少長，皆與遊，呼爲秦師。非分一介不取。壻趙銘以千户攝鎮撫事，餽一豚肩。宣詢知爲貰罪而得者，怒曰：此不義物，乃以餉我耶！殷宫保謙家居，不接俗人，唯日與宣弄琴、啜茗、鑒書畫。又爲宣營生壙，與相比焉。土豪某素以不義致富，而好結納清望，遣子姪輩執弟子禮，受學於宣。其人懷金詣宣所，曰：與君作棺櫝資。宣笑曰：生平未嘗受一不義物，今窆此棺，是以畢世潔清之軀死而委諸穢器，將能安乎！其人慚而退。宣古貌長髯，清癯有骨力，詩、文、書、畫，靡弗精詣，高韻簡致，人争重之。年至九十而終。涿州吴志。

李贄，號卓吾，温陵人。舉人，知雲南姚安府。政令清簡，公坐或與髡俱，簿書之間，時與參論，又輒至伽藍，判了公事。人怪之。踰年，入雞足山，閲藏不出。御史劉維奇其人，疏令致仕歸。帝京景物略八。士大夫好禪者，往往從贄游。明史耿定向傳。秣陵焦竑，推尊爲聖人。野獲編二十七。贄小有才機，明史耿定向傳。聰明蓋代，快談雄辯，野獲編二十七。日引士人講學，明史耿定向傳。雜以婦女。專崇釋氏，卑侮孔、孟。明紀四十五。刻有觀音問等書。忌者遂以帷薄疑之；然贄狷性如鐵，不足污也。野獲編二十七。後北遊通州，明史耿定向傳。馬經綸留寓於家。野獲編二十七。與馬讀易，每卦千偏，一年而九正易因成。帝京景物略八。多嫚駡，縉紳輩相接，或終日不與語。居易録十四。其讀書也，不以目，使一人高誦，傍聽之。讀書外有二嗜：掃地、湔浴也。日數人膺帚、具湯，不給焉。鼻畏客氣，客至，但一交手，卽令遠坐。一日搔髮，自嫌蒸蒸作死人氣，適見侍者剃頭，遂去髮，獨存髭鬚，禿而方巾。時欲老盤山，帝京景物略八。忽蜚語傳京師，云贄著書醜抵沈一貫。一貫恨甚，蹤迹無所得。禮垣都諫張問達特疏劾之，野復編二十七。指爲妖人。逮詔獄，帝京景物略八。盡焚其所著書。日知録十八。尋得實，議發還籍矣，曰：我年七十六，作客平生，何歸爲！遂以剃髮刀自剄。經綸痛哭曰：天生先生，妖人哉！有官棄官，有家棄家，有髮棄髮。其後，一著書老學究；其先，一廉二千石也。乃收葬之。帝京景物略八。所居馬侍御別業，在通州城中東南隅，近文昌閣，瀕水，曰蓮花菴。其墓在北門外里許，圈爲馬廠。墓上僅存古栢一株。居易録十四。

吴從義，山陰人，占籍京師。少好氣節，爲諸生時，疏參魏忠賢，以是知名。貢入太學，始成進士，授長安令。時流賊猖獗，從義城守甚嚴。繼娶胡氏，至署二十餘日，不一顧。及城陷，謂吏曰：城亡與亡，吾將安適！惟死以報國耳。自投井死。大興張志。

國朝

王國賓，字元洲，會稽人。九歲善屬文，受學於同郡劉宗周。讀書務窮理力行，不徒治章句。自弱冠游庠後，屢困棘闈，乃束裝北上，游名山大川，交其賢士大夫。大司馬李懋明奇其才，客之，遂佐懋明捍邊圉，靖寇氛，凡奏計多出其手。特薦授通判。以憂歸，服闋，除任豫章，未赴，遇鼎革，絶意進取。世祖章皇帝詔求遺賢，巡撫以國賓名上，固辭，不許，乃就寶坻教職。邑自丙子復隍，文廟傾圮，國賓倡邑人急修之。學田没於旗圈，力請，乃得撥補。未幾，固陳乞休。年老，遂家寶坻，日惟與知己談經賦詩，蕭然物外。或出所蓄古墨、舊硯，獨坐摩挲，竟日不厭。一夕，忽招集故舊，歡飲至夜分，起歌，曰：薄游天涯兮何所依？身一出兮不可歸。客去，卽盥櫛，呼三子，命以舊衣斂，端坐而逝。子師旦。寶坻洪志。

師旦，字淑萃，五歲能通孝經義，既而學文於張文休，授詩於高際斯，講易於蕭韓坡，問禮於吳攬初，叩心學於蔣闇如，而正性理於李光泗，業日進。康熙丙寅歲貢，遠近耳其名，迎主講席。嘗曰：人於日用行習間，時將天理體認，令其惺然不昧，則寡過之道得焉。師旦老不廢學，所著作皆以抒寫心得，無復人之見者存。時鄭南華隱居北塘，爲子擇師，厚幣延之，相得甚歡。戊子，授容城訓導。葺學宮，備祭品，舉節孝，爲元儒靜修劉氏立後，手輯文廟備考一編。在任十有六年，士多化之。雍正元年，歸里，卒。所著有斯文纂、南華注、年齒譜及文集、詩集。其寓海上時，門人劉源、崔體健、崔瑞麟存其語録三十篇，寶而藏之。學者稱曰盤峯先生。甯河關志。

陳善道，字天衢，浙江杭州人。順治間，寓於通。性聰穎，多巧思。少遇異人，授規矩圖説，兼以器遺之，自是能作奇器。嘗應顯者召，卽辭病歸，曰：吾不能俯仰事人也。家貧，以所作儀器易食，有餘輒濟人。年八十餘，視聽不衰。或問之，曰：惟寡欲耳。孑身來寓四十餘年，州人多稱其高致。通州高志。

王宗智，字普言，浙江錢塘人，遷通州。兄弟五人，宗智居四。值離亂，各析居。兄宗義家饒裕，最契宗智。宗智勇而介，流寇之亂，復他走，數出入兵戈間。久之，事定，返故居，而家蕩然矣。是時同族避亂歸者，率依宗義。宗智歎曰：是何可以累吾兄！然貧困無以存，偶出門，見糧艘紛泊河岸，夫役數千人，運負往來，自舟登岸，每米一石，償兩錢。宗智曰：是可就。遂應募。他人肩米一石，彳亍不能急走，宗智雙臂握兩石，馳驟若無物，衆咸驚異。宗義疑所聞，往識之，猝見之，驚曰：吾弟也，胡役此？弟豈不知吾在？不吾見，何也？宗智曰：不克自樹，實恥見兄。宗義曰：噫，是恥吾也！相攜至家，悉詢流播狀，嗚咽歎息。既乃謂宗智曰：吾有所求，事須助吾而理者，而難其人。通州百貨會集之區，吾擇而收之，京商置貨去，月一往取直，但道路未靖，無敢任者。弟歸，吾事濟矣，其佐吾？宗智曰：諾。至是，月一至京。一日，自京歸，囊五百金，日且暮，遇數騎，挾矢持刃，遮於路；揮短兵與戰，賊環射，肩中二矢。宗智慮有黨援，且戰且持，抵城近，幸免於難。既至，宗義驚，白狀具以告。宗義涕泣，親爲拔鏃，曰：吾棄此金，奚爲有是！以我故，幾誤弟，是乃吾過。吾産裕，即割是産及金贈弟。弟當自立門户。宗智辭不受。宗義曰：兄非不義，弟乃欲效於陵仲子耶？對曰：非敢然也。荷兄之愛，無所區異；然吾後世子孫能復如吾兄相愛？適遺釁耳。宗義曰：是故在吾父兄之教，何自薄爲？乃拜受。宗智嘗赴飲於張家灣，抵夜欲歸，主人款之曰：君不見某某之夜行被患者耶？笑曰：使有巨寇，當爲地方殄除之，區區狗鼠輩，何煩君慮！但付一炬。主人知不可留，秉炬付公。行數里，賊持杖潛蹤躡其後，既近，卒揮杖擊宗智，宗智識其機，亟返身，杖未落而炬已焚其面。賊大創，仆地。歸述於宗義，宗義曰：弟勇則勇矣，然恃勇而蹈危，非愛身之道也。宗智服其論，遂不復夜行。自受兄産，不十年，家與之埒。宗義卒，哭之痛。尋病亦篤，諭其子曰：非吾兄之力，不至此。兄食口衆，姪幼；吾死，析産之半歸吾姪。汝世世子孫實同休戚，勿替勿忘。自是垂百餘年，伯、叔、兄、弟相待無間言。通州高志。

閔益，字又損，號雪巖居士，新都人。性耿介，沈静寡言，不妄交人。居無長物，環堵中筆牀、茶竈，圖書數卷而已。貌清癯，髯甚美，故又號髯道人。工詩，善弈棋，書法精妙。初居上谷，繼來涿，日與士大夫游，咸樂親之。年踰八十而卒。涿州吳志。

李鍇，字鐵君，生於蜀，故號眉山，通州高志。奉天鐵嶺人。明甯遠伯成梁兄子如梓之曾孫也。薊州沈志。幼通四聲，父鍾愛之，通州高志。以有功當襲職，病，不就。薊州沈志。方聖祖仁皇帝西征澤旺，嘗自請赴絶塞開墾，以給屯軍。在軍中踰年，莫有知者，遂歸，絶人事，方苞廌青山人詩序。乃盡以先世產業屬二昆，移家潞河，潛心經史，凡六七年。方苞二山人傳。顏所居曰睫巢，自號焦明子。作賦及傳以見志。性醇謹，尚義。孝子朱暾家貧，親喪不能舉，典質以助。吳人劉東郊、陳瞻卒於京，經紀其喪，劉得歸葬。又嗜作山水遊，窮訪名勝，嘗泛舟采石，歌嘯達旦。過富春瀨釣臺，謁嚴先生祠，徘徊不忍去。既北歸，通州高志。嘗遊盤山，樂其土風，買田廌峯下，二山人傳。自稱廌青山人。隨園詩話三。構草舍，雜山甿以耕。其尤貧者，授之田而無所取。蔬菜、果實，與衆共之，二山人傳。賢聲遠聞。嗜茗飲，遇山谷幽邃處，輒埽葉煮泉，竟日忘返，見者曰：此李山人茶煙也。嘗舉鴻詞科，未遇。既老，歲一至京師，然一二日卽歸，人罕見其面。詩古奥峭削，自闢門徑，高者胎源杜陵，次亦近孟東野。先正事略四十三。作尚史，專搜三代以上軼事。隨園詩話三。中年後，以急兄之急，益窶艱。老而無子。二山人傳。生前自築壙於山居之旁。薊州沈志。鍇美丰儀，鬚髯表表，人謂有蘇長公風度。嘗自屬宗人副都御史穀齋晛小影，穀齋家有古硯，鐫長公像，仿寫適肖，穀齋識其實於卷以遺之。稽其所生地理，亦肖甚，特出處異耳。因作後髯生傳，又自號後髯生。庚午，詔舉經明行修之士，工部尚書趙宏恩、兵部尚書觀保以鍇薦，鍇以老疾辭。（通州高志。）以所著含中集、尚史稿未定，矻矻不自休。（二山人傳。）迨後，悼友凋謝，疾益增劇，卒年六十有八。配赫石烈氏。（通州高志。）其婦翁爲太傅索額圖。當索氏柄用時，聲勢隆赫，山人遠避之。（國朝先正事略四十三。）所著有睫巢詩十卷、睫巢文集十卷、原易三卷、春秋通義十八卷、尚史七十卷。又陋宋史冗雜，晚年開江蘭社，以理葺之，易簀時，以書未竟爲憾。并著有江蘭社詩、鹰雅菊譜。以少精音律，亦問仿元曲云。（通州高志。）

石永甯，號東村，長白山人。家素貴顯，世饒於財。（薊州沈志。）少豪舉，好聲色狗馬。年三十，始折節讀書。會家事迍邅，時伯兄既歿，而諸弟皆幼，獨出身當之。家既落，奉母居郭東，墾墓田心養。盎無斗儲，遇無食者，即罄之。久之，里中有奇邪，咸懼其聞。母、兄没，移家盤山，（方苞二山人傳。）作山居詩以見志。與李鍇爲世外交，一廬山南，一廬山北，藤杖椶鞵，相遇窮厓陡壑間，無間風雨。（薊州沈志。）每嚴冬大雪，攜手步西潭，以杖叩冰，相視愉怡。見者咸詫，而不知其何以然。乾隆元年，舉孝廉方正，詣有司，力言弱足難爲儀。衆莫能奪也。詩，即事抒指，翛然有真意。或刻其山居五言律二十首，遂誓不爲詩，盡焚舊稿，曰：吾幼學難補，雖善心力所進，適至是而止耳。吾幸以悲憂窮感悔曩者之冥行；今老矣，可更以詹詹者擾吾心曲乎！二山人傳。

柳國棟，字玉梁，山陰人，性豁達，不爲城府。以吏曹授江甯府句容縣縣丞。國棟笑曰：是奚不爲政耶！於是至則爬梳積弊，中外井井。有巨猾十八人蠹於漕，爲閭左害，先後無慮萬家，吏莫敢問。國棟曰：吾知所以處此矣，獨令怯耳。夜召被害者授意，指摘其姦弊。晨詣縣，而獨以身當之，悉捕十八人置諸獄，而以其事驟聞於漕撫，痛以法繩之。一縣皆愕然曰：丞乃能是！漕事獲以大理。又嘗餉軍，衆憚莫敢出聲應；國棟毅然凡三往，皆如期抵軍前，無晷刻爽，軍中諸將吏咸以爲能。其他行事多類此。視事六年，遂告歸。卜居潞河，日夜置酒，召故人談笑爲歡樂。俾二子異居，曰：及我之無恙也，聽我自爲之。予以一老人，或歲時偕賓客往來汝兩人家，如陸賈故事可耳。久之，卒，年六十有五。通州高志。

王櫟，字雲臺，浙江海甯州人。性嗜學，家貧，蘭膏不繼，取神廟殘炷以照讀。宵寒，提水滿篝，行室中以取暖。北上，占籍宛平。朱文正珪見其文，奇之。時方喪偶，爲之締姻於涿州盧氏，因卜宅於涿。乾隆己亥舉人，出爲山東禹城令。丁母憂，服闋，補江西新建令。所至以廉幹稱。目能視鬼。凡省中疑獄，皆委決焉。然悉本虛衷，鞫問不以元杳愚民，故益頌神明。仕至吉安知府。罷官後，歸老於涿。涿州吴志。

光緒順天府志一百一十五

人物志二十五

德清傅雲龍纂　江陰繆荃孫覆輯

選舉一

鄉舉里選，古無專科。漢州郡辟署外，有賢良方正、孝廉、茂才、直言、孝弟力田諸科。後魏徵儒儁，范陽盧玄爲之首。隋大業二年試詩賦，設進士科，初與明經並行，後則以進士爲重。唐因爲經策甲乙第。明倣宋經義，先試四書藝，鄉試中式曰舉人。宣德七年，令衞所官舍軍餘俊秀附學聽鄉試，此條据明會典。榜有副，會試榜亦有副。拔貢自弘治始，優貢則昉于元。我朝王化之始，文教日新。今癸未科，宛平陳冕以第一人及第，爲二百年未有之科名，豈適逢其會與？抑吉事有祥也！今仿古者賢書意，立表四，首薦辟，次進士，以題名碑爲主。殿試者，注中式科分，次舉人、副貢，以同榜坿注父子兄弟之相繼登科，與字與官，得甲科者官，注進士次，拔貢以優貢坿，改歸它籍，與夫寄籍、歸籍皆録，采訪未得者闕之，作選舉表。

薦辟表

前代

	漢
順天府	韓嬰 燕人。文帝時博士。詳先賢傳。 韓商 嬰孫。坿嬰傳。 韓延壽 燕人。武帝時郡文學。詳先賢傳。
大興	
宛平	
良鄉	
固安	
永清	
東安	
香河	

三國魏	晉	後魏
		平恆 神嘉四年徵中書博士。詳先賢傳。
	霍原 以賢良徵。詳先賢傳。	公孫質 中書學生遷博士。詳雜人傳。 公孫表 博士。詳鑒誠傳。
劉放 方城人。孝廉。詳雜人傳。		

唐

張知謇
明經。詳先賢傳。

張知元
知謇兄。明經。見知謇傳。

張知晦
知謇兄。明經。見知謇傳。

張知泰
知晦弟。明經。詳鑒誡傳。

張知默
知泰弟。明經。左

	五代周	元	明
	扈載　北燕人，字仲熙。廣順初進士高第。詳先賢傳。		
			武周文　洪武中舉明經。 甄庸
		梁陟　以名儒徵。詳進士表。	張予卿　字君貴。賢良方正。山東
臺侍御史。			

		漢	唐
通			
三河			
武清	洪武中人才。	陽球 孝廉，高第。詳雜人傳。	
寶坻	陽信知縣。崇禎中殉難，贈僉事。侯鼎禄 賢良方正。山西霍州判，殉難。（以上据良鄉楊志）		
昌平		寇恂 辟郡功曹。詳先賢傳。	劉蕡
順義			
密雲			
懷柔			

		明	漢
涿		董成 人材。見先賢董子和傳。	韓生 宣帝時以易徵。坿嬰傳。 盧植 建甯中博
房山			
霸		王二共 洪武中人材。坿先賢劉士原傳。	
文安		劉英 洪武中。詳先賢傳。	
大城	太和二年賢良方正。詳先賢傳。	劉士原 洪武中才能。詳先賢傳。	
保定			
薊			
平谷			

	三國魏	晉
士。詳先賢傳。 劉雄 舉孝廉。（据三國志蜀書）	盧毓 舉冀州主簿。詳先賢傳。	盧欽 孝廉。詳先賢傳。 盧浮 欽子。國子博士。坿欽傳。 盧諶

	後魏
秀才。坿欽傳。 李績 辟郡功曹。詳先賢傳。 盧廣 國子博士。詳先賢傳。	盧玄 神嘉四年辟儒儁，首授博士。詳先賢傳。 盧度世 玄子。中

書學生。坿玄傳。

鄺　惲　秀才，射策高第。詳先賢傳。

鄺顯度　秀才。尚書庫部郎。魏書坿範傳。

盧　觀　秀才。詳先賢傳。

盧景裕　國子博士。詳先賢傳。

盧叔仁 誕父。年十八舉秀才。（据周書盧誕傳） 盧　誕 舉秀才。詳先賢傳。 盧　辯 正光初舉秀才。詳先賢傳。 盧道虔 國子博士。詳雜人傳。

齊	唐
盧詢祖 秀才。詳先賢傳。 盧文偉 秀才。詳雜人傳。	盧從愿 臨漳人，徙自范陽。明經，又舉制科高第。（唐書本傳）。按：從愿徙籍與邁攜諸人同，故入表。
陽斐 舉秀才，射策高第。詳先賢傳。	

	明
盧邁　舉明經。詳先賢傳。 盧士瓊　明經及第。詳先賢傳。 盧渥　國子博士。詳先	賢傳。 李儀　以懷才抱負舉。（涿州吴志）
	王仲文　永樂二十六年舉賢良。山東萊陽知縣。 劉儀　明經。霸
	邢志剛　人材。陝西苑馬寺丞。 許士臣　人材。山東青州知府。
	柴景德　人材。河南許州知州。 王志通　孝廉。山西太原典史。

州訓導。

王楚傑 舉孝廉。鹽運司同知。

王宗義 嘉靖九年歲貢，舉賢良。曹州判官。

王伯鈁 萬曆三十四年舉賢良方正。吏部郎中。（以上据霸州周志）

田　盛 人材。山西文水縣主簿。

樊志學 人材。江西廣昌知縣。（以上据文安楊志）

宋　晉 人材。序班。

宋　昂 人材。鳴贊。

馬福義 人材。甯國府檢校。（以上据保定成志）

國朝

	康熙十八年己未	雍正元年癸卯	五年丁未
大興	張烈 庚戌進士。舉博學鴻詞。詳先賢傳。	劉正綱 舉賢良方正。（采訪册）	
宛平			張沖之 宏儼子。賢良方正。河南汝光道。
良鄉			
固安			楊之暟 字子陽。孝友端方。廣甯訓導。按：固安志
永清		賈澎 孝廉方正。詳先賢傳。	
東安			
香河			
通			

		順治	康熙 十八年己未	雍正 五年丁未
三河				
武清	（采訪册）			劉元炅 廪生，舉孝友端
寶坻		杜立德 人材。詳先賢傳。		
甯河	云，舉賢良方正。今据畿輔唐志。			
昌平			錢中諧 由戊戌進士舉博學鴻詞。編修。（据鶴徵録）	
順義				
密雲				
懷柔				

		方。長垣訓導。 趙方頤 字養公。賢良方正。
乾隆四十一年丙申		王績著 天津，召試。丁酉選拔，己亥舉人。浙江温處道。
嘉慶十三年戊辰		王世敬 天津，召試二等。（以上据武清蔡志）

	涿	房山	霸	文安	大城	保定	薊	平谷
道光元年辛巳				王萱齡 孝廉方正，是科副榜。（甯河丁志）				
康熙十八年己未			樊巒 歲貢，舉孝廉方正。饒陽訓導。	紀炅 舉博學鴻詞。詳先賢傳。				
雍正元年癸卯		馬清路 拔貢，舉賢良方正。（采訪册）						

五年丁未	科分未詳	嘉慶元年丙辰
	趙文炳　孝廉方正。鹽課大使。（涿州續志）	
蔡湛　舉孝友端方。保定府訓導。按：霸州周志云，舉賢良方正。今据畿輔唐志。		蔡子謩　湛子。舉孝廉方

進士表上

前代

		唐	五代晋	後唐
府				
大興		薛　昌　幽薊人。（据畿輔唐志）		趙文度
宛平	正。（霸州周志）			
良鄉				
固安				
永清				
東安			扈　蒙　安次人。天福中。詳先賢傳。	
香河				

	周	宋
	扈載 字仲熙，北燕人。廣順初舉高第。直學士院。詳先賢傳。按：畿輔唐志云涿人，未詳所据。	
幽薊義士玉子。登第。（据續世說一）		宋琪 詳先賢傳。
		翟永固 經義策第一。詳先
		按：畿輔唐志，進士呂誨云

邊定 雍熙二年第。見先賢邊歸讜傳。按：宋史定爲薊人，畿輔唐志云薊州人，非。

賢傳。

東安人。今攷宋史誨傳云開封人，未詳唐志所据。

遼

趙徽 南京人。重熙五年及第。詳雜人傳。

趙立 見徽傳。

王觀

室昉 會同初登第。詳先賢傳。

楊佶 統和二十四年進士第一。詳先賢傳。

張儉 統和十四年進士第一。詳先賢傳。

劉伸 重熙五年登第。詳先賢傳。

楊績 太平十一年登第。詳先賢傳。

韓夔 朝散大夫。（据畿輔唐志）

楊皙 太平十一年乙科。詳先賢傳。

張衍 壽昌元年登第。詳先賢傳。

重熙七年乙科。（据遼史傳）

韓企先　乾統間。詳先賢傳。

韓　昉　天慶二年進士第一。詳先賢傳。

任熊祥　天廣八年第。詳先賢傳。

左企弓　詳鑒誡傳。

程　冀　詳程寀傳。

程四穆　冀子。金史寀傳，冀凡六男，父子皆擢科第，士族號其家爲程一舉。見寀傳。

程　寀　四穆子。登甲科。

劉彥宗　乙科。詳先賢傳。

劉　筈　蕭妃攝政，賜第。詳雜人傳。

詳先賢傳。

金

韓鐸　企先子。皇統末賜第。詳先賢傳。
崔遵　北燕人。大定二十五年。詳先賢傳。

馬大中　登科。見先賢馬肩龍傳。
王啟　正隆二年。詳先賢傳。
孫卽康　大定十年。詳雜人傳。
李蹊　詳雜人傳。
吕子羽

高昌福　天會十年登第。詳先賢傳。
劉仲誨　皇統九年賜第。詳先賢傳。
王中安　擢第。詳先賢傳。
丁暐仁　皇統中。詳先賢傳。
劉仲詢

梁斗南　登進士第一。詳先賢傳。
韓懿　天會年第。字偉之。南陽開國男。（据畿輔唐志）

李天翼　貞祐二年。詳先賢傳。

劉徽柔　天眷三年擢第。詳先賢傳。

王蔚　皇統二年。詳雜人傳。

大定末。坿先賢吕貞幹傳。按：吕氏中第者六，今難盡考。

龐鑄　明昌五年。詳先賢傳。

馬成誼　大中子。明昌五年。見先賢馬肩龍傳。

蕭仲寬　飛龍榜登

天德三年賜王彥潛榜及第。（据金史劉蕚傳）

宋宬　正隆五年。詳先賢傳。

王賁　徙自臨潢。詳先賢傳。

劉仲洙　大定三年登第。詳先賢傳。

閻公貞　大定七

科。見先賢蕭漢傑傳。

范　中　承安中。詳先賢傳。

高斯誠　至甯九年經義魁。詳先賢傳。

王　毅　經義進士。詳先賢傳。

劉德基　貞祐元年賜同進士

年。詳先賢傳。

趙伯成　明昌五年，經義、詞賦兩科進士。詳先賢傳。

田　錫　興定五年。詳先賢傳。

	元
	宋本　大都人。至治元年及第。詳先賢傳。 宋褧　本弟。泰定元年第。坿本傳。
出身。詳先賢傳。	
	張□　登第。見先賢張成傳。 梁陟　舉進士，以名儒徵。謚通獻先生。（据畿輔唐志、良鄉楊志） 梁恭　斗南子。中平書事。（据畿輔唐志、良鄉楊志）
	李繼本　見明先賢李侃傳。

		唐	宋
	通漷		馬諷 漷陰人。宣和六
	三河		
	武清		
梁德珪 字伯温。參知政事。詳先賢傳。	寶坻		
	昌平	劉頗 詳先賢傳。劉蕡 寶曆二年裴休榜。詳先賢傳。	
	順義		
	密雲		
	懷柔		

	金
年。詳雜人傳。	賈少沖　天眷二年。詳先賢傳。 張　亨　漷陰人。皇統六年。詳先賢傳。 馬　諷　宋進士，天德初再登第。 馬惠迪　漷陰人。天德三年擢第。詳
	馬柔德　天會初第。見馬百禄傳。 劉　樞　天眷二年第。中都轉運使。詳雜人傳。 馬百禄　柔德子。大定三年登詞賦進士第。詳先賢傳。
	馬　琪　正隆五年擢第。詳先賢傳。

	元		唐
先賢傳。 賈益 少沖子。大定十九年。坿少沖傳。 王良臣 承安五年。詳先賢傳。		涿	盧粲
	郝畊 皇慶年第。（据畿輔唐志、三河陳志）	房山	
		霸	
		文安	
		大城	
		保定	
		薊	王仲堪
		平谷	

高宗時。詳先賢傳。

盧懷慎

滑州人，徙自范陽。第進士。（据唐書列傳）按：此在神龍前。

盧綸

大曆初舉。詳先賢傳。

盧簡能

綸子。坿綸傳。

盧簡辭

大曆七年。詳先賢傳。

簡能弟。埘綸傳。

盧宏正

簡求兄。元和末登第。埘綸傳。

盧簡求

長慶元年登第。埘綸傳。

盧知猷

簡能子。見簡能埘傳。

盧虔灌

宏正子。見宏正埘傳。

盧嗣業　簡求子。見簡求坿傳。

盧汝弼　簡求子。見簡求坿傳。

盧景亮　第宏辭。詳先賢傳。

盧鈞　元和四年擢第。詳先賢傳。

盧商　元和四年進士第，

又書判拔萃登科。（舊唐書傳）

盧宏宣　元和中。詳先賢傳。

盧告　宏宣子。字子有。及第。給事中。（据唐書宏宣傳）

賈島　詳先賢傳。

盧求

寶曆初登第。（据舊唐書盧攜傳）

盧霈　開成三年。詳先賢傳。

盧藏用　詳雜人傳。

劉濟　坿劉怦傳。

盧攜　大中九年擢第。詳雜人傳。

盧元信

	五代梁	後唐
張液　以上二人登第。（据涿州吴志） 盧延讓　光化中。詳雜人傳。 盧導　唐末舉。詳雜人傳。	盧損　開平初舉。詳雜人傳。	劉載

	晉	漢
字德輿。清泰中舉進士。宋史列傳。		
	竇儀　天福中。詳先賢傳。 竇儼　儀弟。乾佑初及第。坿儀傳。	竇侃　儀弟。乾佑初及第。見儀傳。

	周	科分未詳
		盧望卿 盧彥卿 盧特卿 兄弟三人相繼登第。（据涿州吴志）
竇偁 儀弟。乾佑中及第。坿儀傳。	竇僖 儀弟。廣順初及第。見儀傳。	

宋

張鑑　太平興國二年第。坿先賢張藏英傳。

劉爽　進士第，祠部員外郎。（宋史劉審瓊傳）

李及　鄭州人，徙自范陽。字幼幾。舉進士。（宋史列傳）

趙晙

竇諲

竇諹

竇誥　三人並儀子。登進士第。（据宋史儀傳）

許驤　字允升。太平興國初詣貢部廷試擢甲科。（宋史列傳）

遼	
杜防	趙曮　晙弟。與兄同舉進士。（据宋史趙上交傳） 劉宗望（涿州吴志）。按：畿輔唐志宋進士載盧多遜涿人，今攷宋史多遜傳云河内人，故不入表。

開泰年第。

楊遵勖　重熙十九年登第。詳雜人傳。

王鼎　清甯五年擢第。詳先賢傳。按：道宗紀云八年，今依遼史傳。

牛温舒　咸雍中擢第。詳先賢傳。

	趙元 天慶八年登第。詳先賢傳。							
金	李慤 天眷二年第。（据畿輔唐志） 王翛 皇統二年。詳先賢傳。 梁瑭 大定十六年。詳先賢傳。按：畿輔唐志作塘，譌。		張天綱 至甯元年詞賦進士。詳先賢傳。				韓錫 漁陽人，徙自析津。天德元年賜胡礪榜進士及第。詳先賢傳。 韓玉 錫曾孫。明昌五年經義、詞賦兩科進士。詳先賢傳。	巨構 大定時第。詳先賢傳。 巨仲嘉 明昌年第。永壽令。

	元
劉器博 明昌二年賜同進士出身。（据涿州吴志）	盧贄 至元年第。（据畿輔唐志、涿州吴志） 宋维中 皇慶年第。尚書。按：涿州吴志中作忠。
	胡伯禎 劉朝英 内臺御史。 郝聚 大名路總管。（三人据霸州周志）
按：通州高志亦載之，誤。 劉中 明昌五年詞賦、經義第。詳先賢傳。	
	張德温 至元年第。（据畿輔唐志） 張伯道 至順年第。元帥府經歷。（据畿輔唐志）

	（据畿輔唐志）
	史恆德 皇慶年第。太師。（据畿輔唐志）

進士表中

明

	洪武十八年乙丑丁顯榜
大興	
宛平	
良鄉	
固安	
永清	劉宣 山西太原縣丞。按：題名碑奪，今据畿輔唐
東安	
香河	
通州漷	

					志。			
三十年丁丑韓克忠榜						施禮 □部尚書。		
建文 二年庚辰胡廣榜					馬彝 河南聞縣知縣。			
永樂 十六年戊戌李琪榜	文淵							
十九年辛丑曾鶴齡榜								張聰 漷人。漷注，不注者皆通州人。按：畿輔唐志列壬辰馬

							鐸榜，今据題名碑。
二十二年甲辰邢寬榜		梁禋 一甲二名。編修。按：畿輔唐志云大興人，今据題名碑。					
宣德 二年丁未馬愉榜	徐政 范鼎						李聰 御史。
五年庚戌杜震榜		劉清					

八年癸丑　曹鼐榜	正統　元年丙辰　周旋榜	七年壬戌　劉儼榜
張傑　太僕寺丞。按：題名碑云，江西吉水籍，今据畿輔唐志。		翟敬　太僕寺卿。按：
程理 宋雍　給事中。	李震　庶吉士、給事中、兵部侍郎。	韓雍　副都御史。
	劇復　給事中。按：題名碑奪，今据畿輔唐志。	
		王復　坿先賢王翺傳。
張敏　詳傳。		
		李侃　詳先賢傳。
		董昱　滌人。山東鹽運

	畿輔唐志云霸州人，今据題名碑。 劉懷 按察使。							使。
十年乙丑商輅榜	劉璉 坿先賢劉中孚傳。	崔璵 參政。 沈紀 御史。			趙昂 通政司參政。			董方 漷人。詳先賢傳。按：畿輔唐志，方作芳。
十三年戊辰彭時榜	周騤 光禄寺少卿。 王琮 主事。	彭廣 員外。 王讓 華顯 僉事。					李泰 僉事。按：畿輔唐志列壬戌，今据題名碑。	岳正 漷人。會試第一，一甲三名。詳先賢傳。

景泰 二年辛未 柯潛榜	五年甲戌 孫賢榜
李秉彝 給事中。 相傑 原籍南直隸華亭。 楊衵 參議。 張瑄 鄭佑	鄭瑞
莫灝 行人。 黃重 工部郎中。	高舉 李巽 知府。 楊懋 户部郎中。 陳儼
劉福 御史。	
朱鋭 郎中。	

天順元年丁丑黎淳榜	蔡誌 孫芳 顧正 錢達	左賢			劉鐸 馬馴户部員外。		汪諧禮部侍郎。羅崇知府。按：此見香河劉志。	按：通州高志有馬桓，今据題名碑，列三河。
四年庚辰王一夔榜	汪寬按察司僉事。							李温灤人。王聰灤人。
八年甲申彭教榜	鄭玉 王璒户部主事。夏景山西按察使。	戴玉户部員外。						

成化
二年丙戌羅倫榜

朱鐸　刑部主事。
王坪　河南南陽知府。
章鎰　編修。
劉本
顧福　河南右參政。
汪洪　山西參議。
戴佑　御史。
趙楨

魏景釗閻璟　按：畿輔周府左長唐志云實史。
柢人，今据題名碑。
施純　詳雜人傳。

	□□知府。							
五年己丑 張昇榜	吳理 李茂 刑部主事。	劉源						
八年壬辰 吳寬榜	朱仲炘 李暹 檢討。	陳以忠 □□知縣。 奚銘 御史。 李瀛 王勉 陝西洋縣知縣。				許輔		董寧 漷人。坿先賢董方傳。
十一年乙未謝遷榜	吳欽 潘盛	唐瑢				許弼 郎中。		甯賢 江南溧陽

	十四年戊戌曾彥榜
張宏	劉機 詳先賢傳。 蔡相 宋禮 鄭仁憲 按：畿
	車璽
李德恢 □□知府。	李德仁 郎中。 張鑑
知縣。 張廣 河南郟縣知縣。按：畿輔唐志奪，据通州高志補。又楊奉春，据題名碑入衛籍。	

	輔唐志奪。 鄭惟桓							
十七年辛丑王華榜	王定安 何淮 顧景祥 孫衍				康紹宗			
二十年甲辰李旻榜	鄭洪 費鎧 趙竤 光禄寺少卿。 陸瓛 湯珍 按：畿輔唐志云范輪，大興	夏昂 工部侍郎。 劉昂		劉永 工部侍郎。		許綸		

	人。今据題名碑入衛籍。							
二十三年丁未費宏榜	謝通 魏玒 沈瓚		辛禮	李鸞 御史，南直和州知州。 劉泰 山西代州知州。				
科分未詳	萬盛 按：明史孝義傳序，匯云順天人，今据一統志。							

弘治 三年庚戌 錢福榜	時中 僉事。 鍾永			王欽 福建副使。				
六年癸丑 毛澄榜	徐翊 員外。 居達 員外。	馮清 按察使。 奚自			王雄 湖廣常德知府。	孫端 給事中。		汪獲麟 山西左布政。
九年丙辰 朱希周榜	蔡栻 何俊 參議。 趙廉	陳瀾 一甲二名。修撰。 張玠 王禾 戴冕		李達 浙江杭州知府。				崔璽
十二年己 未倫文敍	林琦 甯夏巡	許銘 甘肅巡		張宏 南京户部			崔旻 四川左参	周棨 知縣。

榜	撫。徐江 户部主事。王舉 苑馬寺卿。	撫。倪議 朱良		主事。			議。	張愷 廣西平樂知縣。
十五年壬戌康海榜		王鍇			楊恭	魏景昭 御史。李錫 御史。	汪舉	
十八年乙丑顧鼎臣榜	王瑤	倪璋 浙江慈谿知縣。	毛玉 給事中。按：良鄉志，毛諷胡；其志舉人，不諷。					甯河 僉事。

正德 三年戊辰 呂柟榜	張行甫 朱冕 陝西副使。						汪賜 諸子。湖廣按察副使。	
六年辛未 楊慎榜	徐明 郎中。	樂選				許復禮 字稺仁。庶吉士、河南參政。 吳棟		錢濟時 南京吏部主事。 張欽 本姓李。詳先賢傳。
九年甲戌 唐皋榜	華淳 □□知縣。					李光霽 大理寺評事。		蔣承恩
十二年丁丑舒芬榜	鄭自璧 編修。		楊秦 詳先賢傳。	王可學 王正宗			戴繼先 太僕寺左少卿。	張子衷 湖廣德安知府。

	十六年辛巳楊維聰榜	嘉靖二年癸未姚淶榜
	朱應昌 李鳳來 鮑　説 石國柱 谷　鸞	范　箕　參議。 周　原 張　景
	安　璽　詳先賢傳。 蔡復元	
趙　錦　詳傳。	胡　昭　郎中。	王　教　一甲二名。祭酒。
御史。壽府左長史。	楊維聰　一甲一名。春坊。太僕卿。祀鄉賢。 王　煒　陝西左參政。	王　松　南直揚州知府。
		蔡　鋭
		李欽昊　參議。
	錢際時　主事。	楊行中　詳先賢傳。 李　錞　江西布政司參政。

	五年丙戌 龔用卿榜	八年己丑 羅洪先榜
		費淵 太僕少卿。 徐九臯 榮愷 陝西副使。
	楊維傑 一甲二名。侍讀。祀鄉賢。 蘇民 刑部郎中。	曹濡 户部主事。 高澄 河南巡撫。
	劉繼先 户部郎中。	
	李珻 主事。	杜彰
陳堯 詳先賢傳。	程綬 口北道僉事。按：通州高志列蔡子舉，今据題名碑入衛籍。	

十一年壬辰林大欽榜	唐國相 右通政。	張壽 □□知縣。		蘇志臯 都御史、巡撫。 馮繼芳 四川副使。		許應元 布政。		
十七年戊戌茅瓚榜	唐臣 □□知府。			張思誠 太僕卿。	高節 御史。			
二十年辛丑沈坤榜	朱乾亨 坿先賢王佩文傳。	吴天壽 山西按察使。		段鍊 □□大同府知府。				
二十三年甲辰秦鳴雷榜				張承敘 郎中。 段鑣 兵部員外。		劉體乾 詳先賢傳。 許應亨 參議。		

二十六年丁未李春芳榜		何鏜						
二十九年庚戌唐汝楫榜	錢鑄 知縣。	王鈇 詳先賢傳。		鄭逢陽 户部主事。	符允中 御史。			
三十二年癸丑陳謹榜		張大化 南直太平知縣。						
三十八年己未丁士美榜	趙雲程 鮑宗沂							
四十一年壬戌申時行榜				張允濟 □□巡撫。 牛應龍 □□知縣。	武尚賢 太僕卿。			王時舉 詳先賢傳。

四十四年乙丑范應期榜				張爔 觀吏部政。				
隆慶 二年戊辰羅萬化榜	杜其驕 通政使。	陳萬言 副使。						劉葵
五年辛未張元忭榜	趙鵬程 二甲一名。尚寶寺卿。 趙楫 遼東巡撫。 費標 □□同知。				張惟誠 □□布政。			
萬曆				傅好禮				

二年甲戌孫繼皋榜				詳先賢傳。				
八年庚辰張懋修榜								唐仲寅 行人。按：題名碑列于是科，而畿輔唐志嘉靖丙辰、萬曆庚辰兩列之，今未敢從。
十一年癸未朱國祚榜		何選 詳先賢傳。		楊應中 副使。				
十四年丙戌唐文獻榜						吴文燦 給事中。		岑應春 本姓汪。

						楊遇 □□知縣。		詳先賢傳。
十七年己丑焦竑榜				郭光復 副都御史。何其智 户部主事。				馬經綸 詳先賢傳。蔡成己 □□知縣。
二十年壬辰翁正春榜						林應元 給事中。		楊惟治 詳先賢傳。
二十三年乙未朱子蕃榜		王思任 九江僉事。米萬鍾 詳先賢						

	傳。 梁應澤 詳先賢傳。							
二十六年戊戌趙秉忠榜	張邦紀 詳先賢傳。							
二十九年辛丑張以誠榜	沈自彰 太常寺少卿。	王文邁 兩淮運判。						
三十二年甲辰楊守勤榜								唐嗣美 山西布政使。致仕，殉難。
三十八年庚戌韓敬	張國鋭 □□布							

榜	政。朱明時□□參政。							
四十一年癸丑周延儒榜					劉錬			楊若梓員外。
四十四年丙辰錢士升榜		劉餘祐詳雜人傳。						張樫芳吏部郎中。祀鄉賢。雷起龍員外。
四十七年己未莊際昌榜		丁乾學檢討。						劉廷諫詳先賢傳。

天啟 二年壬戌 文震孟榜		喬淳 □□知縣。				李若琳 尚書。		潘允諧
五年乙丑 余煌榜	朱之馮 詳先賢傳。		苑圃蕃 廣西道御史。按：良鄉志蕃作藩。					
崇禎 元年戊辰 劉若辛榜	金鉉 詳先賢傳。 史可法 詳先賢傳。 張星 庶吉士。 周鳳興 周鳳翔	魯元寵 濟南道。 周维新 福建建甯知縣。						

四年辛未 陳子泰榜	七年甲戌 劉理順榜
孫承澤 詳雜人傳。 夏尚絅 副使。 彭歌祥 員外。	錢良翰 江西南昌道。
朱國壽 陝西糧道。 吳之芳 編修。按：題名碑云順天府，今据畿輔唐志列宛平。 馬象乾 山東濮州知州。歸里，殉難。	
	李皐 漷人。參議。

	十年丁丑 劉同升榜
	劉顯績 字元公。陝西甯夏僉事。（据居易録） 王元建 □□知
	王正中 唐九經 □□知縣。 王燮 御史。巡撫山東。
	林有本 鹽運司經歷。
王應元 山東恩縣知縣。 張文烶 詳先賢傳。 張文煇 文烶弟，字仲文。副使。殉難。	楊若橋 御史。

	縣。 吳翔鳳 南直徽州推官。 蔣文運 □□知府。	（据明季南略）						
十三年庚辰魏藻德榜	沈光裕 字仲連。江西贛州推官。 梁以樟 河南商邱知縣。 何　平 參議。 李　耿	張鳳翼 廣東茂名知縣。						魏藻德 一甲一名。詳鑒誠傳。

	十五年壬午特用出身史惇榜按：是科亦見題名碑。
山東壽光知縣。彭三益參議。吳從義陝西長安知縣。殉難。國朝謚節愍，祀名宦鄉賢。	劉顯傳
	田炌
	李鵬翀
	薛從喜

十六年癸未楊廷鑑榜

史可程　可法弟，庶吉士。

龔之遂　户部郎中。

鍾性樸　江西參議。

王士捷　四川成都推官。

金允治　工部觀政。按：題名碑匯云順天，今据畿輔唐志列大

楊　璥　太僕寺少卿。

王崇簡　詳先賢傳。

卜兆麟　太僕少卿。

	興。吳之芳編修、經筵講書。（垳吳氏							
科分未詳	譜）李耿崇禎中。山東壽光知縣。殉難。		陳與音按察使。楊守魯萬曆年進士。陝西右布政。					
	三河	武清	寶坻	昌平	順義	密雲	懷柔	涿
洪武十八年乙丑丁顯榜								馮順給事中。按：題名碑奪，今据畿輔唐志。

永樂十六年戊戌李騏榜	李翥							楊璵 按：畿輔唐志列乙未陳循榜，今据題名碑。
正統四年己未施槃榜								殷謙 詳傳。
七年壬戌劉儼榜			芮釗 詳先賢傳。					尹禮 江西永新籍。按察司副使。
十年乙丑商輅榜					李賓 詳先賢傳。			

十三年戊辰彭時榜							戴昂	秦敬
景泰五年甲戌孫賢榜	王聰 主事。按：畿輔唐志列甲辰，今据題名碑。			劉瑄 南直滁州知州。		王昇	王詔 江南南昌知府。	牛綸 太常寺少卿。
天順元年丁丑黎淳榜	馬桓 按：畿輔唐志云通州人，今据題名碑。						李麟	楊琮 吏部員外。
四年庚辰王一夔榜				馬孝祖 户部郎中。				

八年甲申彭教榜					劉俊			
成化二年丙戌羅倫榜	邢謹刑部主事。							
五年己丑張昇榜					劉瓊參議。			
十一年己未謝遷榜			王傅御史。					史俊南直潁壽道。田景賢詳先賢傳。
十七年辛丑王華榜						劉富江西南昌知府。		

二十三年丁未費宏榜								鄧璋 詳傳。 陳玉 □□知府。 馮傑 廉使。
弘治三年庚戌錢福榜		劉芳 僉事。						
六年癸丑毛澄榜		徐瀾 □□同知。						楊壽 □□按察使。
九年丙辰朱希周榜	邢昭 詳先賢傳。							

十二年己未倫文敍榜	蕭選 詳先賢傳。 劉金 山西右參議。		薛鳳鳴 僉都御史。	趙宗		官倫 雲南臨安知府。		
十五年壬戌康海榜	王俸 山西運司。	孫清 一甲二名。編修。	田中 户部員外。	徐天澤 蘇乾 趙永 禮部侍郎。	朱衮 主事。 萬英 □□知府。			何義 推官。
十八年乙丑顧鼎臣榜			牛魯 户部郎中。 蔡需 副使。	崔傑 光禄寺卿。 蘇明 劉宓				楊鎡 □□知縣。 陳淵 員外。

				行人。				李時 太僕丞。
正德 三年戊辰 吕柟榜	田龍 張英 御史。按：三河陳志奪。		劉儒 山東長清知縣。		盛茂	盧楫 御史。		
六年辛未 楊慎榜	王楊 河南布政使。（据三河陳志）		杜盛 員外。	劉朴 洗馬。				王金 御史。 頓鋭 詳先賢傳。
九年甲戌 唐皋榜	蕭孟景		劉經 員外。			張淮 按：密雲丁志云丁丑科，今		池龍 主事。

	十二年丁丑舒芬榜	十六年辛巳楊維聰榜
		吴鯨
	龐淳 長史。	
		孫燦 御史。
据畿輔唐志。		
	史通 詳傳。按：畿輔唐志列甲戌，今据題名碑。 楊瑀 福建布政司參議。 尹嗣忠 郭夢麒 □□知縣。	

嘉靖 二年癸未姚淶榜					張琛			喬祺運同。 張鵬推官。
五年丙戌龔用卿榜		王維垣知府。				祝文冕刑部主事。		李允升布政司參議
十一年壬辰林大欽榜								陳時通政。 楊瀹詳先賢傳。
十四年乙未韓應龍榜								焦璉太僕寺卿。

十七年戊戌茅瓚榜	王楠　太僕寺卿。							陳珂　通判。
二十年辛丑沈坤榜		趙紳　副使。			張重　郎中。			
二十三年甲辰秦鳴雷榜			郝鳴陰　山西長治知縣。					
二十六年丁未李春芳榜		葉應乾						史闕疑　□□按察司僉事。史直臣　□□按察司副使。
二十九年庚戌唐汝楫榜			高敏學　詳先賢傳。	劉一麟　都給事中。				田汝麟　郎中。

	三十二年癸丑陳謹榜	三十五年丙辰諸大綬榜	三十八年己未丁士美榜
	蕭九成 四川按察使。 蕭九峯 御史。	喬　伊 坿先賢王佩文傳。 曹子朝 遼東苑馬寺卿。	蔡茂春 兵部郎中。
	苑　囿 郎中。		
崔學履 傑孫。尚寶司卿。			
		楊　霆 給事中。 倪光薦	
			孫汝翼 通政司參議。
	殷　仁 苑馬寺卿。		
陳　經 □□知府。	何　棨 副使。		

四十一年壬戌申時行榜	曹子登 都御史。		劉時秋 參議。					
隆慶三年戊辰羅萬化榜		劉葵 □□巡撫。						
五年辛未張元忭榜				韓鎧 山東壽光知縣。				郗據德
萬曆二年甲戌孫繼皐榜		許鋌 □□兵備道。						
五年丁丑沈懋學榜								盧洪春
八年庚辰張懋修榜			苑時葵 山西陽曲知縣。					

十一年癸未朱國祚榜								劉斯濯□□知縣。
十七年己丑焦竑榜			劉有餘山東安邱知縣。					馮盛明□□布政使。
二十六年戊戌趙秉忠榜	曹爾楨户部尚書。							
二十九年辛丑張以誠榜			王好善詳先賢傳。					
三十三年甲辰楊守勤榜				劉應任河南副使。崇禎九年殉難。				

三十八年庚戌韓敬榜	馮三元 副都御史。							
四十一年癸丑周延儒榜	張文運 禮部主事。							馮銓 詳雜人傳。
崇禎四年辛未陳子泰榜				韓羅 春坊。			張成德 改名成德。詳先賢傳。	
十五年壬午				王廷綬				
十六年癸未楊廷鑑榜			杜立德 詳先賢傳。					
科分未詳						李醇	張守詔	

		洪武四年辛亥吴伯宗榜	永樂十六年戊戌李騏榜
	房山		楊整　按：題名碑奪，今据畿輔唐
	霸	胡宗禧　福建南安縣丞。	
	文安		
	大城		
	保定		
山西布政司參議。仇仁　御史。傅思堯　山東高唐知州。（以上三人見密雲丁志）	薊		
張珪　南直太平知縣。（以上二人見懷柔吴志）	平谷		
	衛		

	志。						
宣德 八年癸丑 曹鼐榜				王亮 按：畿輔唐志列丁未，今据題名碑。			
正統 元年丙辰 周旋榜							張溥
十年乙丑 商輅榜							黃綬 御史。
景泰 五年甲戌 孫賢榜						秦玘 光禄卿。按：畿輔唐志列壬戌，今据題名碑。	錢俊 僉事。 錢源 參政。 薛恭

宣德八年癸丑 曹鼐榜	
正統元年丙辰 周旋榜	
十年乙丑 商輅榜	
景泰五年甲戌 孫賢榜	吴楨 錦衣衛籍。下三人同。 馮定

	天順元年丁丑黎淳榜
	邢表 詳先賢傳。
	龎勝 □□參政。 王冕 參議。
□□知府。	
□□按察使。 謝廉 熊惠	趙瑛 錦衣衛籍。以下三人同。 徐源 張祥 賴正 陶鎔 武功中衛籍。 鄭勤 義勇中衛籍。□□參政。

展毓　驍騎右衛籍。御史。（据畿輔唐志）

四年庚辰　王一夔榜

楊聰　□□知府。

陳俊　錦衣衛籍。僉事。

蔡霖　興武衛籍。

八年甲申　彭教榜

李迪　錦衣衛籍。下五人同。員外。

張玘

翁信

李琮 □□按察使。

曹宏 御史。

李東陽 詳先賢傳。

王琮 金吾衛籍。

余璽 義勇前衛籍。

洪清 武成前衛籍。

	成化 二年丙戌 羅倫榜
	薛恭
陳壯 □□衛籍。詳先賢傳。	張淵 錦衣衛籍。下六人同。 林鳳 張敏 李紳 光禄少卿。 管昌 段正 字以中。參政。 沈浩

	八年壬辰吳寬榜	十一年乙未謝遷榜
		毛倫 通政。
齊章 燕山左衛籍。 金鼐 武功中衛籍。 余瓚 籍同上。	張瑾 錦衣衛籍。 鍾墉 籍同上。 李瑛 騰驤右衛籍。	楊奉春 錦衣衛

按：題名碑云山西太平人，今据畿輔唐志。

籍。下三人同。按：通州高志云州人，今据題名碑。
堵　昪
孫　賓
李　旻
董　蘭　府軍左衛籍。
馬　通　燕山左衛籍。
張　瓚　武功中衛籍。行人。

十四年戊戌曾彥榜

劉聰

徐智 錦衣衛籍。下二人同。

王宏

金福

趙璧 府軍衛籍。

吴雄 羽林左衛籍。府尹。

胡諒 騰驤左衛籍。字允夫。工部侍郎。

	十七年辛丑王華榜
	張恕 尚書。
	張鎧
馬懋 騰驤右衛籍。 張璉 彭城衛籍。副使。	徐欽 錦衣衛籍。 章啟 武功中衛籍。下二人同。 張祺 吴裕

是科黄琪順天人按題名碑僅云順天籍。

二十二年甲辰李旻榜	二十三年丁未費宏榜
劉宗儒 僉事。	
樊瑀 □□知府。	
歐信 詳先賢傳。 史俊 燕忠 詳先賢傳。	
范輪 錦衣衛籍。下三人同。 高平 張錞 方榮 王璘 羽林前衛。 姜清 神武左衛。	張贊 錦衣衛籍。下五人同。僉事。

楊潭
房鑑
王貫
潘楷　□□按察使。
張瑛
胡顯宗　羽林右衛籍。
倪天民　武功中衛籍。
李良　神武左衛籍。御史。

張綸未詳科分，亦未詳何州縣。按：畿輔唐志云順天人，字大經，成化進士，右都御史。

弘治

三年庚戌

錢福榜

譚昇 □□知縣。按：題名碑云江西贛人，今据畿輔唐志。

呂傑 錦衣衛籍。下五人同。

尹洪

石瑽

邱經

陳曦

張定 僉事。

張鼐 府軍衛籍。僉事。

王宸 神武衛籍。

	五年癸丑 毛澄榜
	于瑁　太僕少卿。 曹恕　太僕卿。按：畿輔唐志曹作曾，今据題名碑。
劉文寵　武驤左衛。 黃繡　旗手衛籍。副使。	杜旻　錦衣衛籍。下三人同。 馬陟 夏時 王獻臣　字敬止。御史。按：明史傳云六年，

謁。

阮　賓　府軍前衛籍。下二人同。

田　佑

姚學禮

潘　衍　金吾左衛籍。

惠　隆　武驤右衛籍。御史。

龐　璁　籍同上。

黄　清　武功中衛

	九年丙辰 朱希周榜
籍。主事。 黃信　留守中衛籍。 李欽　龍驤衛籍。	傅習　羽林左衛籍。大理卿。 李瓚　錦衣衛籍。下三人同。户部尚書。 王藎

	十二年己未倫文敘榜
	賈銓 陝西漢中知府。
	梁材 户部尚書。諡端
	張綸 詳雜人傳。
□□巡撫。 胡璽 陳准 夏鼎 府軍前衛籍。 楊鳳 籍同上。 周鼎 金吾左衛籍。 崔璽 騰驤左衛籍。	張明 錦衣衛籍。下四

肅。

人同。
朱本端主事。
張　錦
陳伯安
魏　昂
錢俊民騰驤左衛籍。僉事。
張維新騰驤右衛籍。
劉　達武驤左衛籍。
劉文莊武功右衛籍。

十五年壬戌康海榜

張天錫 陝西僉事。

張禬 詳先賢傳。

李廷相 錦衣衛籍。下十人同。一甲三名。

李璋 山西右布政。

楊節

曹崑 太僕卿。

徐麟 工部郎中。

廖俊

段豸 北直棗強知縣。

曹岐
宣大巡撫。
陸鰲
參議。
田中
高嶼
天津副使。
李深
金吾右衛籍。
王宗
騰驤左衛籍。
蔣瓊
武驤右衛籍。

	十八年乙丑顧鼎臣榜
	楊鏓 府丞。
	王鏜 詳先賢傳。
徐儁 武功中衛籍。 姚欽 武功左衛籍。 賀洪 旗手衛籍。	翟鑾 錦衣衛籍。下八人同。 郭璋 金轂 太僕卿。 柴義 通政使。

孫脩

張繼孟

張綬

顧瑄

張麒

張瓚　府軍左衛籍。

張鎔　籍同上。

劉鵬　神策衛籍。户部主事。

滕紀　留守前衛籍。

張翰

	正德 三年戊辰 吕柟榜
	梁敏政 □□知縣。
	姚　信
騰驤左衛籍。按：畿輔唐志云永清人，今据題名碑。 李培齡 金吾左衛籍。	蕭　海 錦衣衛籍。太僕卿。 薛　瑞 籍同上。太僕少卿。 魏　境

羽林前衛籍。

王鉼　神武右衛籍。

盧鋭　騰驤右衛籍。

朱鑑　武驤右衛籍。

李璣　籍同上。

蔡芝　武功中衛籍。副使。

王朝　籍同上。

	六年辛未 楊慎榜
	康世臣 □□知縣。
	金　濂 運使。
余　志 武功左衛籍。户部主事。 王用賢 義勇後衛籍。	陳　桓 錦衣衛籍。下四人同。 翁　洪 工部郎中。 王　雄 龔　進 章　綸

山西僉事。

于桂　府軍右衛籍。

王璽　武驤左衛籍。

宋鉞　武功中衛籍。

金符　籍同上。御史。

夏啟　留守中衛籍。□□巡撫。

郭九皋

	九年甲戌 唐皋榜
	底蘊 甘肅巡撫。
	劉聰 □□巡撫。 史俊 副使。 李莊 長史。 朱昭
義勇前衛籍。陝西臨洮知府。 劉濟 騰驤衛籍。字汝楫。庶吉士、給事中，贈太常少卿。	蕭歆 錦衣衛籍。下五人同。 馮曾 鄭紳 工部尚書。

□□知府。

劉璣
山西左布政。
林馥
葛禬
戴仲綸
騰驤左衛籍。
朱敬
武驤右衛籍。國子監博士。
王暘
武功中衛籍。户部員外。
曹春
留守右衛籍。

張濂

文明 錦衣衛籍。下五人同。工部尚書。
江珊 山東青州知府。
高璧
范紳
杜民表
高夔
張子衷 騰驤左衛籍。
張准 義勇前衛籍。

十六年辛巳楊維聰榜

趙時寧　湖廣鄖陽府同知。

王　銳

段汝礪　虎賁左衛籍。御史。
高　登　錦衣衛籍。下四人同。
鄒　瓚
周　鯨
楊　鏞
陳　貴
趙　鎧　金吾右衛籍。
王　傳　籍同上。
山西陽城

	科分未詳	嘉靖二年癸未姚淶榜
		楊鋭 山東参議。
		王儀 詳先賢傳。
	王顯忠 坿先賢王浩傳。	
		余昇 □□知府。 王汝正 副使。 屠應坤
知縣。 田龍 武驤右衛籍。 魏珽 羽林前衛籍。		陳儒 字懋學。錦衣衛籍。下三人同。總漕。 呂璋

徐淮　户部郎中。

王侑

尚志　金吾左衛籍。

佘洲　羽林前衛籍。

龔治　籍同上。

鍾英　武驤右衛籍。

單鉞　武功中衛籍。下二人同。

	五年丙戌 龔用卿榜
	紀常 詳先賢傳。
	柴守正 户部主事。
張鏜 胡偉 武功中衛籍。 張文憲 武功右衛籍。 楊銓 籍同上。	郭秉聰 上林苑籍。右通政。 劉繼德 金吾前衛籍。右通政。

包珊
錦衣衛籍。

姜潤身
籍同上。

于慧
牧馬千府籍。

蔡子舉
武功中衛籍。按：畿輔唐志云通州人，今据題名碑。

八年己丑羅洪先榜	十一年壬辰林大欽榜
周臣 山東副使。	
	王佩 知府。
歐思誠 □□知府。	
	范愛 僉事。
黃卷 錦衣衛籍。下二人同。陝西參議。 王仲錦 高進 楊守謙 彭城衛籍。□□巡撫。	賈士元 錦衣衛籍。下三人同。户部郎中。 白悦 楊磁

	十四年乙未韓應龍榜
	張良貴　給事中。
吕懷建	孫陞　錦衣衛籍。一甲二名。 章甫　武驤左衛籍。 姚良弼　武功中衛籍。副使。 楊守約　彭城衛籍。□□布政。 徐祚　忠義後衛

	十七年戊戌茅瓚榜	二十年辛丑沈坤榜
	孟廷相 河南布政。	
		馬慎 詳先賢傳。
		王顯忠 庶吉士、給事中、山西左參政。
	步允遷 郎中。 歐思賢 員外。	郭维甯 主事。
		賈鶴年 通判。
籍。御史。	郭维清 武功中衛籍。參議。	劉九章 錦衣衛籍。下二人同。 陸杲 户部主事。 朱應奎 副使。 朱乾亨 武驤左衛

	二十三年甲辰秦鳴雷榜
	萬充濶 甘肅副使。按：州志萬作范，今据畿輔唐志。
籍。□□知府。 莫如爵 龍驤衛籍。御史。	戈九章 錦衣衛籍。下三人同。苑馬寺少卿。 葉材 陸煒 孫坊 趙世奎 神武衛籍。

二十六年
丁未李春芳榜

王遴
詳先賢傳。
蔣勳
山西僉事。

紀璿
參議。
李秋
都御史。

陸光祖
錦衣衛籍。下三人同。吏部尚書。
蔡用乂
太僕寺卿。
都成性
張來徵
刑部主事。
李豸
濟陽衛籍。
楊守魯
彭城衛籍。布政。

	二十九年庚戌唐汝楫榜
	李玳　陝西右參政。
	王極　御史。 崔棟　御史。
邱瓚　留守中衛籍。□□知府。 莫如士　龍驤衛籍。大理寺丞。	王价　錦衣衛籍。下七人同。知府。 白啟常 葉恩 紀鳳鳴 王溽

時通 □□知府。

周國卿 副使。

孫佳

王鈇 武驤左衛籍。詳先賢傳。

劉效祖 籍同上。詳先。賢傳。

莫如善 龍驤衛籍。□□按察使。

二十三年 癸丑陳謹榜
江北 山西平陽知府。 杜鵬翔 山東按察僉事。
王汝正 毛鋼
夏惟純 錦衣衛籍。下三人同。 孫鋋 侍郎。 梁淮 党緒 穆甯中 府軍前衛籍。 郭文輔 金吾左衛籍。永昌知府。 沈珤 武功左衛籍。兵部

	三十五年丙辰諸大綬榜
	杜華 南直江陰知縣。
	倪光薦
主事。 楊君璽 彭城衛籍。兩淮運使。 楊綵 虎賁右衛籍。巡撫。	任福民 錦衣衛籍。 陸夢韓 籍同上。 楊衍慶 牧馬千户所衛籍。副使。

三十八年	己未丁士美榜
沈如麒	□□知縣。
紀　誠	坿先賢紀常傳。
劉大受	太常卿。
李　璲	僉事。
金　定	僉事。
陸光祚	錦衣衛籍。下八人同。二甲一名。陝西提學道。
何子壽	
陳應麟	工部員外。
吕鳴珂	工部侍郎。
戈九疇	山東參議。
郭大綸	
楊廷選	

	四十一年壬戌申時行榜
	劉之蒙 河南僉事。
	王以纁 字伯聘。山西布政司右參
	李松 詳先賢傳。
李江 南京刑部侍郎。 劉庠 董文寀 金吾左衛籍。四川參政。 潘良貴 神武左衛籍。 潘一桂 忠義中衛籍。	朱應時 羽林左衛籍。太僕寺卿。

政。

盛時選　錦衣衛籍。御史。
李勳　旗手衛籍。
郭文和　金吾左衛籍。
王澤　燕山前衛籍。
祝尚義　騰驤左衛籍。湖廣鄖陽知縣。
吴鎮

								籍同上。喬應春 武驤左衛籍。陳廷芝 忠義後衛籍。
四十四年乙丑范應期榜		樊世緒 山東臨清道。	紀大綱 陝西按察使僉事。			成憲 祭酒。		徐維楫 錦衣衛籍。□□知府。張磐 大寧前衛籍。主事。
隆慶二年戊辰羅萬化榜			王惟幾 山東樂安知縣。祀					張道明 金吾後衛籍。□□

名宦。

知府。
張書　錦衣衛籍。下六人同。通政參議。
陳萬言
史思敬
蔡璧
蔣桐　□□知府。
章禮　江西參議。
孫綜　太僕寺卿。

	五年辛未 張元忭榜
	王緘　儀子。坿儀傳。 姜璧　詳先賢傳。
徐學詩　留守中衛籍。陝西僉事。	周應中　府軍左衛籍。 秦紳　錦衣衛籍。湖廣長沙知府。 沈涵　武功中衛籍。河南歸德知府。 徐學禮

	萬曆 二年甲戌 孫繼臯榜
留守中衛籍。□□知府。 洪聲遠 和陽衛籍。大理寺少卿。	孫鏞 錦衣衛籍。下三人同。會元。兵部尚書。 徐元春 太僕卿。 楊俊士 戈大本 給事中。

	五年丁丑 沈懋學榜
	邢孔陽 詳先賢傳。
李三才 武功右衛籍。詳先賢傳。 張汝賢 籍同上。太僕寺卿。	張嗣修 錦衣衛籍。下三人同。一甲二名。 王謙 李一陽 浦卿 户部郎中。

								李先著 副使。
八年庚辰張懋修榜		賈一鶚 户部郎中。	王應霖 湖廣按察使。					張懋修 錦衣衛籍。一甲一名。 張敬修 籍同上。 李天麟 牧馬千户所籍。御史。
十一年癸未朱國祚榜								王岳錫 錦衣衛籍。下四人同。□□知府。 方從哲

大學士。諡文敏。詳雜人傳。

呂廕昌　吏部員外。

孫如法　刑部主事。

楊元祥　編修。

呂胤昌

馬慤

楊應中　武功中衛籍。

沈鳳岐　旗手衛

	十四年丙戌唐文獻榜
	杜允繼 户部員外。 劉爲楫 庶吉士、刑科給事中，直言調苑馬寺主簿。
籍。□□知府。 黃騰春 留守左衛籍。 屠如虹 奠靖所籍。中書。	林守信 府軍左衛籍。山東濰縣知縣。 王道正 籍同上。僉事。

	十七年己丑焦竑榜
	王有道 河南汲縣知縣。
	王應期 陝西延安知府。
任萬化 府軍前衛籍。御史。 王嘉謨 豹韜衛籍。詳先賢傳。	蔡文會 錦衣衛籍。下二人同。刑部主事。 馮有經 右中允。 蘇光泰 章堯相

	二十年壬辰翁正春榜
	王樂善 吏部郎中。
	李應魁 字鵬所。山東萊州道。
彭城衛籍。知府。按：畿輔唐志云推官，今据宛平王志。 趙拱極 忠義前衛籍。光禄寺卿。	王愛 錦衣衛籍。□□布政。 李本緯 籍同上。□□布政使。

蕭　淳　燕山右衛籍。御史。

姚文尉　武功中衛籍。都給事中、南京太僕寺卿。

金汝升　留守前衛籍。户部主事。

高攀枝　忠義前衛籍。御史。

二十三年乙未朱之蕃榜	二十六年戊戌趙秉忠榜
米萬鍾 錦衣衛籍。太僕寺少卿。 劉餘澤 武驤左衛籍。□□布政使。	王之采 錦衣衛籍。兵部侍郎。 張邦紀 燕山左衛籍。禮部侍郎。

二十九年辛丑張以誠榜

王遠宜 御史。工部侍郎。

王陞 檢討。

毛维驧 郎中。

房楠 錦衣衛籍。

吕邦燿 錦衣衛籍。太僕寺少卿。

陳大猷 興州右衛籍。山東参議。按：宛平志陳作程，今据畿輔唐志。

三十二年甲辰楊守勤榜		劉試舉 山東青州知府。							
三十八年庚戌韓敬榜		張士雅 户部郎中。							李芳時 武功左衛籍。李思啟 錦衣衛籍。史孔吉 籍同上。
四十一年癸丑周延儒榜							崔呈秀 詳鑒誡傳。		周鏘 錦衣衛籍。河南布政。張時雍 錦衣衛

								籍。河南知府。
四十四年丙辰錢士升榜			姜楊武 山東掖縣知縣。				倪光薦 參議。	楊維垣 彭城衛籍。太常寺卿。
四十七年己未莊際昌榜		李時芫 布政使。殉難，謚節愍。				張元芳 主事。		劉存慧 錦衣衛籍。 張輦 籍同上。
天啟二年壬戌文震孟榜				劉漢儒 詳先賢傳。				劉席民 錦衣衛籍。

崇禎

元年戊辰劉若宰榜	四年辛未陳子泰榜	七年甲戌劉理順榜
	王胤懋 詳先賢傳。	
李寅賓		
蕭譽 燕山右衛籍。□□布政使。 郭永泰 武驤右衛籍。户部郎中。 王志舉 武功左衛籍。		康萬民 錦衣衛籍。督糧道。

								劉侗 籍同上。
十年丁丑劉同升榜		郝傑 太常寺博士。國初徵爲户科給事中。詳先賢傳。						
十三年庚辰魏藻德榜								吴邦臣 錦衣衛籍。御史。
十五年壬午史惇榜		劉凝祚						

十六年癸未楊廷鑑榜	科分未詳
齊檽曜	
	王世琇 字崑良。工部主事。殉難。
李孔昭 詳先賢傳。	

華陽吳祖椿校

人物志二十六

選舉二

德清傅雲龍纂 江陰繆荃孫覆輯

進士表

國朝

	大興	宛平	良鄉	固安	永清	東安	香河	通州
順治三年丙戌傅以漸榜	李奭棠 會元，一甲三名。編修、禮部尚書。按：奭棠以明天啟丁卯舉人中式。 樓晟	常自牧 湖南郴州知州。 楊璜 給事中。 張國憲 給事中。 劉澤芳	楊三知 詳先賢傳。		劉澍 陝西僉事。		袁懋功 詳先賢傳。 王體晉 僉事。	

胡兆龍
詳先賢傳。
耿于垣
朱之弼
詳先賢傳。
林起龍
詳先賢傳。
王士驥
庶吉士、御史。
宋　杞
庶吉士、宏文院檢討、陝西關內道。
李若琛

庶吉士、宏文院檢討。
李　鯨
湖南善化縣知縣。
鄧林瞿
工科給事中。
孔傳孟
陸　嵩
庶吉士、國史院檢討。

	四年丁亥 吕宫榜
庶吉士、御史。 張文明 庶吉士、國史院檢討、河南南陽府知府。 顏永錫 知縣。 宋　翔 僉事。	徐兆舉 知府。 張弘俊 庶吉士、編修、福建按察
	李昌垣 侍讀學士。 蘇　霖 浙江溫處道。
	張元樞 河南懷慶府推官。

使。

莊正中 知府。

胡昇猷 按察使。

張能鱗 四川副使。

羅　森 詳鑒誡傳。

劉玉瓚 知府。

靳龍光 丙戌會試中式。

胡維德 中書。

王之鼎 山西祁縣知縣。

章雲鷺 庶吉士、檢討、兵部督捕侍郎。

王　熙 詳先賢傳。

六年己丑
劉子壯榜

姜圖南 庶吉士、御史、河南睢陳兵備道。按：圖南爲明崇禎壬午舉人。
梁以桂 □部郎中。
徐增美 吏部主事。
葉樹德 庶吉士、主事、浙

顔敏 詳先賢傳。
張舜舉 陝西蒲城縣知縣。
謝泰 詳先賢傳。
吴道煌 江蘇蘇州府知府。
王辛 安徽天長縣知縣。

張士甄 詳先賢傳。
侯于廷 河南開封府推官。
雷一龍 詳先賢傳。

江處州府
知府。
方于光
同知。
王毓恂
徐翀
蕭世賁
知縣。
宗彝
副使。
蔣如瑶
知縣。
韓有倬
知縣。
于之挺
知縣。

	孫灝 知縣。 李長胤							
九年壬辰鄒忠倚榜	張永祺 一甲二名。編修、大理寺少卿。 陳可畏 譚弘憲	金鋐 庶吉士、編修、福建巡撫。 方希賢 浙江杭州府推官。		劉源澄 户部郎中。				楊士烒 庶吉士、御史。
十二年乙未史大成榜	朱蒞 知縣。 甯先璽 錢升 知府。	劉芳躅 詳先賢傳。 陳必成 雲南學道。		劉宗韓 禮部主事。	鞏維城 江蘇常州府推官。			雷湛 □部主事。

	十五年戊戌孫承恩榜
張偉 □部郎中。	沈崇甯
田種玉 詳先賢傳。 張完臣	殷觀光 庶吉士。 姚祖頊 官至給事中。
	楊正中 詳先賢傳。 杜繼召 李含春 吏部主事。 陳敬 庶吉士。

十六年己亥徐元文榜

王勗 二甲一名。詳先賢傳。

蘇宣化 庶吉士、編修、少詹事。

蔣弘道 庶吉士、檢討、左都御史。

朱之佐 詳先賢傳。

陳之蘊

張應科 廣東合浦知縣。

十八年辛丑馬世俊榜
米漢雯 詳先賢傳。按：畿輔唐志云宛平人，今据題名碑。 李時謙 張爾奎 蘇嵋 邳宿同知。 陳宏 按：畿輔唐志云顧宏，今据題名碑。 周世澤 知縣。
劉芳喆 詳先賢傳。 朱世熙 庶吉士、編修、右諭德。
賈[illegible] 己亥會試中式。都察院觀政。
張鴻猷 兵部武選司郎中、廣西提學僉事。祀鄉賢。

康熙 三年甲辰 嚴我斯榜	秦敬傳 中書。 邵宗周 范　固 周憲文 王　梅							鍾聲之 知縣。
六年丁未 繆彤榜	朱敦厚 胡懋宣 尤子麟	何天寵						
九年庚戌 蔡啟傳榜	李録予 庶吉士、編修、吏部侍郎。 張　烈 十八年博			辛樂舜				楊士炌 山東沂水知縣。

學鴻詞。詳先賢傳。

沈尚仁 知縣。

祖文謨 庶吉士、檢討、侍讀學士。

萬嵩

孫祚昌

十二年癸丑韓菼榜

顧汧 庶吉士、編修、禮部侍郎。

李尚隆

張榮祖 復姓顧，更名祖榮。庶吉士、編修、內閣

	田成玉 庶吉士、檢討。 葛鳴鵾 余應霖	學士。						
十五年丙辰彭定求榜	高聯 字愷陽。庶吉士。 劉嗣吉 田肇埏 李嘉猷	高裔 詳先賢傳。 劉彥 胡忠正						
十八年己未歸允肅榜				李橒 福建南安知縣。 卜景超 雲南永昌道參議。				

二十一年壬戌蔡升允榜	袁橋 黃軒 庶吉士、主事。 王如曾	徐經遠		卜峻超 御史。				
二十四年乙丑陸肯堂榜	張翥 高壽名 吳琪							
二十七年戊辰沈廷文榜		徐晉						王簡之 知縣。
三十年辛未戴有祺榜	黃叔琳 一甲三名。詳先賢傳。 邵觀 王從諫	張弘俶 韓宗綱						温爲 陝西清澗知縣。

三十三年甲戌胡任輿榜	龔　鐸　庶吉士、編修、侍讀學士。	周道新　庶吉士、編修、刑部侍郎。	
三十六年丁丑李蟠榜	蕭名俊	吴文炎　庶吉士、檢討、雲南開化府知府。	張庚耀

三十九年庚辰汪繹榜	陶　彝 方　辰　庶吉士、檢討。 張振嗣 金元寬 張登傑	汪養純 王景曾　庶吉士、檢討、禮部侍郎。			李士瑜　廣東惠州知府。		韓　瑛　貴州甕安知縣。
四十二年癸未王式丹榜	薄有德　庶吉士、編修、侍讀學士。 唐執玉　兵部尚書。 李　堂　庶吉士。	蔣嘉猷　同知。 胡忠本				韓　黃	

四十五年丙戌王雲錦榜	田易 吴文煊 趙予信							王兆鳳 庶吉士。
四十八年己丑趙熊詔榜	黄叔璥 詳先賢傳。 黄叔琬 邵錦江 蔣仁錫 應綜文 張奎光 邵之旭 胡文燦	鄭羽逵 趙東暄 李玘尊				李果實	陰儼	楊正 浙江知縣。 朱綸 詳先賢傳。
五十一年壬辰王世琛榜	何國宗 詳先賢傳。							

	五十二年癸巳恩科，八月試，王敬銘榜
薄海 庶吉士、編修、太僕寺卿。 舒大成 庶吉士、檢討。 甄之璜	于本宏 王貽筌 徐流謙 庶吉士、檢討。 方宏度 秦宗淑 本姓宋。 王玉璿

五十四年乙未徐陶璋榜	陸述宣							
五十七年戊戌汪應銓榜	吴士進 戴允恭	顏光暉						
六十年辛丑鄧鍾岳榜	邵泰 庶吉士、編修。 范卜年 王兆符	鄭大德 王克宏 庶吉士、主事。 劉维新						
雍正元年癸卯恩科，九月試，于振榜	邵錦濤 王鼐 沈梁 黄元鐸 庶吉士，改中行評	茹林		辛克一 馬咸厚 按：畿輔唐志云東光人，今据題名				陳誠 浙江太平知縣。按：畿輔唐志云癸卯，又列

	二年甲辰補行正科，八月會試，陳	悳華榜五年丁未彭啟豐榜
博，兵科給事中。邵大生	阮汝暻 趙立身	王康 徐安民 劉東甯 庶吉士、檢討。 陳王庭
	王庭琬 庶吉士、編修。 張忠震	繆燦 張灝 庶吉士、編修、侍讀學士。 裘樹棨 知縣。 鐘晼 詳先賢傳。
碑。		
甲辰，今据題名碑。		葉銘 陳琯 詳先賢傳。 蔡鈺

八年庚戌周澍榜　按：澍，題名碑録譌樹。

張之浚
謝鍠
張廷掄
薄岱
金溶　詳先賢傳。
高弘緝
周朗
阮汝昭
宋長城
袁儒忠
李作楫
高澤
趙璟　按：題名碑云復姓季，江南無錫人，然考畿輔唐志云宛平人，今据録。
楊秀　庶吉士、檢討、侍講。
楊燭　山東棲霞知縣。
顧爾棠　山東蘭山知縣。

十一年癸丑陳倓榜

田志勤　一甲二名。編修、侍講。
邵大業
何琇　詳先賢傳。
楊煐　河南許州知州。按：煐，畿輔唐志作瑛，今据題名碑

	乾隆 元年丙辰金德瑛榜
江南徐州知府。 于暲 魏其瓌 王鑑 周然 劉毓珍 魏文 李芳華 羅齡 徐淳	黃登賢 坿先賢黃叔璥傳。 黃詠 羅世芳 庶吉士、
	何珍
及固安陳志。	卜大川 大名府教授。按：畿輔唐志列癸丑，今据題名碑。

	二年丁巳恩科于敏中榜	四年己未莊有恭榜
知縣。王治國 甄汝舟 段修仁	温葆經 黄登穀 祝勳 張琪	徐垣 庶吉士、主事、湖北布政使。
	盧憲觀 庶吉士、主事、山東按察使。金世越 朱良弼 王光爕	張[illegible] 孫坦 李元方
	楊燏 江南山陽知縣。	
	曹雲昇 湖南知縣。羅鳳儀	潘坰

七年壬戌 金甡榜	
黃鶴齡 丁巳會試中式。	徐文煜 庶吉士、編修、左中允。 王錦 庶吉士、編修，大考降知縣。 費昭 高廷元 丁士睿 張昱 聶元善
盛英 龔廉 王文標	
劉圻 四川永甯道。	

	十年乙丑 錢維城榜
徐浩 施鼎 田志隆 汪士瑞 鄒本立 項鑣 劉[王雩] 金洪 庶吉士、散館歸班。 毛永燮 董天柱	吴楫 徐綱 陶以忠
李縉	徐文光 劉永受 宋紀
	楊成 （据固安陳志）
	丁虬 順德教授。 楊棟

	十三年戊辰梁國治榜
馮秉彜 丁巳會試中式。庶吉士、檢討。 朱繡 侯鈞 孫英 李元標 于超 金澍	王琰 朱珪 詳先賢傳。 袁增 舒毓椿
	王廷璋 唐文運
	顧人驥
知縣。	梁國治 一甲一名。修撰、大學士。謚文定。

	葉啟豐 庶吉士、主事。							
十六年辛未吳鴻榜	吳肇元 侍讀。 楊秉銓 溫葆初 朱　垣 坿先賢朱文炳傳。 舒元烺	李　綬 詳先賢傳。 張孝泉	王應元	楊　焯 户部員外。				金祖昌 湖北利川知縣。
十七年壬申恩科秦大士榜	翁方綱 詳先賢傳。 章天垣 王　欽 宋登元 吳雲步	張　模 庶吉士、主事、吏部郎中。 孫道周 夏　永			戴之适			陳啟宗 陝西澄城知縣。 陸象雲 吏部主事。

十九年甲戌莊培因榜

朱筠 詳先賢傳。
李天墀
王林
薛田玉 庶吉士、散館歸班、直隸保定府同知。
張潤
孫際清
狄棣
高兆煌 貴州鎮遠知府。
徐君弼 未殿試。

孫枝
丁傑
徐元弼
呂灑
查善長 詳先賢傳。

徐煥

二十二年丁丑蔡以臺榜	俞瀚 楊廷樺 郭世誼	張光啟 吳潮 鍾光序 朱天英					王大鶴 詳先賢傳。
二十五年庚辰畢沅榜	楊德麟	孫維龍 詳先賢傳。				楊企曾 廣西容縣知縣。	
二十六年辛巳恩科王杰榜	曹君弼 邵庚曾 庶吉士、檢討、山西雁平道。 邵自鎮 大名府教授。 吳興宗	米天琦					

二十八年癸未秦大成榜	舒元豐 邵一映 王麟書 李之英	陳　彬
三十一年丙戌張書勳榜	黃秉經 黃良棟 庶吉士、編修、江西南昌府知府。 黃符綵 李　蔚 詳先賢傳。 陳彙義 楊廷柱 癸未會試中式。	謝王鷺 謝　遇 胡　京

三十四年己丑陳初哲榜	魯用恩	陳庭學 丙戌會試中式。 戴求仁 朱近曾 張　珠 吴　哲						劉錫嘏 庶吉士、編修、江南淮徐河道。
三十六年辛卯黄軒榜	邱文愷 包　懐 庶吉士、主事、廣東鹽運使。	陳源燾 庶吉士、主事、御史。 史積容 見先賢史全義傳。 辛開一 王遡曾 孫文起						謝肇渚 工部郎中。 趙　瓖 錦州府教授。

榜	名	名
三十七年壬辰金榜榜	俞大猷 一甲二名。 徐大榕 山東泰安府知府。 能言孔 周元良	邱庭漋 庶吉士、編修、山東布政使。 劉印全 王永緒
四十年乙未吳錫齡榜	惲燮 胡文銓 章宗瀛 改歸浙江山陰。庶吉士、編修。 孫瀚 戴聯奎	何循 庶吉士、編修。 邱桂山 蔣基 張鏞

	四十三年戊戌戴衢亨榜
詳先賢傳。	邵自昌 二甲一名。庶吉士、主事、都察院左都御史。 王天禄 庶吉士、編修、福建福甯府知府。 吴裕德 庶吉士、編修。 盛時杰 邵自悦 范澐
	孫履謙 蔡必昌

四十五年庚子恩科汪如洋榜	范鏊 庶吉士、主事、光禄寺卿。 李銘 陸廷樞 潘漢	高棫生 庶吉士、編修，大考降知縣。 徐汝瀾 庶吉士、散館歸班。 張肇揆						王覲宸 安徽潁上知縣。
四十六年辛丑錢棨榜	王思詒 知縣。 王綬 庶吉士、編修、内閣學士。 祝堃 庶吉士、	李彭齡						

	編修。 陸鐘							
四十九年甲辰茹芬榜	章廷楓 李衡	王奉曾 史積英						丁楷 山東布政使。
五十二年丁未史致光榜	包愷 翁樹培 詳先賢傳。 王肇成	余芬						毛登瀛 御史。
五十四年己酉胡長齡榜	施杓 庶吉士、編修。 金檉發							倪鑠 茅豫 御史。 金檉 御史、廣西梧州知州。

五十五年庚戌石韞玉榜	邵葆醇 福建臺灣南路同知。	陳預 庶吉士、主事、山東巡撫。 史積中						魏鈞 廣東永甯知州。 魏紹濂
五十八年癸丑潘世恩榜	王麟書 庶吉士、編修、□科給事中。 戴三錫 四川總督。 黃炳奎	陳雲 一甲二名。編修、主事、安徽太平府知府。						商起 山東德平知縣。
六十年乙卯王以銜榜	謝城 癸丑會試中式。	李泉						雷學海 潘杰 山西鄉甯知縣。

嘉慶元年丙辰趙文楷榜	四年己未姚文田榜
黃焜望 庶吉士、編修。 邵葆祺 吏部員外、御史。	俞恆潤 庶吉士、編修、山西雁平道。 趙　玉 庶吉士、主事、湖北漢陽府知府。 俞恆澤
譚　元	朱學蘧 賞　鍇 庶吉士、知縣。
	白　榕 詳先賢傳。

廣西平樂知府，重宴鹿鳴。 汪桂林 董大淳 庶吉士、知縣、河南汝州直隸州。 王廷紹 庶吉士、主事、刑部員外郎。 孫喬齡 沈世求 林天培 詳先賢傳。

六年辛酉 顧皋榜	七年壬戌 吳廷琛榜
商載 由通州改歸原籍。庶吉士、編修、山東泰安府知府。 朱澄 庶吉士、編修、江蘇常州府知府。 徐鴻	孫世昌 庶吉士、
傅棠 庶吉士、編修、□科給事中。 查訥勤 庶吉士、檢討、陝西督糧道。 屠英 錢橒 沈峕中 王達 庶吉士、知縣。	胡開益 庶吉士、
劉澍 庶吉士、湖北恩施縣知縣。	

檢討、廣西潯州府知府。

莊詵男 庶吉士、知縣、河南懷慶府通判。

高廷魁 庶吉士、知縣。

王慶長

謝　幹 庶吉士、知縣。

編修、詹事。

瞿　昂 庶吉士、編修，庶子大考改郎中，河南陳州府知府。

朱玉林 庶吉士、主事。

劉　丙

余保純

韓保萬

鄧自申

十年乙丑
彭浚榜

徐松　二甲一名。詳先賢傳
邵葆鍾　庶吉士、編修。
徐鑑　庶吉士、散館歸班、福建興化府知府。
徐銓　庶吉士、知縣。
陳三立
魏襄　太僕寺少卿。

周階平　河南汝甯府通判。
錢楙勳
韓錦
劉謙　庶吉士、知縣。

王廷濬　山東兗沂曹濟兵備道。
劉壇

十三年戊辰吳信中榜	十四年己巳恩科洪鎣榜
丁嘉幹　張葆 庶吉士、編修。　劉亨地　姚丙成 庶吉士、主事。　王榘曾 庶吉士、知縣。　汪桂葆　沈禮　田文洛	陳繼義 庶吉士、編修。　姚慶元
趙植庭 庶吉士、主事、刑部郎中。　鄒士麟　葉璟　趙鍾彦 庶吉士、散館歸班、湖北蘄水縣知縣。　朱文燮　繆庭標	繆玉銘 宗人府主事。　王度
	李錦 内閣中書。

	十六年辛未蔣立鏞榜
庶吉士、主事、□科給事中。 徐連 田華 謝增 朱瀛　庶吉士、主事。	莫焜　庶吉士、主事、□部郎中。 劉晉
陳詩 王世棠　太常博士。	鄭長籙 邱家煒　庶吉士、編修、湖南沅州府知府。 陶鎔 張學尹
	楊承湛　詳先賢傳。
	謝元暉

		張師德 閻善慶 庶吉士、知縣。					
十九年甲戌龍汝言榜	程銓 沈咸	戴於義 庶吉士、主事、吏部郎中。 劉禮奎 庶吉士、知縣。 許世壎					强上林 奉天甯遠知州。 馮洤 山西潞城知縣。 雷學淇 詳先賢傳。
二十二年丁丑吴其濬榜	董基誠 河南開封府知府。 施棠	王貽柱 庶吉士、主事、雲南糧道。 王元洪					潘黼 江西安福知縣。

二十四年己卯恩科陳沆榜	二十五年庚辰陳繼昌榜
邵甲名 庶吉士、編修、廣西布政使。 程澐 庶吉士、編修。 朱希良 周濂 庶吉士、知縣。 陳增稔 張署	邵曰誠 庶吉士、主事、御史。
周曰炳 庶吉士、編修、福建興泉永道。 馬洲 戴本義 王頤	熊佩之 刑部主事。 陳思
	丁文釗 山西長子知縣。

鄭翊　復姓閔，改名若思。（据吴興科第表）

程式金　四川知縣。

錢相　刑部主事。

沈道寬　詳先賢傳。

陳增印　庶吉士、知縣。

張萬年　庶吉士、檢討。

馮文燦　江西知縣。

	范承祖 刑部主事。							
道光 二年壬午恩科戴蘭芬榜	王汝弼 徐青照 陳廷杰 劉文蔚	史積薪 鍾錫瑞 張志彥						白讓卿 湖北漢黃德道。 王文林
三年癸未林召棠榜	孫濟 庶吉士、福建福清縣知縣。 唐建庚	丁善慶 庶吉士、編修、侍講學士。 史致蕃 張希哲 山東知縣。			劉源灝 詳先賢傳。			
六年丙戌朱昌頤榜	莫元遴 孟廣沅	龔冕 朱琦						武天弼 改名新

	九年己丑 李振鈞榜
	李嘉端 詳先賢傳。 陶澐 庶吉士、編修、御史。 丁嘉藻 李攀龍
楊明善 呂振騏 馬映辰	李親賢 涂文鈞 李從圖 庶吉士、知縣。 袁浚 徐有壬 詳先賢傳。
銘。山東商河知縣。 李舒林 刑部主事。 張虎仁 河南河内知縣。	白謙卿 庶吉士、主事、廣東高州知府。

	十二年壬辰恩科吳鍾駿榜	十三年癸巳汪鳴相
改名光涵。詳先賢傳。 傳繹	鄭錫文 周銘恩　庶吉士、編修、御史。	
	劉榮桂　庶吉士、江蘇震澤縣知縣。 桑春榮　詳先賢傳。 何鎔 黃廷珍　庶吉士、編修、御史。	王景銘 徐耀

榜

庶吉士、檢討、福建泉州府知府。

杜錫衍

朱其榮

十五年乙未劉繹榜

胡應泰 庶吉士、編修、福建延平府知府。

李維醇

嚴文瀚

涂文光

汪紹曾

姜申蟠

陳鑣

趙振祚 庶吉士、編修、贊善。

王堃 湖廣道御史。

徐有孚

十六年丙申恩科林鴻年榜	唐廷綸 謝榮埭　庶吉士、編修、□□道御史。 郭世亨　庶吉士、知縣。 孔繼鑅 朱守方	丁楚玉　庶吉士、知縣。 董用威 邱家燧					
十八年戊戌鈕福保榜	惲光宸　庶吉士、編修、江西巡撫。 王履謙　庶吉士、編修、左	戴鸞翔　庶吉士、編修、直隸候補道。 史致謌　庶吉士、				陳則廉　天津教諭。	

副都御史。

鍾　瀛

高　魯　雲南知縣。

黃樹賓

董似穀　庶吉士、編修、江西候補道。

編修、浙江甯紹台道。

倪夢麟

二十年庚子李承霖榜

范承典　庶吉士、編修、光禄寺卿。

胡光泰　庶吉士、

秦金鑑

馬　鑄　庶吉士、編修、國子司業。

吳台朗

	二十一年辛丑龍啟瑞榜
編修。 王晉 孫肇元	龔寶蓮 一甲二名。編修、詹事。 俞長贊 庶吉士、編修、內閣學士。 陳慶松 庶吉士、編修、雲南知府。
山東濟東道。 虞家泰 庶吉士、主事。	孫耀先 庶吉士。 余錦淮 馬映階
	朱汝鵬 山西山陰知縣。

	陳濬 張彥雲 葉逢春							
二十四年甲辰孫毓溎榜	趙元模 左元烺 黃慶薆	胡霖澍 倪濤			張建基 辛丑會試中式。湖北布政使。			張賦林 江西南昌知府。 黎吉第
二十五年乙巳恩科蕭錦忠榜	童福承 庶吉士、編修。 惲世臨 庶吉士、主事、湖南巡撫。 羅嘉福 庶吉士、	楊翰 庶吉士、編修、辰沅永靖道。 顧駿 韓一松			劉伯塤 山西隰州知州。見先賢劉毓崑傳。			

	二十七年丁未張之
編修、山西汾州府知府。 馮栻 □□府知府。 陳泰初 庶吉士。 胡澐 改名慶源。御史。 鄭錫瀛 光禄寺少卿。 呂式古	段培元 吏部主
	袁績懋 一甲二
	張國士 河間府教

萬榜

事。

沈墉 河南知縣。

名。編修、福建候補道。

沈桂芬 詳先賢傳。

陳鍾芳 內閣中書。

周道治 庶吉士。

徐家杰 山東益都縣知縣。

瞿績凝

許亦崧 山西知縣。

授。

三十年庚戌陸增祥榜	惲鴻儀 庶吉士、主事、貴州貴陽府知府。 張師右 吴台壽 山東道御史。 儲德燦 邵亨豫 庶吉士、編修、吏部左侍郎。 劉傳祺 鍾佩賢 太僕寺少卿。
咸豐二年壬子恩科章鋆榜	俞奎垣 詳先賢傳。 徐啟文

庶吉士、編修、福建□□府知府。

陳繼業

楊豐紳

三年癸丑孫如僅榜

朱儀訓 庚戌會試中式。山西道御史。

謝膺禧 湖南按察使。

高延祐 庶吉士、編修、内閣侍讀學士。

六年丙辰翁同龢榜	繆冠瀛 吏部主事。 王允升 宋學濂	翁延緒			楊澤山 鴻臚寺少卿。	邵占鰲 刑部主事。		
九年己未孫家鼐榜	惲彥琦 湖北漢黃德道。 黃慶珍 鄭錫泰 韓寶鴻	楊鴻吉 大理寺少卿。						
十年庚申恩科鍾駿聲榜	孫汝霖 庶吉士、主事、四川邛州直隸州。		游觀第 順德教授。					

同治 元年壬戌 徐郙榜	范德馨	王兆蘭 庚申會試中式。河南開封知府。						李慶沅 會元。禮部主事。
二年癸亥 恩科翁曾 源榜	劉恩第	劉嘉幹 山東歷城知縣。 陳振瀛 庶吉士、編修、江西撫州知府。						白　桓 左副都御史。 張炳彬 山東文登知縣。
四年乙丑 崇綺榜	鈕玉庚 庶吉士、編修、侍講學士。 李國琇	宋作賓 山東知縣。 楊聯桂						李銜亨 江西督糧道。 董承乾

	兵部郎中。	工部主事。					宣化教授。
七年戊辰 洪鈞榜	王鵬運 刑部主事。 孫汝明 山西五臺知縣。 路青雲 江西知縣。	陳壽昌 庶吉士、主事、江蘇候補同知。					
十年辛未 梁耀樞榜	王祖光 庶吉士、編修。 劉承寬 山東知縣。 劉鴻熙	陳慶萱 刑部主事。 史　賢					

	刑部主事。							王振聲 工部主事。
十三年甲戌陸潤庠榜	陳文騄 庶吉士、編修、浙江金華知府。 俞培元 禮部主事。							
光緒二年丙子恩科曹鴻勛榜		徐致靖 庶吉士、編修。						
三年丁丑王仁堪榜	李維誠 浙江試用知縣。	陳炳奎 沈維誠						

	六年庚辰 黃思永榜
胡薇元知縣。	王雋頤山西知縣。 孫汝梅兵部主事。 陳應禧庶吉士、吏部主事。 范廣衡吏部主事。 盧慶雲福建知縣。
兵部主事。	
	韓受卿湖南知縣。

	三河	武清	寶坻	甯河	昌平	順義	密雲	懷柔
九年癸未 陳冕榜	趙臣翼 內閣中書。	陳冕 一甲一名。修撰。 邵松年 庶吉士。						徐炳文 庶吉士。
順治 三年丙戌 傅以漸榜	胡應徵 湖北羅田縣知縣。 朱國俊 山西五臺縣知縣。				陸華疆 知縣。		周樸 山東信陽知縣。	
四年丁亥 吕宫榜	胡繼芳 會副。江南常州府				周繩烈 丁同益			

	知府。							
六年己丑劉子壯榜		汪伯翔 山東德平知縣。按：汪一作王。					鄭適玄	
十五年戊戌孫承恩榜					錢中諧 知縣。康熙十八年，博學鴻詞召試，授編修。			
十六年己亥徐元文榜		趙之符 詳先賢傳。						

十八年辛丑馬世俊榜			劉兆麟 見先賢劉殿衡傳。					
康熙十五年丙辰彭定求榜		楊九有 中書舍人。			裘克美			
十八年己未歸允肅榜			楊雍 詳先賢傳。					
二十一年壬戌蔡升元榜		趙珣 坿先賢趙之符傳。			孫瓚功 雲南按察司僉事。			
四十二年癸未王式丹榜		趙琮 内邱教諭。						

四十五年丙戌王雲錦榜		諸葛銘						
四十八年己丑趙熊詔榜		劉甫生 復姓錢。 黃振國	芮復傳 詳先賢傳。					
五十二年癸巳恩科王敬銘榜		趙晟 湖南瀏陽知縣。	劉嵩齡					
六十年辛丑鄧鍾岳榜		曹涵 庶吉士、檢討。						
雍正 二年甲辰陳悳華榜		趙晃 庶吉士、編修、山東登萊青道。			陳浩 詳先賢傳。			

十一年癸丑陳倓榜		諸葛永齡 四川宜賓知縣。		劉毓珍 詳先賢傳。				
乾隆元年丙辰金德瑛榜			朱霖億					
二年丁巳于敏中榜				劉守成 江南蘇州府通判。	周洵			
七年壬戌金甡榜			芮永祺 安徽太湖知縣。 單鑑					
十年乙丑錢維城榜			單鐸 會魁。庶		俞成			

			吉士、主事、御史。					
十三年戊辰梁國治榜					張景載			
十七年壬申秦大士榜			王永芳 陝西鄜州知州。		李國麟		王雲鵰	
十九年甲戌莊培因榜				崔正音 江蘇如皋縣知縣。	王本嶓		王大經	
二十五年庚辰畢沅榜			芮永肩 庶吉士、檢討、左春坊左庶子。	劉人睿 御史。	王沛獻 陳本敬 庶吉士、檢討。			

二十六年辛巳恩科王杰榜				王　嵩　明通榜。河南懷慶府知府。				
二十八年癸未秦大成榜					王家賓　廣西按察使。			
三十一年丙戌張書勳榜					王家幹　安徽知縣。		謝　聘	
三十四年己丑陳初哲榜					陳本忠			
三十七年壬辰金榜			芮振宗					

四十三年戊戌戴衢亨榜			楊國麟					
五十二年丁未史致光榜			馬思聖					
嘉慶四年己未姚文田榜			劉志惓				邵自錦 奉天教授。	
十年乙丑彭浚榜							邵自鏻 山東濟甯州知州。	
欽賜		諸葛樅 國子學正。						
十三年戊辰吳信中			王墀 山西長治	崔光弼 廣西北流				

榜			知縣。	縣知縣。				
十四年己巳洪瑩榜			李光里					
十九年甲戌龍汝言榜			李藩 江西建昌府知府。					
二十四年己卯陳沆榜		王世紱 山西知府。	王思義					
二十五年庚辰陳繼昌榜			方濤 山東按察使。	王錫琨 兵部員外郎。				
道光 二年壬午戴蘭芬榜		王光宇 湖北漢陽道。	李菡 詳先賢傳。					

三年癸未林召棠榜			李蒓 安徽徽州府，贈太常寺卿。 王震 福建詔安縣知縣。					
六年丙戌朱昌頤榜		馬玉麟 四川新津知縣。	李蕚					
十三年癸巳汪鳴相榜				邵宗渭 廣東長樂知縣。				
十六年丙申林鴻年榜			李藻 鄭鳳鳴					

十八年戊戌鈕福保榜			李莊 四川重慶知府。	陳鴻翊 福建汀漳龍道。				
二十年庚子李承霖榜			王祖培 庶吉士、編修、内閣學士。	廉師敏 庶吉士、編修、工部侍郎。				
二十七年丁未張之萬榜			李德增 山東知縣。					
三十年庚戌陸增祥榜		王繼庭 詳先賢傳。						
咸豐 三年癸丑孫如僅榜		徐振瀛 河南滑縣知縣。	王淜 庶吉士、編修。	孫廷彦 工部主事。			任式坊 詳先賢傳。	

六年丙辰 翁同龢榜			楊景孟 刑部郎中。					
九年己未 孫家鼐榜			張丕烈 方學蘇 丁未會試中式。河南□□道。 王其慎 山東臨清直隸州。					
十年庚申 鍾駿聲榜			王慶祺 庶吉士、編修、侍講。					
同治					劉鍾麟			

二年癸亥恩科翁曾源榜

四年乙丑崇綺榜

李　璠　庶吉士、編修、江西臨江府知府。

李　溱　山東知縣。

方學伊　光禄寺少卿。

李桂聯　工部主事。

七年戊辰洪鈞榜			張丕績 奉天安東縣知縣。		劉治平 庶吉士、編修、江南道御史。			
十年辛未梁耀樞榜				趙輝棣 河南息縣知縣。				
十三年甲戌陸潤庠榜		路金聲 山東知縣。	徐浩 庶吉士、主事。 胡勝 庶吉士、編修、湖北襄陽府知府。	談松林 湖北知縣。				
光緒		張汝熙		高賡恩				

二年丙子恩科曹鴻勛榜			户部主事。		庶吉士、編修。			
三年丁丑王仁堪榜					董雲標 工部主事，改知縣。			
七年庚辰黃思永榜				馬存樸 山西祁縣知縣。 王慶禔	戴彬元 二甲一名。庶吉士、編修。 劉沛然 庶吉士、編修。	徐京		
九年癸未陳冕榜			徐紹康 内閣中書。	陳源潾 河南知縣。				

		順治 三年丙戌 傅以漸榜	四年丁亥 呂宮榜	六年己丑 劉子壯榜
涿				
房山				
霸	李浚 禮部主事。 張丕弼	樊纘前 江西提學僉事。 劉灦 陝西固原道僉事。	郝惟訥 詳先賢傳。	
文安		陳協 詳先賢傳。 王胤祚 大理卿。	萬方慶 甯國府推官。	高光夔 詳先賢
大城		劉楗 詳先賢傳。 薛元瑞 □部郎中。	王建中	
保定		劉克家 詳先賢傳。		
薊		林起龍 都御史。		
平谷				

				傳。				
九年壬辰鄒忠倚榜			郝惟訓 江南徽州府推官。 崔之瑛 詳鑒誡傳。	譚弘憲 山東鹽運司運同。				
十二年乙未史大成榜	馮源濟 詳方技傳。			紀元 詳先賢傳。				
十五年戊戌孫承恩榜						馮壯 浙江德清縣知縣。	王燦 貴州黃平州知州。	
十六年己亥徐元文榜				井在 詳先賢傳。	王公任 馬璣			

十八年辛丑馬世俊榜				紀星 四川納溪縣知縣。 井歒 四川長甯縣知縣。				
康熙 六年丁未繆彤榜			張報魁	紀愈 詳先賢傳。				
九年庚戌蔡啟僔榜	周釗			邵秉忠 山東樂安縣知縣。 李起 江蘇江都縣知縣。				
十二年癸丑韓菼榜			郝惟謨 內閣中	井睦 詳先賢				

			書。	傳。				
十八年己未歸允肅榜	龔宜生		郝士錞 詳先賢傳。	李六成				
二十七年戊辰沈廷榜			郝士鈞 庶吉士、編修。	王允澤		張復 庶吉士、編修、侍讀學士。		
三十年辛未戴有祺榜				樊紹祚 太常寺卿。 劉肇崑 廣東河源縣知縣。				
三十三年甲戌胡任輿榜	熊蕃 庶吉士、編修、侍			紀遴宜 坿愈傳。				

	講學士。							
三十六年丁丑李蟠榜				何桂蕃				
三十九年庚辰汪繹榜				李灼 王涵				
四十二年癸未王式丹榜				高志紳				
四十八年己丑趙熊詔榜	朱一鳳 詳先賢傳。			樊貞	雷淳			
五十一年壬辰王世琛榜			崔楙 廣東大埔縣知縣。					

五十二年癸巳恩科王敬銘榜	董俊 庶吉士、未散館，改山西隰州知州。		崔蒞 湖北嘉魚縣知縣。				
五十四年乙未徐陶璋榜			郝士鋐	陳儀 詳先賢傳。			
五十七年戊戌汪應銓榜	按：畿輔唐志董俊列癸巳，又列戊戌，複出。		崔宣 浙江德清縣知縣。	劉丕謨 庶吉士、編修、刑部郎中。 劉博			
六十年辛丑鄧鍾岳榜					李文華		
雍正				紀逵宜			

元年癸卯恩科于振榜				詳先賢傳。				
二年甲辰陳惪華榜			郝霑 福建福州府知府。	陳鳳友				
五年丁未彭啓豐榜			劉藎	韓銓				
八年庚戌周澍榜				井其洵 山東菏澤縣知縣。 陳玉友				
十一年癸丑陳倓榜					劉標			
乾隆元年丙辰			孟瑛 河南永甯					

金德瑛榜			縣知縣。					
二年丁巳恩科于敏中榜				紀虛中 湖南岳常澧道。				
四年己未莊有恭榜				紀宣猷 河間府教授。 董朱英 貴州畢節縣知縣。				
七年壬戌金甡榜				紀　晉 埘先賢紀愈傳。				
十年乙丑錢維城榜				沈　雯 江南通州知州。				

十三年戊辰梁國治榜	劉洵 知縣。 劉湘 □科給事中。							
二十二年丁丑蔡以臺榜				紀澄中 江南元和縣知縣。				
二十六年辛巳恩科王杰榜				紀曾蔭				
二十九年癸未秦大成榜	張存性							
四十年乙未吳錫齡榜		丁兆隆						

五十五年庚戌恩科石韞玉榜	王謨 按：州志奪，据題名碑。							
嘉慶 元年丙辰趙文楷榜			吳邦慶 詳先賢傳。					
四年己未姚文田榜	李熉 刑部員外郎。按：州續志列丙辰，今据題名碑。 盧坤 詳先賢傳。		崔象山 乙卯會試中式。山西盂縣知縣。					

六年辛酉恩科顧皋榜	張汝詢 雲南羅平州知州。						
十三年戊辰吳信中榜			崔偲 詳先賢傳。 崔顯宗 山東壽張縣知縣。				
十四年己巳恩科洪瑩榜			馬凌雲 浙江桐鄉知鄉。			李潤 知縣。	
十六年辛未蔣立鏞榜			崔廷詔 正定教授。				
道光十二年壬			崔侗 詳先賢				

辰恩科吳鍾駿榜			傳。						
十三年癸巳汪鳴相榜	朱憲曾 庶吉士、主事、吏部郎中。								
十五年乙未劉繹榜	楊衜 山西猗氏知縣。								
十六年丙申恩科林鴻年榜	張樹德 湖南知縣。								
二十年庚子李承霖榜				陳錕 四川筠連縣知縣。					
二十五年乙巳恩科	王萬齡 詳先賢			賀莊 永平府教					

蕭錦忠榜	傳。			授。				
二十七年丁未張之萬榜	周雲翥 山西同知。							
咸豐 三年癸丑孫如僅榜				紀暘 吏部主事。				
六年丙辰翁同龢榜	楊兆運 吏部主事。							
九年己未孫家鼐榜					石樹珠			
十年庚申恩科鍾駿聲榜					劉淮年 庶吉士、編修、廣東潮州府知府。			

同治 元年壬戌□□徐郙榜				井鍾丹	王玉相		王昕 庶吉士、編修、□□道御史。	
二年癸亥恩科翁曾源榜	全士錡 山東章邱知縣。 張理澄 山西知縣。				吕式棟			
四年乙丑崇綺榜					吕式枚			
十年辛未梁耀樞榜					王玉森 庶吉士、户部主事。			

十三年甲戌陸潤庠榜			崔　倫 大名府教授。					
光緒 六年庚辰黃思永榜	王鋭新							

武進屠寄校

人物志二十七

選舉三

清傅雲龍纂德 江陰繆荃孫覆輯

舉人表上

明	洪武十四年辛酉	十七年甲子	二十年丁卯
大興			
宛平			
良鄉			
固安			
永清	劉宣乙丑進士。		
東安		邢嚴 崔林	劉埜
香河			
通州漷縣			

二十六年癸酉			張誠 山西道御史。傅好禮 河南懷慶教諭。魏淡 保定縣典史。李凱 陝西華州訓導。		馬彝 庚辰進士。			
二十九年丙子			張林	陳篁 山西廣甯教諭。		焦鐸 施禮		
科分未詳			張紳 知縣。毛玉					

			按：以上二人見良鄉陳志。					
建文元年								牛亨 漷人。山東武城知縣。
永樂三年乙酉			張崑 山西平陽推官。			許忠		
六年戊子			張士 王輔 山東平度州判。			張溥	賀吉	周原 漷人。
九年辛卯			祁富 刑部主事。	許琦 山東德州訓導。				張聰 壬辰進士。

			蘇林 河南衛輝通判。 李誠 江南丹徒知縣。 蕭本					
十二年甲午			李擴 按：良鄉陳志作廣，今据畿輔唐志。	田均 山東鹽運副使。		王佐 李新		
十五年丁酉				郝郁 山西臨汾知縣。		李春		
十八年庚子				趙簡 山東濟南				

				府通判。				
三十一年癸卯				畢衷 河南臨漳知縣。				
宣德元年丙午				梁真 山西忻州州判。		許成		
七年壬子					張敏 癸丑進士。	李伸		
十年乙卯						施紳		
科分未詳		李震 字用初。丙辰進士。						
正統						李侃		武聰

三年戊午							壬戌進士。周尚文		山西按察司僉事。岳正 漷人。戊辰進士。
六年辛酉					王復 壬戌進士。				董昱 壬戌進士。許子英 江南丹陽知縣。
九年甲子									董方 漷人。乙丑進士。
十二年丁卯									邱文聰 魁春秋。山東長山知縣。

科分未詳			劇復 丙辰進士。					
景泰元年庚午						趙寬		張鵬 陝西平涼同知。 朱銳 李濬 灤人。
四年癸酉				牛盛 山東濟南府同知。	馬馴 丁丑進士。		楊綱	武[illegible] 山東武城知縣。 李温 灤人。庚辰進士。 李明 灤人。山西襄陵知

	七年丙子	科分未詳
		陳謀 知縣。 毛通
縣。 徐盛 灤人。 王聰 灤人。庚辰進士。	黃久名 王京 楊琬 河南固始知縣。 李增 灤人。錦衣衛經歷。	

			知縣。				
天顺三年己卯							王雄　浙江運判。葉達　河南閿鄉知縣。
六年壬午				王瑁　復子。兩淮都轉鹽運使司運副。	許弼		
科分未詳			侯諫　知縣。趙瑄　長史。高裕　教諭。				

成化元年乙酉	四年戊子
汪珙 解元。	
孫子賢 陝西布政司經歷。	韓春 湖廣辰州府通判。
施純 許輔	李憲 胡綸 李慧 趙鸞
	奈永昂 河南武安知縣。祀名宦。
康浩 莫昂 河南南陽推官。 武全 福建提舉。 劉瓚 湖廣京山知縣。 曹瓚 山東膠州同知。 孫節	蕭斌 教諭。 楊奉春 王塘

								江南安慶通判。曾昂 浙江台州同知。李儀 漷人。
七年辛卯	王雄					李德恢 李德仁 齊文 齊章		孫源 陝西蘭州知州。甯賢 董寕 漷人。
十年甲午				王欽 庚戌進士。				張廣 楊奉新
十三年丁酉				李鸞 字天瑞。		魏景昭		武繼祖 山東齊河

	十六年庚子	十九年癸卯
丁未進士。		劉泰 字世亨。丁未進士。 王燧 山東陽信
		王雄 癸丑進士。
王佐		
知縣。 葉林 滁人。江南碭山知縣。 葉彬 滁人。山東曹縣教諭。	解[illegible] 錢銘 四川潼川知州。	陸巘 程安 應天通判。 吳綱

	二十二年丙午	科分未詳	弘治二年己酉
			濮韶 解元。
		胡贊	
知縣。 劉永 字思永。甲辰進士。	楊和 字節之。國子監學正。		梁相 段補之 河南通許知縣。 李達 字士達。丙辰進士。
	王宗義		孫瑞 張本
			柰永春
陝西平涼通判。			汪獲麟 崔璽 王巘 漷人。陝西合水教諭。

	八年乙卯	十一年戊午
	陳瀾	
張志 陝西慶陽府同知。 劉傑 陝西西安府通判。	王和	辛志清 山東鄒平知縣。
	楊恭 壬戌進士。	張翰 乙丑進士。
	方璽 魁禮記。江南宜興教諭。 顧大章 字天和。西安通判。祀鄉賢。	孫臯 河南淅川訓導。

				張宗德 湖廣武昌府運同。				張騰漢 周棨 王驌 山東兗州籍。 張愷
十四年辛酉						李錫		陸賓 河南伊陽教諭。
十七年甲子		葛僑						甯河 張悌 知江南六安州。
科分未詳			高舉 □□州判。 謝暠					

	正德 二年丁卯	五年庚午
學正。		胡昭 辛巳進士。 楊秦 丁丑進士。
		王正宗 字嫡天。丁丑進士。 任祐
		傅堯臣 浙江安吉知州。 張鐸 陝西邠州知州。
	許復禮	吳棟 李光霽 劉大有 張儒 鮑朝
	戴繼先 丁丑進士。	
	吳縉 太僕寺丞。 錢濟時 花魁 山東同知。	張欽 復姓李。辛未進士。 單鉞 李釗 張錦 山東甯海知州。

八年癸酉			趙錦　丁丑進士。	張桓　陝西乾州知州。		黃鶴齡		馬禮　山西代州州同。 蔣承恩
十一年丙子				王可學　字敏夫。丁丑進士。 王松　字汝節。癸未進士。		李欽昊		張子衷 楊行中 陸維　禮部員外。
十四年己卯				楊維聰　解元。和子。辛巳進士。 王煒　字克新。		閻登		孟録　山西忻州學正。

	嘉靖 元年壬午	四年乙酉
		王堯卿 山西潞城知縣。
辛巳進士。	蘇民 字天民。丙戌進士。 常昱 甄偉 甘肅隴州知州。 劉元善	高澄 字肅卿。己丑進士。 曹濡 字汝育。己丑進士。
		劉繼先 丙戌進士。
		李珻 李世清
	甯平 宋鈇 李錞	張錫 陝西金州知州。 孫夔 陝西慶陽通判。 嚴鴻舉

	七年戊子
	朱　鐸 楊　譽 字謙之。
士。 楊維傑 和子。丙戌進士。 酈　標 山東掖縣知縣。	楊維誠 和子。 鄭　柱 嵐縣知縣。 李應辰 鸞子。
	孟　紱
按：畿輔唐志鴻作鵬，今据通州高志。河南太康知縣。 姚　潤 山西遼州知州。 程　綬 蔡子舉	

十年辛卯	十三年甲午
蘇志皋 壬辰進士。 鄭樟 馮繼芳 字世昌。壬辰進士。 祖進 陝西三水知縣。 張桂第 陝西平涼府知府。	劉相 陝西紫陽知縣。 宋相
高節 戊戌進士。	
許應元 張文舉	齊思
黃鐣 河南延津知縣。 劉春	

	十六年丁酉	十九年庚子
		毛沂
山西遼州知州。	張思誠 字子修。戊戌進士。 段錬 字文純。辛丑進士。 段鑣 字文貴。補之孫，甲辰進士。	張承敘 甲辰進士。
		許應亨 吴桐 李大經

	二十二年癸卯	二十五年丙午
王宏兆 正宗子。山西壺關知縣。 鄭逢陽 字道亨。庚戌進士。		牛應龍 字時見。壬戌進士。 鄭逢時 逢陽弟。
	趙　儒	符允中 庚午進士。
邵鳴岐	劉體乾	
	陳一策 聶宗元 滹人。	褚　賓 山西太原知縣。 張問行

二十八年己酉				張燆 字子行。乙丑進士。				吳邦重 陝西西河知縣。 王時舉
三十一年壬子				楊文祈 維聰子。	朱可進 山西隰州知州。 劉魯 楊勵 陝西慶陽同知。	魏柟 龎梅 李應期		張儁 山東黃縣知縣。
三十四年乙卯				張允濟 壬戌進士。 劉琚 王敬				唐仲寅

三十七年戊午				辛科 山東萊州府推官。 陶光寵 晉府左長史。 呂永富 字訓夫。河南懷慶府通判。	武尚賢 壬戌進士。			楊汴
四十年辛酉					成萬齡			侯元吉 孫和衷 劉大鵬 按：通州高志大作方，今据畿輔唐志。

四十三年甲子				盧鴻漸 字磐石。甘肅慶陽府通判。	朱廷高			張汝源 陝西鄠縣知縣。 劉顯名 鄭府長史。
隆慶元年丁卯				王允中 河南温縣知縣。按：畿輔唐志無，今据縣志。	張惟誠 辛未進士。 李承武 陝西西安知府。			張汝濟 浙江鄞籍，字仁甫。山東蒲臺知縣。 謝憲 長史。 馬時敘 山東壽張知縣。

四年庚午	萬曆元年癸酉
	劉餘澤
于彦英 山西徐溝知縣。 楊應中 癸未進士。 楊文裕 維聰子。户部主事。	侯溱 按：縣志列丙子科，今据畿輔唐志。
	張雲霽 陝西鞏昌同知。
劉顺性	吴文燦 楊遇 吴惟忠
	岑應春 按：通州高志列之隆慶四年庚辰，辰當爲午之譌。畿輔唐志列于

萬曆癸酉，今依之。

四年丙子

翟文卿　字蓋軒。江南廬州府通判。祀名宦。

傅好禮　甲戌進士。按：縣志列癸酉科，今据畿輔唐志。

楊惟清　詳先賢傳。按：通州高志列之癸酉，非也。今据畿輔唐志。

張　祥　漷人，字夢麟。河南原武知縣。祀鄉賢。

七年己卯			楊尚約	何其智 己丑進士。		林應元		
十年壬午				劉養浩 山東東昌知府。 郭光復 己丑進士。		福文明		楊惟洪 蔡成己 李先春 知縣。
十三年乙丑	甯承熙 兵部員外。殉難。		章維寧					馬經綸 己丑進士。
十六年戊子				楊寀學 維傑孫，字仲恭。山東德府審理正。	符剛中 萬泉知縣。 楊希孔	陳憲		楊惟治 惟清弟。壬辰進士。

				辛調鼎 科子。湖廣辰州府推官。 祖志伊 李天祥	刑部郎中。			
二十二年甲午		史應元		于進善 彥英子。河南柘城知縣。殉難。				
二十五年丁酉				賈尚志 四川南部知縣。				陳承龍 張檉芳 汝濟子，字中桂。
二十八年庚子			張治統 浙江嘉興府通判。	孫廷俊		黃宗周		袁希賢 知州。

三十一年 癸卯				王之俊 李鳳鳴				唐嗣美 字繹如。甲辰進士。 雷起龍 徐一杞
三十四年 丙午	楊維垣 周鏘 張時雍	劉餘祐						楊若梓 羅永春
三十七年 己酉		查秀 副。見先賢查日乾傳。						楊鎬 行中子。坿先賢行中傳。 劉廷諫 張鵬翔 山東東平知州。

四十年壬子	甯承烈 承熙弟，字養純。户部員外。殉難。				劉鍊 癸丑進士。	邵豫立		李可久 李鉉之 河南新安知縣。
四十三年乙卯	王守智 康萬民 張汝賢 吴士傑 原籍浙江山陰。 吴之芳 原籍浙江山陰。癸未進士。	周維新 喬淳		張國鑄				李國泰

是科張益慶、酒應星順天人，州縣未詳。據畿輔唐志。

四十六年戊午			苑囿蕃			孫繩武		劉廷諫 按：通州高志奪，今据畿輔唐志。
天啓 元年辛酉						李若琳		王應元
四年甲子		金鉉 解元。戊辰進士。		邢垂標		劉躋槁		龍起化 江南無錫教諭。
七年丁卯	李奭棠 字貳公。國朝順治丙戌進士。 甯承勳 承熙、承烈弟，字	王崇簡 馬象乾 字西山。辛未進士。		侯奉職 字石臣。			尹恂 字箴仲。	李鐘秀 湖廣岳州兵備副使。 羅應星 賈源 副。字君

	昭德。江南巢縣知縣。							逢。國朝順治初，盧龍訓導。
科分未詳	史應元 鄂平知州。（明史史可法傳） 史可法 應元孫。戊辰進士。							
崇禎三年庚午	金允治 周維新	宋一鶴 詳先賢傳。 王燮 字雷臣。丁丑進士。						魏藻德 庚辰進士。 楊若橋 張文烶 甲戌進士。

六年癸酉	張光國 字伯昭。河南高邱知縣。殉難。				趙其昌 應天府治中。 趙啓印		尹鴻猷 字澤遠。 周騰蛟 字潛九。汜水知縣。殉難。	汪光緒 按：榜姓岑，通州高志光作廣，緒作序。苑馬寺卿。 張文煇
九年丙子	錢光泰		袁生芝 山西長子知縣。國朝興安道。殉難。	甄名瑄	賈應鶴 副。詳先賢傳。	林有本		薛從善 知縣。
十二年己卯	梁以樟 史可程 龔之遂 吳從義	楊　璥	楊之柄	霍始然 山東肥城知縣。				閻拱宸 副。湖廣常德府知府。

	十五年壬午
原名麟祥，字歲青，浙江山陰籍。庚辰進士。 吴邦奇 副。浙江山陰籍。東宮侍衛領班。	姜圖南 字匯思。國朝順治己丑進士。
	何天寵 辛　民 金　鎮 解元。詳傳。 劉澤芳
	卜兆麟 字麒生。癸未進士。
	劉　澍
	張居易
	張元珍 國朝山西忻州知州。 任希尹

是科王士捷、鐘忋樸、蕭炎、宋藩、王執中、夏之中、錢廣、居訔、朝珖、湯大臨、徐自礪、臧楫、宋光賢、丁時、閔先箕、倪純、王任杞、李元起、劉滂皆順天人，未詳何州縣。

科分	三河	武清	寶坻	昌平	順義	密雲	懷柔	涿
科分未詳		米壽圖 崇禎中。詳先賢傳。						
洪武十七年甲子								李端 □□經歷。馮順 乙丑進士。
二十年丁卯	郭習中			蘇敏				

	江西参政。			南直廬州知府。				
二十三年庚午								李宜 按：涿州吴志云癸酉，今据畿輔唐志。
二十六年癸酉								張昇
二十九年乙子								趙弼
科分未詳		畢汝舟 廣東布政伣。 邵盤 噿嶁摧嶧政使。						

	建文元年己卯
王瀛 陝西按察使。 侯宣 河南僉事。	
	郝端 趙府紀善。 李政 陝西肅州衛經歷。 孫禄 南直海州判官。 趙聰 陝西延安府照磨。

永樂元年癸未	三年乙酉	六年戊子
	邳宣 山東館陶知縣。 董獻 上林苑監丞。	薄弘
李敦 詳先賢傳。 程式 □□經歷。 王祥 □□大使。 韓懋		殷禮

	九年辛卯	十二年甲午
山西吉州州同。張翥 杭州推官。	高安 楊謙 山西徐溝知縣。李素 副使。楊庸	劉原 山西陽曲訓導。
	侯復 山西右布政使。	唐郁 南直金壇知縣。
□□教授。楊立 □部主事。王忠		楊璵 乙未進士。孫忠

								□□縣丞。劉肅□部員外。馬信御史。
十八年庚子			孫鼐陝西西鄉知縣。	許詔陝西涇州同知。				張侃□□知縣。康莊□部主事。
二十一年癸卯			魏壽蕭縣稅課大使。					李安□□知縣。龐從雲王府伴讀。

科分未詳	宣德四年己酉	七年壬子
	郭文	
許綱 錦衣衛經歷。林遠 山東即墨知縣。		
		芮釗 壬戌進士。
		閻善 推官。楊昌義 □□訓導。談淵 兵馬司指揮。

十年乙卯			王鏜 山西按察使。	陳俊 山西定襄訓導。	靳潔 唐奎			
正統三年戊午	郭斌 直隸大名縣教諭。				李賓			殷謙 解元。已未進士。
六年辛酉			楊銳					尹禮 壬戌進士。
九年甲子								楊景 布政司參議。 田厚 □部主事。 王昭 □□訓導。按：

								畿輔唐志奪，今据涿州吴志。
十二年丁卯					楊慶			秦敬 字貞恭。戊辰進士。
科分未詳		林茂 山東高密知縣。						
景泰元年庚午	陸鏞 布政使。			侯宣 山東濮州知州。				牛綸 甲戌進士。
四年癸酉			呂欽 南直安東知縣。	索睿 劉瑄 甲戌進士。				楊琮 丁丑進士。

七年丙子	科分未詳	天順
		杜敬
劉泰 山西陽城知縣。 馬孝祖 庚辰進士。 王濟 山東聊城知縣。 梁鐸		
王鎧 趙禮		靳璋
	盧誠 山西代州訓導。 杜時 陝西華亭知縣。	
張仲芳 □□州同。		李璠

三年己卯	都察院經歷。							□□州同。宋鏞□□知縣。宋欽□□同知。
六年壬午			魏景釗丙戌進士。					尚義□□同知。
成化元年乙酉					楊俸 宋良			蕭定乙酉進士。季郁
四年戊子				韓玢山東金鄉知縣。	劉瓊 王信			史俊解元，乙未進士。

	十年甲午	十六年庚子
	石鼐 江西新城知縣。 岳廷魁	
	王傳 乙未進士。 王翱 浙江嘉興通判。	
劉俊 李貫 何諒 吳錫 盛茂 馬政 朱錦		
	田景賢 乙未進士。	鄧璋 丁未進士。 楊寬

	十九年癸卯	科分未詳
		王正 陝西保安知縣。 任恕
		萬保 □□訓導。
□□同知。 吴麟 □□同知。 高鑑 □□同知。 何顒 □□通判。	閻貫 □□教諭。	

	二十二年 丙午	弘治 二年己酉
	蕭鋭 河南懷慶通判。 王植 河南寧陵知縣。	
山東泰安州通判。	劉芳	徐瀾 徐瓚 徐璟 瓚弟。山西稷山知縣。
	芮元進 户部郎中。	
	李鎧 肅府長史。 劉奎 貴州思南同知。	
		蕭鳳
	陳玉 丁未進士。 王文佐 □□通判。 孫德讓 馮傑 丁未進士。	王顯 □□知縣。 楊壽 癸丑進士。

五年壬子	李沔		呂循矩	劉嗣榮趙府右長史。				
八年乙卯			薛鳳鳴己未進士。	崔傑己丑進士。	萬英 劉釗 郁鍾秀			楊磁乙丑進士。 杜定□□知縣。
十一年戊午		孫清 萬宣 葉文	程爵 劉天爵江西贛縣知縣。 齊鑑江南松江通判。		吳一鑽 尹政 王鋭 朱衮			何義乙丑進士。
十四年辛酉			田中壬戌進士。	趙思仁陝西固城				陳淵乙丑進士。

士。

蔡需　乙丑進士。

牛魯　乙丑進士。

楊文進　南直儀真知縣。

劉奎　河南武安知縣。

知縣。

趙永　壬戌進士。

劉宓　乙丑進士。

士。

劉繼仁　□□知縣。

李時　乙丑進士。

王輔　□□知縣。

牛讚　□□知縣。

宋璋

王金　辛未進士。

十七年甲子			龐淳 丁丑進士。 呂循 河南滎澤知縣。					徐玠 兵部員外。 池龍 甲戌進士。 王昭 据涿州吴志補。
科分未詳		程爵						
正德二年丁卯			劉儒 戊辰進士。	俞敏 劉朴 辛未進士。	馬致遠			郭夢麒 丁丑進士。
五年庚午		李欽	杜盛 辛未進士。		俞思孟			頓鋭 辛未進士。

	八年癸酉
牛逸　陝西中部知縣。	劉經　甲戌進士。
宋儒　□□知縣。 楊瑀　丁丑進士。	史道　解元。詳傳。 喬祺　癸未進士。 張鵬　癸未進士。 趙錦　詳傳。

十一年丙子	十四年己卯
李鏞 周府長史。 吴鯨	
	陳棟 □□運同。
孫燦 辛巳進士。	郭衛民 □□知縣。
秦瑁 □□知縣。	楊瀹 壬辰進士。 李允升 丙辰進士。 馬存仁 □□知縣。 王鋒 □□同知。 張嘉會 □□知縣。

	嘉靖 元年壬午	四年乙酉
	王維垣	
		高敏學 庚辰進士。 李實 山東定陶知縣。 張世經
王道 辛未進士。	周佐 推官。 劉灡 史遜	楊鉞 □□知縣。 陳經 庚戌進士。 蔣佑 □□知州。 趙倫

	七年戊子	十年辛卯
	李楫 山東濟陽知縣。	
	朱紱	
		靳東齊
周佑 □□知州。 尚廷書 □□知縣。 梁守簡 □□知縣。	陳時 壬辰進士。	楊錫 徐冕 □□通判。 高第 □□知縣。

十三年甲午			邳　贊　陝西蒲城知縣。 宋　銘					焦　璉　乙未進士。 田汝麟
十六年丁酉		趙　紳 張承德						郝　勳　附先賢程惟遠傳。 陳　珂　戊戌進士。
十九年庚子	劉　相　陝西綏德知州。		范　囿　癸丑進士。 劉　瑗　陝西慶陽推官。按：瑗，竇坻洪志作璦。	劉一麟　庚戌進士。	張　重 湯　賓			

二十二年癸卯			郝鳴陰甲辰進士。	崔學履庚戌進士。	萬鵬程 楊蕃			潘滋□□知州。 何棨癸丑進士。
二十五年丙午	劉夢麟山西猗氏知縣。 鍾秀	張洪山西大同知縣。	李廷印 楊世相		楊霆			尚世清□□同知。 史直臣丁未進士。 史闕疑丁未進士。
二十八年己酉		王棐			王金			楊澡□□知縣。

三十一年壬子	三十四年乙卯
	聶守中 山西大同府同知。 吳一龍 山東樂安知縣。
芮元采 山東青城知縣。	劉時秋 壬戌進士。 劉珮
韓鎧 辛未進士。	李宏
楊九經 □□知縣。 楊方升 □□知縣。 蕭璣 尚世儒 □□通判。	

三十七年戊午	羅潮 甘肅平涼知縣。				郭孔厚			馬汝平 □部員外。 頓起潛 □□知縣。
四十年辛酉	喬傳 山西汾西知縣。 邢士元 甘肅平涼府通判。 魏勉				張洪			郄據德 辛未進士。
四十三年甲子	李貴節 山東曹縣知縣。	劉葵					杜瑶 陝西崇信知縣。	史光先
隆慶			張濟川	張瀚	郭孔高			

元年丁卯			苑時蕃	丁餘慶				
四年庚午								李尚文 □□通判。
萬曆元年癸酉				王允中 山西五臺知縣。	杜　柟		宋世良 □□知縣。	焦騰汴 蕭鳴韶 □□同知。 劉斯濯 癸未進士。
四年丙子		許　鋌	苑時葵 庚辰進士。		吳邦泰			楊裕家 按：涿州吳志云癸酉，今据畿輔唐志。

七年己卯					鈕應魁			
十年壬午								楊慎家 □□知縣。
十三年乙酉			劉有餘 己丑進士。	馮盛明				趙友琴 趙良弼
十六年戊子	胡守經 山西遼州知州。							萬言策 □□通判。 田應召 □□知縣。
十九年辛卯		魏從周	王好善 辛丑進士。 劉邦謨					馮時盛 按：涿州吴志云馮盛明，今

								据畿輔唐志，以乙酉馮盛明入昌平，以辛卯馮時盛入涿。
二十二年 甲午			劉廷元	劉應召 甲辰進士。			鍾大相 南直淮安同知。	
二十八年 庚子	趙希汴 南京兵馬司指揮。						吴可久	陳一新 楊汝楨 □□知縣。
三十一年 癸卯								頓子京 □□知縣。

三十四年丙午	盧友竹 字居素。廣西按察使。		薛之桓 兵備道。					
三十七年己酉	聶士弘 山東濟陽知縣。		王　溥 湖廣衡州通判。					馮　銓 癸丑進士。
四十年壬子								喬　瀚
四十六年戊午		崔應登						
天啟元年辛酉			王兆辰 劉泰吉	田茂華				何汝與
四年甲子		耿之德	鄧光復 陝西邠州知州。					陳日燿

崇禎三年庚午				韓四維 辛未進士。				
七年癸酉				黃家用	張學仁 張第			
九年丙子		周雲龍 福建連江知縣。						
十二年己卯			杜立德 癸未進士。					
十五年壬午		馬調 劉汝治 福建興化同知。		楊春茂 字魁東。工部郎中。 韓四科 湖廣宜都知縣。	齊檽耀			

時代科分
未詳

高光宗 辛酉。山西永甯知州。
祝希哲 丁卯。江南潁上知縣。
劉餘澤 丙戌。順天府治中。
孔廷謨 癸卯。浙江杭州教授。
陳顒
盧旺 山東德平

李儀 廣西平樂知縣。
王佐 南直應天府經歷。
劉規 遼東廣甯衛經歷。
王恂 禮部主事。
張翼 京衛經歷。
劉安正 陝西提學僉事。
任方

知縣。	高厚　山東萊蕪知縣。	單翱	薛謙　陝西邳州判官。	李詳　山東布政司經歷。	田崇　廣西按察副使。	陶榮	李傑　御史。	李璣
陝西隴州訓導。	馬讓　陝西鞏昌教授。	趙浚　湖廣荆州府同知。	吴誠　禮部主事。	馮珪　山西大同府同知。	張羽　山東青州府訓導。	張憲　山東德平		

洪武三年庚戌		
	房山	
胡宗禧 辛亥進士。	霸	
	文安	
	大城	
	保定	
	薊	光禄主簿。 李惠 湖北長陽知縣。 李憲 陝西鳳翔通判。 李淳 李滄 户部員外郎。 鄭體元
	平谷	訓導。 王璽 南直清河訓導。 馮欽 河南舞陽知縣。
	衛	

十七年甲子		孔顒 山東德平教諭。	張忠 字惟臣。户部郎中。					
二十六年癸酉			馬昇 字文舉。南直徽州府教授。					
建文四年壬午					杜懋 陝西羌西寺丞。			
永樂元年癸未			楊盤 字惟銘。東城兵馬司指揮。 王卣 字宗器。吏科給事中。					

三年乙酉	六年戊子	九年辛卯
李琮		張璡 □□知
	田彬 應天府通判。 孟聚 山東兖州府知事。	張輪 浙江甯波
	邵玘 字廷玉。山西岳陽訓導。 焦振 字鳳舉。陝西邠州學正。 沈焕 字文明。陝西洛川縣丞。	孟燧 字廷珍。
		王榮
楊銘 南京兵馬指揮。 郭通	楊常 御史。 吴斌 薛謙	
	王隨 劉源 謝迪	張翥

	縣。	通判。曹顯 御史。						
十二年甲午		王規 江西南昌知縣。						
十五年丁酉	楊整 戊戌進士。	杜貴 訓導。	吴晉 字文昇。房範 字九範。山東嶧縣訓導。					
十八年庚子		趙勗 訓導。	魏昇 本姓賈，字伯騰。通政司經歷。					

			王雯 字雲霄。御史。 周繼					
二十一年癸卯					孫麟	郭謙 山東臨清州學正。 張勉		
宣德元年丙午			蔡璉 字宗器。山東東昌府通判。	王亮	蔡陞			
七年壬子			宗正 字建中。河南郾城訓導。					
十年乙卯			馬瑛		張顯		張溥	

			昇子，字文玉。山東茌平訓導。		知州。			
正統 三年戊午		李琦　浙江金華知縣。祀名宦。 張騰　山東東平學正。						
六年辛酉		于璠　壬戌進士。 張琛　御史、浙江布政使參議。	吉惠　字良濟。周府長史。 杜沖　字騰霄。山西蒲州			張昇 崔富　字聲之。兩浙運同。 陳禧　湖廣荊州	馬麟	

	九年甲子
王名 崔昇陝西蘭州衛經歷。	田嵩彬子。陝西行人。 劉震授孔顏孟三氏學教授，遷河南衛輝通判。 顏瑛山西應州學正。 何瑛山東歷城知縣。
訓導。	
	蔡興□□通判。
知府。	王容
	黃綬 張雲

十二年丁卯	景泰元年庚午
杜銳 貴子。	
王欽 字克敬。河南裕州同知。	
秦玘 甲戌進士。	陳志 山東東平知州。 康定 浙江紹興府通判。 錢俊 甲戌進士。 龎勝 丁丑進士。 王冕 丁丑進士。
	金綬 金純 詳先賢傳。 宮塘

四年癸酉	七年丙子
楊聰 庚辰進士。	
趙良 浙江布政司理問。 錢貫 山西洪洞知縣。 崔璘 陝西臨洮府同知。 于玭 璠弟。遼東苑馬寺寺丞。	
劉敬 字守明。河南河內縣訓導。 邢表 字居正。丁丑進士。	
	宋輅
錢源 甲戌進士。 楊銓 □□知縣。 梁善 王府長史。 敦信 山西絳州學正。	薛恭 丙戌進士。 劉璉 □□知縣。
吉俊	

天顺 三年巳卯						劉鑑 □□知縣。		
六年壬午			趙一貫 字承中。山東日照知縣。祀日照名宦。			毛倫 乙未進士。		李東陽 金吾左衛。甲申進士。
成化 元年乙酉		李裕	楊奇 字士魁。			王麒 知縣。	賈宗鏞	
四年戊子		沈文 山東武城知縣。 黄鐸				崔昂 □□知縣。 李達 □□知縣。	曾鍇 張鑄	

						劉聰 戊戌進士。		
十年甲午		劉宗儒 震子。甲辰進士。				王忻 王鸞 □□府同知。	張愷	
十三年丁酉		張恕 辛丑進士。				劉文奎 □□知縣。 蕭瓛 □□知州。 史俊 徐用 編修。	賈源 倪恩	

十六年庚子		田世芳 嵩子。山西屯留知縣。	樊瑪 字文佩。甲辰進士。			許鏞 □府通判。	譚昇	
十九年癸卯		谷景通	于瑁 癸丑進士。 張璵 山東東阿教諭。			歐信 甲辰進士。 燕忠 甲辰進士。 張寶 山東德州知州。	郝瑄	
二十二年丙午			張偉 南直黟縣知縣。				劉永堅 張瑁	
弘治二年己酉		劉洪 河南南召知縣。				劉麒		

五年壬子		賈銓 已未進士。 曹恕 癸丑進士。	李珩 字文佩。山東鄆城知縣。祀名宦。（据鄆城志）		蔡學易	劉思恭	姚信	
八年乙卯		張天錫 壬戌進士。		張旻 王鑰 戴魁		李倫 何南	張禬 壬戌進士。 張禴 禬弟。詳傳。	
十一年戊午			紀紘 字廷儀。秦府長史。	梁材		毛應時 □府通判。 張麒 壬戌進士。	張鎰	

十四年辛酉		顧良弼 吉府長史。 王　鑑 陝西渭南知縣。祀名宦。 張來儀	張延康 字永安。山西稷山知縣。 底　蘊 甲戌進士。			李　莊 壬戌進士。 崔　冕 □□知縣。 李文淵	金　澄 金　濂 錢　傑 王　鎧	
十七年甲子	楊　鏓 乙丑進士。 梁敏政 戊辰進士。		張繼先 字克孝。陝西秦安知縣。		王　誥 應天府治中。 于　瀚 □□知縣。	楊　臣 鹽運司運同。 家文慶 苑馬司監正。	賈真儒	
正德 二年丁卯			劉仲信 字君實。開封府通判。	馬　齡 見先賢馬慎傳。		歐弘憙 通判。 潘允徵	王文昌	

	五年庚午	八年癸酉
		楊　銳 癸未進士。
	張來鳳 來儀弟。山東范縣知縣。	江　東 山東觀城知縣。
王　儀 癸未進士。 温廷蘭 字德清。山東堂邑知縣。按：畿輔唐志奪，今据文安楊志。		
		劉　銓 山東萊州推官。
陝西中部知縣。 李　清 河南滎陽知縣。 唐世臣 辛未進士。 朱　昭 甲戌進士。	潘　潤 河南儀封知縣。	崔　銳 南直鎮江通判。
	張雲衢 劉宗儒 唐　相	王　銳 于　堂

	十一年丙子	十四年己卯	嘉靖元年壬午
范延安 浙江杭州通判。周紳 工部員外。			范暘 甘肅階州知州。
	趙時寧 字康伯。辛巳進士。		紀常 戊戌進士。
			馮鎮 山西萬泉知縣。
	于喬 刑部司務。王朝用	賀惠 僉事。余昇 癸未進士。	
王世安	路中		范愛

四年乙酉		趙希良			柴守正 丙戌進士。 馮鉞 鎮兄。河南柘城知縣。	歐思誠 己丑進士。		
七年戊子		隆文良 河南彰德府同知。 周臣 紳從子。己丑進士。	張良貴 字子元。乙未進士。 王佩 字朝鳴。壬辰進士。 董玉琳 山東陽穀籍。中山東榜。文安教諭。			歐思賢 戊戌進士。 李奇 山東鄒縣知縣。 步天衢 通判。		

十年辛卯		蔣勳 丁未進士。	萬克敏 字□勳。山東臨淄知縣。					
十三年甲午		郭文瑞 山西絳縣知縣，未任。 杜鵬翔 癸丑進士。 趙溥			王顯忠 誥子。	盧爵 山西陵川知縣。 李如桂 河南中牟知縣。		
十六年丁酉		孟廷相 戊戌進士。 沈如麒 己未進士。				郭維寧 辛丑進士。 侯東 □□知縣。	賈鶴年	

	十九年庚子	二十二年癸卯
江北 癸丑進士。	李玳 庚戌進士。 韓誼 范克蜀 甲辰進士。	
	馬慎 齡子。辛丑進士。 梁冠	
李秋 丁未進士。 步允遷 戊戌進士。	梁如京 □□知縣。 王朝儒 崔乾 □□知縣。	欒錦 □□知縣。 王極
	孟鴻 通州定邊衛籍。	

						庚戌進士。		
二十五年丙午		王遴 丁未進士。				莫璿 丁未進士。		
二十八年己酉						崔棟 潘山東	金定 王講	
三十一年壬子		房有容 解元。長安縣教諭。 李瑚 瀋府長史。 杜華 丙辰進士。	張于芹 字以化。		張汝楝 山東齊河知縣。	王汝正 癸丑進士。 毛鋼 癸丑進士。	倪光薦 金宙	

		顧庭 陝西葭州知州。						
三十四年乙卯		顧廉 良弼孫，庭弟。 樊世緒 劉之蒙 壬戌進士。				李穟 己未進士。		
三十七年戊午		樊克己 陝西鳳翔推官。 樊克宅 江蘇淮安府同知。	王惟幾 佩子，字子研。戊辰進士。 紀誠 常子。己未進士。	劉大受 李松 壬戌進士。		成憲 乙丑進士。		

四十年辛酉			王以纁 字伯聘，壬戌進士。 王應霖 字德徵。庚辰進士。			康乂民 □□知縣。	張岩	
四十三年甲子		李文燦 劉廷梅 陝西西安府同知。	紀大綱 誠子，字允立。乙丑進士。 王緘 儀子，字伯默。辛未進士。				張盤	
隆慶元年丁卯	鄭民悅		王惟祇 字子欽。			賈憲 □□知		

	四年庚午
山東蒙陰知縣。祀名宦。 王應期 應霖弟，字瑞徵。陝西延安知府。	邢孔陽 字公照。丁丑進士。 温天和 字逢春。山西平遥知縣。按：文安楊志以邢、温列
	蔡和菖 李學書 劉汝爲
縣。	

			癸酉，而以姜、井列庚午，今据畿輔唐志。					
萬曆 元年癸酉	李尚文	賈一鶚 庚辰進士。	姜璧 辛未進士。 井濟博 字世化。	陳以見 字汝誠。		盧以茂 □□知縣。按：薊州張志列之丙子，今据畿輔唐志。		
七年己卯		王樂善 遴子。壬辰進士。吏部郎中。	王登庸 字允薦。陝西臨洮府通判。			張炳文 □□知縣。 許一誠 兩淮鹽運		

		胡永定 山西河曲知縣。				使。		
十年壬午		杜允繼 華子。丙戌進士。 勇慎 山西潞安同知。 苗永春		李應期		毛維驪 辛未進士。 姚鎮方 □□知縣。		
十三年乙酉		劉爲楫 丙戌進士。 王有道 己丑進士。 于尚絅 瑁從子。			馮濯	盧養浩 □□知縣。		

		山西靈壽知縣。						
十六年戊子		趙開蒙		李應魁		滕一龍 □□通判。		
十九年辛卯		劉試舉 甲辰進士。 孟道溥	紀大藴 誠子，字允厚。	吴夢周			張子顺	
二十二年甲午		王　潤 陝西鞏昌知府。 江滙海 山東甯陽知縣。 李同然 瑚子。		于中行		李致和 □□知縣。	馬逢慶	

二十五年 丁酉	二十八年 庚子
張啓蒙 陝西臨洮知府。 王遠宜 辛丑進士。	張紹曾 楊　岩
王問卿 字獻可。陝西鞏昌府同知。 王　陞 字德懋。辛丑進士。	張文教 字玉霞。 王　策 應霖子，字延對。山西太谷知縣。 紀汝清 字廉卿。
王綱振	馮　橋 山東東昌同知。祀鄉賢。

三十一年癸卯		張士雅 庚戌進士。 高邦彥 山西絳州知州。		鄧希皋 詳先賢傳。	柴游泗 南直寧國府同知。祀鄉賢。	吳可願 □□知縣。		
三十四年丙午		李致敬 山東平原知縣。 王應春	劉應節		張紹栻			
三十七年己酉		李時芃 己未進士。 杜宗衍 允繼子。 郝鴻猷 陝西延長	陳國籌 字抒畫。山西蒲縣知縣。 姜揚武 璧子，字克光。丙	劉汝紹				

	四十年壬子
知縣。 于成龍 尚絅子。陝西洵陽知縣。	孟麒徵 道溥子。按：州志麒作麟，今据畿輔唐志。
辰進士。 陳所問 字審之。	李應召 字中柱。 姜銓 璧孫。附璧傳。 紀克家 字肇隆。刑部郎中。 李崇德 字完初。
	馬上選
	崔呈秀 按：畿輔唐志奪，今据薊州張志。 張元芳 李寅賓 李芳 王治 山西解州知州。

四十三年乙卯	李聯芳 □□知州。		邢體元 字太復。山東齊河知縣。 陳國維 字爾張。					
四十六年戊午	于先芳			劉漢儒		王國吉 湖廣衡山知縣。 屈允元 山東招遠知縣。	王世藎	
天啟元年辛酉			譚之休 詳先賢傳。			石元聲 南直蘇州通判。 毛雲翰 李九牧		

四年甲子		郝傑 鴻猷子。丁丑進士。 王印懋 辛未進士。 崔應鳳 副。詳先賢傳。	井焜 字季韞。□溪知縣。 何呈瑞 詳先賢傳。					
七年丁卯		錢銓 山東歷城知縣。 范定鼎 克蜀孫。	高揚 字侶鶴。南直桐城知縣。	趙世猷 梁國棟				
科分未詳			陳所聞 詳先賢傳。					

崇禎 三年庚午		趙國充 從訓子。	王膺 字靖東。 王國璋 以壚孫，字莪之。湖廣攸縣知縣。					
七年癸酉	甯允琉	勇錫祐 慎孫。	魏紹芳 字和旭。廣東參政。			賈定志 河南開封府同知。 張天宿 陝西鞏昌府同知。	賈應斗	
九年丙子		樊纘前 世緒孫。國朝順治丙戌進士。	姜鉉 銓弟，字太九。鎮江府推官。				馬國銓	

十二年己卯		錢鑰 銓弟。山西潞安府推官。 郝遂 按：畿輔唐志無，今据州志。		馬惟駿 薛元瑞		王宸嘏 崔瑗 崔瑀 副。	倪三策	
十五年壬午			何衡泗 字衍之。 井焯 字繼昌。浙江蘭溪知縣。	于上逵 趙永極		李孔昭 滕恭 高士吉		

華陽吴祖椿校